HOMO INTEGRALIS

UMA NOVA HISTÓRIA POSSÍVEL PARA A HUMANIDADE

FE CORTEZ

HOMO INTEGRALIS

UMA NOVA HISTÓRIA *POSSÍVEL* PARA A HUMANIDADE

Copyright © 2021, Fe Cortez
© 2021 Casa dos Mundos/LeYa Brasil

Todos os direitos reservados e protegidos pela Lei 9.610, de 19.02.1998.
É proibida a reprodução total ou parcial sem a expressa anuência da editora.

Editora executiva
Leila Name

Produção editorial
Ana Bittencourt, Carolina Vaz e Emanoelle Veloso

Preparação
Marcela Oliveira

Revisão
Clara Diament
Carolina Leocadio

Diagramação
Filigrana

Projeto gráfico, capa e ilustrações de miolo
Leticia Antonio

Dados Internacionais de Catalogação na Publicação (CIP)
Angélica Ilacqua CRB-8/7057

Cortez, Fe
    Homo integralis : uma nova história possível para a humanidade / Fe Cortez. – São Paulo: LeYa Brasil, 2021.
    360 p.

ISBN 978-65-5643-114-7

1. Sustentabilidade 2. Ecologia 3. Meio ambiente I. Título

21-3916   CDD 577

Índices para catálogo sistemático:
1. Sustentabilidade

LeYa Brasil é um selo editorial da empresa Casa dos Mundos.

Todos os direitos reservados à
CASA DOS MUNDOS PRODUÇÃO EDITORIAL E GAMES LTDA.
Rua Frei Caneca, 91 | Sala 11 – Consolação
01307-001 – São Paulo – SP
www.leyabrasil.com.br

Dedico esse livro aos frutos que o amor faz florescer. Wagner Andrade, Alice Reis, o filho que carrego em meu ventre, e à minha família e amigos, amo vocês.

Sumário

Prefácio, por André Trigueiro | 9

Um breve panorama da história da humanidade – até agora | 25
    O fazendeiro que planta ar puro, água limpa e terra fértil | 47

O mito da separação e a verdade da interdependência | 53
    O homem que parou o deserto | 69

A teia da vida | 73
    Bom, limpo e justo | 89

Novos tempos, velhos ciclos | 93
    Guerreiros sem armas | 113

Vamos sonhar juntos novamente? | 123
    A revolução dos baldinhos | 141

Juntos somos imbatíveis | 145
Regeneração | 171
    "Nóis pode" | 191

Novas comunidades para uma nova era regenerativa | 199
    A mágica dos cogumelos | 221

Economias ECO lógicas | 227
    Origens Brasil: inovação na floresta | 253

Vamos sonhar o Brasil? | 259
    Menos 1 lixo e a minha história | 285

Somos seres espirituais | 301
    Homo integralis: uma nova história para a humanidade | 317

O resgate do feminino para a regeneração | 321
Bem-vindes à era do *Homo integralis* | 349

Agradecimentos | 353

PREFÁCIO

Este livro é de uma ativista, na acepção mais honesta e contundente do termo. Fe Cortez não veio ao mundo a passeio, e quem cruza o seu caminho logo percebe a paixão com que abraça as mais diversas causas. Haja fôlego para realizar tantos movimentos num período de tempo tão curto quanto turbulento. A agonia do mundo – em suas múltiplas crises – encontrou eco na alma desta inquieta ambientalista. E quem escuta o grito da Terra sabe que não há tempo a perder. Fe escutou.

À frente do Menos 1 Lixo – sucesso nas redes digitais –, ela descobriu um jeito de mostrar com clareza e objetividade como pequenos ajustes na rotina fazem toda diferença. A credibilidade da mensagem sempre esteve escorada em seu exemplo, no que faz em casa e na rua, no que consome, em como descarta. A obra-prima desse período foi um copo de silicone caprichosamente projetado para substituir de vez os abomináveis copinhos descartáveis. A ideia pegou, ganhou escala e levou muita gente a questionar não apenas os copinhos, mas vários produtos plásticos descartáveis. Ponto para o ativismo!

Mulher num mundo saturado de testosterona, Fe aprendeu a lutar como uma garota. Correu o mundo para conhecer de perto alguns dos mais importantes nomes do setor privado dito "engajado" (invariavelmente engravatados), gente ligada ao empreendedorismo social, fundações e ONGs, representantes de governos, pensadores. Seu trabalho foi ganhando amplitude, e o fluxo de informações trouxe novos questionamentos e demandas.

A pandemia determinou a necessária redução dos deslocamentos, e uma saudável imersão em leituras e reflexões que tornaram possível a realização de um antigo projeto: seu primeiro livro!

Uma obra impregnada de um saudável ativismo, propositivo e embasado, que alarga horizontes e descortina poderosos movimentos para a regeneração do planeta.

Filosofia, ética, ciência e espiritualidade inspiram a narrativa da autora na desconstrução dos valores prevalentes da sociedade patriarcal que nos projeta na direção do abismo.

Fe aponta caminhos com um olhar feminino, não excludente, inspirado na energia amorosa de Gaia.

Que alcance corações e mentes, e inspire novas atitudes!

André Trigueiro

Oito da manhã, acordo sem a necessidade de usar um despertador, pois há muitos anos entendi que o sono é uma das etapas mais importantes da vida para que o meu organismo se autorregule. Entendi que nove horas de sono são o ideal para me manter saudável, e é difícil que precise dormir menos que isso, pois adaptei meus dias com base no meu biorritmo. O dia começa em jejum, prática que adotei também há alguns anos, e que realizo de forma intermitente e com acompanhamento médico. Para mim ele funciona como uma faxina no corpo, eliminando as células que não estão saudáveis e me dando mais saúde e energia.

Sigo para minha corrida, que hoje é no Aterro do Flamengo. A praia está cheia, e está começando mais uma aula de vela para crianças, que acontece junto com o Projeto MultiLuz, oficinas de aprendizagem de tecnologias de geração de energia renovável que ensinam os pequenos a construírem e consertarem suas estações de microgeração de energia a partir de fontes renováveis – no caso do Rio de Janeiro, sol, vento e água do mar.

Dou um mergulho na praia ali mesmo, numa água cristalina, e vejo cavalos-marinhos brincando, ao mesmo tempo que avisto ao longe alguns saveiros. Lembro da minha mãe contando que quando pequena costumava pegar cavalo-marinho com a mão na praia que frequentava na Ilha do Governador. Os saveiros levam pessoas para dar uma volta enquanto contam como foi possível despoluir a Baía de Guanabara com uma biotecnologia de placas de bactérias potentes que se alimentam do esgoto e outros poluentes ao mesmo tempo que os transformam em nutrientes para si mesmas. Lembro de quando era mais jovem, quantas vezes ouvimos a promessa de despoluição desse cartão-postal, um dos mais belos do mundo, com tecnologias caras e não eficazes. Depois de tantos anos deu certo! Foi usando essas placas, eliminando os despejos clandestinos de poluentes tóxicos nos rios afluentes da baía, limpando seu fundo e coletando e tratando 100% do esgoto que antes era despejado *in natura* que há alguns anos ela se revitalizou, e com ela a vida marinha e do entorno.

Passo num armário coletivo que fica ao lado da minha casa, e escolho uma roupa para um evento muito importante que tenho hoje. Esses armários estão espalhados pela cidade, e são uma das formas que encontramos de compartilhar as roupas e, assim, produzir menos, usar menos recursos da natureza e ter opções diferentes para ocasiões distintas. A indústria da moda já foi considerada em 2020 a segunda mais poluente do planeta, por isso seu modelo de negócios mudou radicalmente. Hoje, a vida útil de quase todas as peças aumentou enormemente, e é circular, num conceito vai e vem. As peças que vou usar hoje devolverei em uma semana, depois de lavar, assim outra pessoa poderá usar em seguida. Sigo caminhando para meu prédio, que foi retrofitado, e agora tem um sistema de tratamento e transformação do esgoto dos apartamentos em adubo. Quase todos os prédios e casas do país agora têm sistemas de tratamento local de suas águas cinza, bem como cisternas para captação de água da chuva, e assim os rios voltaram a ser limpos. Esse foi um projeto conduzido pelo governo, mas adaptado a cada realidade local, com diversas tecnologias específicas que variam entre Bacias de Evapotranspiração, que usam bananeiras e taiobas para a filtragem da água para locais rurais, versões diversas de banheiros secos, adição de enzimas catalisadoras no tratamento do esgoto, até biodigestores compartilhados.

Eu me arrumo para ir para a última, e por isso tão especial, das centenas de inaugurações de Parques Restaurativos Circula, espaços comunitários, sonhados e cocriados pela comunidade da vizinhança, onde crianças e adultos brincam, praticam esportes e plantam em hortas comunitárias que se espalham por todo lugar. Eles foram construídos sobre o que eram aterros sanitários e lixões, revitalizando áreas antes completamente degradadas. São pontos de encontro onde acontecem ainda as *oficinas do brincar livre*, nas quais crianças fortalecem o poder da imaginação, e do *sonhando o amanhã*, encontros da comunidade para planejar os próximos vinte anos de cada bairro. O que antes era mau cheiro, foco de transmissão de doenças e reflexo do que a miséria faz com as pessoas agora é o coração pulsante do bairro. Me alegra muito estar num local como esse, pois lembro que no começo da minha vida como ativista visitei diversos aterros e lixões, e sempre passou pela minha cabeça que o lixo era, na verdade, desperdício de preciosos recursos, e mais precisamente um erro de design. Só eu sei quanto sonhei e batalhei junto com tantos outros parceiros de jornada para que não houvesse mais instalações em que se enterrassem natureza ou dinheiro ou, ops, recursos.

Esse projeto começou em 2030, alguns anos depois que a pandemia finalmente acabou, e deu início ao período que ficou conhecido como o Grande Despertar, quando milhões de pessoas no planeta passaram a entender que havia novas histórias possíveis para a humanidade e que os atores principais dessas narrativas eram elas próprias. Iniciou-se então um processo gradual de fortalecimento de comunidade e da economia local, com mudanças significativas na política, o que faz com que hoje quase todas as candidaturas sejam de coletivos realmente interessados em mudar, em melhorar a sociedade. Foi um processo lento, mas agora as políticas públicas passaram a atender profundamente os anseios das populações, e uma série de melhorias aconteceu.

A década de 2020 representou uma grande mudança na mentalidade da população global e uma oportunidade para o Brasil, já que depois de anos de um governo genocida e ecocida muito dinheiro voltou a fluir para o país no projeto Refloresta 1Bi, que usou fundos internacionais e tecnologia de blockchain para plantar mais de 1 bilhão de árvores nativas, recuperando Cerrado, Mata Atlântica, Pantanal e Amazônia.

Quando chego ao parque, um exemplo da aplicação dessa nova visão de mundo à realidade, sento na roda comunitária em silêncio, prática aplicada no início de cada ciclo de encontros do bairro, que terminam quase sempre com uma celebração nessa mesma roda. Para hoje está marcada a apresentação de uma banda de meninas que misturam rap com samba e cujas letras falam sobre a cultura do Brasil. Depois de a comunidade apresentar seu parque, seguimos para o coquetel, vegano, e feito principalmente com Plantas Alimentícias Não Convencionais (PANCs) encontradas no entorno. Não existem descartáveis nesse coquetel, e cada participante usa seu kit lixo zero, composto de talheres, copo retrátil e guardanapos, para se servir nas bandejas de mandioca que são usadas como pratos, e que depois serão compostadas ali mesmo, já que esses parques têm no projeto áreas de compostagem, troca de resíduo orgânico por adubo, mudário e horta.

15 HOMO INTEGRALIS

Parques como esses marcaram o fim dos lixões e aterros, o que só foi possível com a mudança radical da gestão dos resíduos e a remodelação da economia, que agora é circular; assim os moradores produzem basicamente resíduo orgânico, que é compostado nos pátios de compostagem espalhados pela cidade. Essa comida compostada vira adubo, usado nos telhados verdes e hortas urbanas que cobrem a cidade e produzem 80% do alimento consumido. Elas são ainda uma alternativa de renda complementar para muita gente, agora que a economia local de alimentos aumentou significativamente, com projetos de lei que passaram a beneficiar o pequeno produtor urbano. Com os telhados verdes e hortas nas lajes, não se veem mais as enchentes que alagam tudo, pois a maior parte da água que transbordava em bueiros é drenada pelos jardins suspensos, que fizeram ainda a temperatura média da cidade diminuir, assim como os casos de mortes de idosos nas diversas ondas de calor que ainda acontecem. As abelhas voltaram a voar por aí e a polinizar livremente praças e jardins. Pontos de ônibus agora contam com cobertura vegetal de PANCs e árvores frutíferas.

Os parques estão sempre cheios, já que agora as pessoas convivem mais entre si e com suas famílias, e também têm mais tempo para se dedicar à comunidade, o que aumentou a qualidade e a expectativa de vida e diminuiu consideravelmente os níveis de estresse e depressão nas cidades, fenômeno que estava no ápice em 2020, quando a primeira pandemia do novo coronavírus aconteceu e deu início à jornada de regeneração da humanidade. Muitas vidas foram perdidas, e a ela se seguiu uma grave crise econômica. O coronavírus passou a ser lembrado como o invisível que jogou luz às mazelas estruturais causadas pela limitação do pensamento cognitivo humano. Foi ele que deflagrou que as bases ideológicas e os valores que governavam as sociedades àquela época produziam mais morte do que vida. O que seguiu foi um período de recessão econômica, que pôs em xeque conceitos antes amplamente adotados como, por exemplo, o desenvolvimento a partir do crescimento e de modelos industriais destrutivos e extrativistas, resultados de sucesso medido a partir do PIB, e sistemas de precificação que deixavam de fora as variáveis mais importantes no que diz respeito à evolução da vida. Por isso a forma como a sociedade operava produzia poluição da terra, da água e do ar, desigualdade econômica,

16 FE CORTEZ

destruição da biodiversidade, caos climático e ódio e polarização. A gente precisou ver isso de forma muito clara com as sucessivas crises para que a partir daí houvesse o início de uma reconstrução. Houve muita dor, conflito, mas também muita evolução.

Saio do evento energizada, e feliz em perceber a potência de um coletivo organizado. Vou dali direto almoçar com minha irmã, num dos terraços verdes do Rio de Janeiro. Os terraços são espaços multiuso com hortas comunitárias, aulas de yoga e dança, áreas de meditação coletiva e encontros do bairro, e é normalmente num desses que faço parte das minhas compras de verduras, cultivadas ali mesmo sem veneno, e aproveito para comer no restaurante local. Nele, todos os pratos são elaborados com o conceito de quilômetro zero, em que os ingredientes devem vir de uma distância menor que quinze quilômetros, o que não é mais problema, depois que hortas comunitárias, jardins comestíveis e terraços verdes foram instalados na cidade inteira.

Depois do almoço, sigo de scooter elétrica compartilhada para minha casa para uma reunião. Home office virou uma prática comum pós-pandemia, e isso curou muitas relações familiares e aproximou pais e filhos. No começo foi difícil para muitas famílias, mas, assim como as crises econômicas, as famílias deram lugar a relações mais verdadeiras e amorosas. Na pandemia aconteceu de tudo, inclusive movimentos muito positivos, como de tantas pessoas que começaram ou intensificaram seus processos de autoconhecimento e sua busca por uma espiritualidade integrada, que assim começaram a ter uma mudança significativa em suas visões de mundo e a questionar pela primeira vez o seu futuro enquanto humanidade. Nessa época a desesperança estava muito presente, afinal todas as previsões do que aconteceria com as mudanças climáticas eram catastróficas. A ação do sapiens havia levado o planeta a um estado terminal. Foi quando um vírus apareceu, quase como uma resposta da Terra ao que estava sendo feito com ela pelos seres humanos. Foi difícil a virada de chave, principalmente quando os pensamentos polarizados drenavam grande parte da energia e da ação de tanta gente. Mas o vírus veio, e de forma invisível trouxe, para além da morte e do sofrimento, um despertar, e de repente a transição ganhou força e a década de 2020 ficou conhecida como a "Grande Virada".

17 HOMO INTEGRALIS

Minha reunião remota é com um grupo interdisciplinar, inter-racial e internacional, focado em regeneração de solos e florestas, coordenado por uma mulher, uma liderança indígena brasileira, já que os saberes tradicionais de seu povo e da forma como eles se comunicam com as plantas são a base dessa pesquisa. Muito mudou na biodiversidade brasileira, quase dez anos depois da implementação do corredor verde continental, que liga o norte ao extremo sul do país e que possibilitou a livre circulação de animais. Com isso, espécies que não eram avistadas há muitos anos começaram a ser vistas novamente, e agora laboratórios de biotecnologia comunitários mapeiam genomas de espécies encontradas em cada um dos biomas. Nos últimos vinte anos, mulheres passaram a ocupar sistematicamente mais posições de liderança e conseguiram criar novos paradigmas do que é liderar e sobre que conceitos as tomadas de decisão são feitas. Isso foi possível graças à educação de meninas e mulheres e à conexão de grupos expressivos pela internet. O movimento de empoderamento de quem antes estava à margem da sociedade, como mulheres, indígenas, quilombolas e negros, foi revolucionário, e hoje é difícil ver algum projeto ou empresa que não tenha, na prática, grupos de trabalho pautados na diversidade, simplesmente porque diversidade é sinônimo de mais conhecimento, e de resiliência. Foi uma batalha árdua, mas racismo estrutural é hoje algo que só vemos nos livros de história e memoriais criados para nos lembrar de que devemos sempre estar atentos, pois qualquer deslize pode ser fatal.

Desço para tomar um café na cafeteria da minha esquina, que é coordenada por um coletivo de refugiados de diversos lugares do mundo. Eles vieram para o Brasil depois que a seca causada pelas mudanças climáticas dificultou a vida em seus países. No começo, foram recebidos com ódio pelas pessoas, mas depois ficou claro para todos quanto a mistura cultural é positiva para uma sociedade. Nos fundos da cafeteria funciona um bar de cogumelos, que são plantados localmente na borra do café que é vendido ali. Compro alguns para viagem e não me preocupo mais com o que fazer com as embalagens, que agora só podem ser comercializadas se forem compostáveis ou se fizerem parte do sistema único de embalagens da cidade. Esse sistema foi desenvolvido quando ficou claro que embalagem é um meio, e não um produto fim, e portanto muito se trabalhou para a evolução da tecnologia de materiais e do sistema de logística de veículos de emissão zero. Assim, existem diversos pontos de coleta dessas embalagens de uso único, que agora são produzidas com materiais como vidro e alumínio, dependendo do uso. Elas são padronizadas e usadas várias vezes, como eram os cascos de cerveja antigamente. Em quase todo varejista existe um ponto de entrega dessas embalagens, que são creditadas no cartão cidadão, uma espécie de programa de milhagem de créditos e débitos ambientais. Não existem mais catadores para fazer a gestão dos resíduos depois que a Renda Básica Universal foi implementada e a desigualdade social diminuiu muito. Agora existem cooperativas de agentes circulares espalhados pelo país. As pessoas escolhem com o que querem trabalhar movidas não mais pela necessidade básica de sobrevivência, e sim pelos seus dons e talentos.

A economia também foi redesenhada, para ficar dentro dos limites ecológicos do planeta, e menos coisas passaram a ser produzidas. A relação das pessoas com as coisas e o consumo mudou, e assim elas passaram a dar valor ao que trazia mais felicidade de forma genuína. Isso se refletiu na relação das pessoas com o trabalho, que passou a ter mais significado e uma menor jornada semanal, instituída em quase todos os países no mundo. Com a mudança da carga horária, as pessoas passaram a ter mais tempo e a cuidar mais de si mesmas e daqueles em seu entorno, e também a se engajar nos inúmeros coletivos #regeneraBrasil de plantio de árvores e voluntariado.

Saio da cafeteria e pego uma bicicleta elétrica recarregada com as minhas pedaladas, passo numa loja que vende produtos de higiene biodegradáveis a granel e compro um xampu feito com o óleo de uma semente recém-descoberta na Mata Atlântica. A maior parte das lojas hoje é de produtores e produtos locais, gente que comercializa os produtos em uma moeda local, rastreada em blockchain, que só pode ser utilizada no Rio de Janeiro.

De lá sigo para um dos muitos Fab Labs (espaços de fabricação digital) espalhados pela cidade, que contam com diversos equipamentos para produção local e conserto de coisas. Derreto meus óculos antigos, que viram matéria-prima para outra pessoa fazer os seus, e escolho outro material para imprimir um novo. Eu estava querendo mudar um pouco a armação e diminuir o peso dele e agora não tenho peso na consciência, já que essa é mais uma empreitada lixo zero. O catálogo de opções é enorme e dividido por tipo de material. Escolho um que pode ser feito com uma resina biodegradável, tecnologia nova desenvolvida por uma universidade do Ceará usando o coco como matéria-prima. A maior parte dos objetos de que preciso pode ser produzida numa impressora 3D como a que vou usar para fabricar a armação dos óculos, e aquela loucura de produção desenfreada sem demanda real não existe mais. Pago pela matéria-prima e o uso das máquinas via blockchain e diretamente para o designer que criou aquele modelo de óculos, que, nesse caso, está na Índia.

Sigo caminhando para encontrar meu marido e tomar um vinho orgânico brasileiro num bar que abriu há pouco tempo no Centro do Rio. Pego novamente uma scooter compartilhada, mas salto um pouco antes para caminhar por uma das milhares de Calçadas Para Todos, uma mistura de calçadas mais largas com ciclovias, pensadas para o bem-estar de pedestres em vez de carros e construídas quando o sistema de transporte foi redesenhado e assumido por um coletivo de representantes da sociedade civil. Com o fim do uso de combustíveis fósseis, os carros são elétricos e compartilhados, bem como bikes e scooters, ônibus e trens, e assim a qualidade do ar e do som nas cidades aumentou de forma considerável, melhorando consequentemente a saúde de seus habitantes. Muitas ruas agora só permitem a circulação de bikes, scooters e pedestres, e isso mudou muito a maneira como as pessoas interagem com o espaço público, encorajando outros movimentos de ocupação, como o dos Parques Restaurativos Circula. É fim de tarde e vejo um grupo de crianças entre seis e doze anos brincando na rua, em frente a uma escola-modelo do livre pensar, uma das várias, públicas, que adotaram o brincar livre e a aprendizagem por projetos como metodologia.

Meu marido chega e tomamos nosso vinho conversando sobre quanta coisa mudou nos últimos anos. Ele está vindo de uma reunião sobre bioeconomia e o futuro dos oceanos. Conto para ele sobre a emoção de ter conhecido o parque que visitei mais cedo, e da celebração da vida, e da regeneração das pessoas e do ambiente.

Plástico matando peixes é um pesadelo deixado para trás. O que tinha baixa reciclabilidade, ou que não podia ser reciclado, teve que parar de ser produzido, e agora todo o restante já é desenhado para ser usado como matéria-prima novamente. Acabou o que antigamente conhecíamos como lixo. Sacolinhas de mercado, pratinhos e copos descartáveis de plástico não existem mais depois que foi aprovada uma lei nacional, seguindo acordos realizados na União Europeia, que baniram de vez o plástico oriundo do petróleo e incentivaram a adoção de materiais realmente compostáveis em todos os tipos de embalagens e descartáveis. O sistema de precificação mudou, e agora os preços incluem os danos ambientais que produção, transporte, consumo e descarte de determinada mercadoria ou serviço podem causar. Essa correção no sistema incentivou diversas novas tecnologias baseadas em conceitos como a biomimética e a biotecnologia, e o Brasil, pela primeira vez na história, é referência, tendo desenvolvido pesquisas profundas sobre sua biodiversidade, num formato inovador, aliando o conhecimento das populações tradicionais às comunidades e à ciência.

De lá, vamos direto para um jantar com nossos vizinhos, num espaço gourmet dividido entre os moradores do bairro. O menu é de PANCs e outros alimentos produzidos na nossa horta comunitária e celebra o equinócio da primavera, que voltamos a comemorar desde que nossa relação com os ciclos naturais foi intensificada. A pauta de hoje é o planejamento das melhorias do sistema de economia de energia das residências do entorno, e, assim como todas as decisões que se referem ao nosso bairro, a cocriação é a metodologia utilizada. É difícil algum vizinho faltar a essas reuniões, pois além de serem divertidas todos entendem que é a partir do que é decidido ali que vamos ter mais, ou menos, qualidade de vida.

As pessoas hoje vivem mais e são em geral mais felizes, o que fez com que a vida cultural de cada cidade florescesse de novo, e isso melhorou a economia. Agora muita gente viaja para o Brasil porque ele é o centro da diversidade cultural mundial, mas o estilo das viagens mudou. Nada de turismo de massa, que é destrutivo para os ecossistemas e mais suscetível a espalhar pandemias. O novo modelo adotado mundialmente é um turismo com um outro ritmo, interessado na troca e na vivência profunda de experiências, sobretudo na natureza, ponto alto por aqui. O Brasil é ainda reconhecido como o país com a maior diversidade de alimentos orgânicos do mundo, depois da implementação do projeto Agrotóxico Zero! Isso fez com que diversos superalimentos coletados nas florestas em pé, junto com nossas PANCs, fossem conhecidos internacionalmente. A fome no mundo terminou há mais de uma década, com um programa global de remodelação da agricultura, que voltou a ser basicamente familiar, e com o uso de tecnologias biológicas, naturais, e de agrofloresta. Essa foi uma das saídas para reflorestar de forma mais rápida a cobertura vegetal do planeta, regenerar o solo e as pessoas e absorver toda a emissão de carbono que a sociedade do *Homo consumptor* jogou na atmosfera.

Quando penso que lá atrás, em 2020, o mundo já conhecia todas essas tecnologias, lembro que os sonhos e a união de coletivos organizados da sociedade civil tiveram um papel fundamental para que o mundo passasse a ser um lugar com mais vida, mais beleza, mais prosperidade, justiça e paz para todes.[1] Foi a partir deles que o despertar começou. Nossa, parece que foi ontem...

---

[1] Estamos no momento em transição para novos modelos de sociedade, com práticas e sistemas mais inclusivos e sustentáveis. A linguagem é parte dessa transição. Por isso, optei por não usar ao longo deste livro uma linguagem neutra, para facilitar o entendimento por certos grupos que ainda não estão preparados para completar essa transição, afinal o intuito é justamente acolher, e não repelir ou excluir. No entanto, em alguns momentos pontuais, considero importante demarcar a linguagem neutra, reforçando a necessidade de um novo modelo mental, mais inclusivo. O ano de 2030 é uma data-marco em que imagino essa transição estar muito mais avançada, e isso inclui a linguagem.

UM BREVE PANORAMA DA HISTÓRIA
DA HUMANIDADE – ATÉ AGORA

Em 1969 o ser humano foi à Lua pela primeira vez. Foi quando pela primeira vez nossa espécie olhou a nossa casa, a Terra, por um outro ângulo, e através das imagens registradas pelos astronautas pudemos ver a beleza e a potência de vida que existem neste planeta. Vista de fora, a Terra é de fato um milagre, um sistema com as condições perfeitas, e, dizem por aí, raras, de produzir uma abundância de vida que poucas outras estrelas ou planetas seriam capazes de abrigar. Ela ainda é enorme, e de fora o que se vê é um Grande Planeta Azul, e o ser humano é apenas mais um dos bilhões de seres que dividem esta casa conosco. Isso apresentou uma outra perspectiva para nossa espécie: somos ao mesmo tempo tão potentes e tão frágeis, menores que uma poeira cósmica. E esse paradoxo traz muita clareza da nossa natureza: podemos usar nossa potência para criar ou para destruir. Para apenas sobreviver, ou para materializar aqui o melhor mundo que nossos corações sabem ser possível, como diria Charles Eisenstein, escritor estadunidense formado em matemática e filosofia pela Universidade Yale – um dos meus musos inspiradores e a quem vou citar muito por aqui – ou o pesadelo do Apocalipse para o qual parecemos estar caminhando. Estamos num momento único para a humanidade, aquele em que já sabemos as consequências do nosso modelo de vida na Terra, ao mesmo tempo que nos vemos como uma civilização planetária conectada em tempo real pela primeira vez na história. Temos ainda tecnologias capazes de nos lançar para o espaço e fazer milhares de descobertas todos os dias, e também de criar uma bomba atômica que pode, em segundos, destruir tudo. Estamos no precioso momento *da* escolha, a mais importante das nossas vidas e a que vai ditar o que será o futuro por aqui: se continuamos seguindo o curso da história que nos leva a um suicídio coletivo, ou se olhamos para esse potencial imenso e voltamos a nos encantar pela oportunidade única de desfrutar de um planeta com as mais preciosas condições de vida que jamais sonhamos ser possíveis. E, para escolher, temos que entender como chegamos até aqui.

Nossa espécie, o *Homo sapiens*, habita o planeta há cerca de 200 mil anos. Durante alguns milhares de anos ela não foi a única espécie do gênero *Homo* a dividir esta casa, a Terra, com os bilhões de seres de outras espécies e reinos que estavam por aqui bem antes de a gente chegar. Existem registros do nosso gênero no planeta que datam de 2,5 milhões de anos atrás. Mas, desde que começou sua jornada de existência, o sapiens extinguiu todas as outras espécies de *Homo* que havia, entre elas a *rudolfensis*, a *soloensis*, a *denisovensis*, a *erectus* e a *neanderthalensis*, bem como a megafauna australiana, americana e mais alguns milhões de outras. E isso se deu não porque somos o predador mais forte da cadeia, nem porque somos mais rápidos que outras espécies, mas sim por conta das nossas habilidades cognitivas: não à toa nos autodenominamos sapiens, ou sabidos. Isso não significa que somos os mais inteligentes entre todos os seres, como a etimologia da palavra sugere, mas que temos um tipo de inteligência diferente da dos outros: a nossa capacidade de imaginar coisas e contar histórias e assim se organizar em torno do que chamamos mitos coletivos. Fato é que a nossa espécie, que se tornou o animal mais predador de todos os tempos, direcionou toda a sua sapiência com base num pilar muito claro: o domínio do território e de tudo o que há.

A forma como o *Homo sapiens* se relaciona com o seu entorno nos tornou a espécie capaz de proezas do tipo habitar territórios inóspitos para a vida humana, como a Sibéria, mas para que isso fosse possível fez com que também nos tornássemos especialistas em alterar os ecossistemas de todos os lugares pelos quais já passamos. E isso não necessariamente é uma coisa boa. Ao mesmo tempo que fomos nos espalhando pelo globo, fomos nos adaptando a climas e biomas dos mais variados, e, como cita o historiador e professor Yuval Harari no seu best-seller *Sapiens, uma breve história da humanidade*, aniquilando espécies que habitavam o planeta bem antes e por muito mais tempo que nós, como os animais de grande porte que havia na Austrália, cangurus de mais de dois metros de altura e duzentos quilos, lagartos e cobras de mais de cinco metros de comprimento, e animais que nem imaginamos, como os diprotodontes, espécie de vombate (grande marsupial) de 2,5 toneladas. Das 24 espécies australianas pesando cinquenta quilos ou mais, 23 foram extintas. Por nós.

Primeiro dominamos o fogo, em seguida dominamos o trigo (Revolução Agrícola) e depois dominamos a geração de energia (Revolução Industrial). O resultado desse domínio todo é que fundamentamos a nossa forma de existir no planeta com base em subjugar todas as outras espécies, que, hoje começamos a entender, são as responsáveis por existir vida na Terra, a nossa inclusive. Essa existência está em risco justamente pela lógica e pelo olhar que temos tido sobre tudo o que há. E, apesar de isso ter começado lá atrás, há 200 mil anos, a rapidez com que a destruição está avançando nos últimos duzentos anos resultou no que os cientistas agora chamam de Período Antropoceno. Esse termo coloca em evidência o que não temos mais como negar: a ação humana no planeta resultou em tantas alterações de clima, paisagens, espécies, temperatura, ciclo da água, entre outras, que pela primeira vez nós humanos causamos, num período curto, o que costumava demorar alguns milhares, às vezes milhões, de anos.

Segundo o professor Will Steffen, da Universidade Nacional da Austrália, as grandes alterações na estrutura geológica planetária datam não mais de alguns milhares de anos atrás, mas sim de cerca de 1950 para cá, o que comprovaria que estamos entrando numa nova era em que o sistema econômico global é o principal motor por trás das mudanças que a Terra vem sofrendo: "É difícil superestimar a escala e velocidade destas alterações. No tempo de uma única vida a humanidade se tornou uma força geológica em escala planetária", disse Steffen, numa reportagem no jornal *O Globo* sobre o estudo que ele e um grupo internacional de dezoito pesquisadores fizeram e publicaram na revista *Science*.[2]

A cultura da dominação

Muitos dos estudos relacionados às mudanças mais profundas e recentes nos ecossistemas da Terra atrelam essas mudanças à Revolução Industrial e o que se deu depois. Ela é tão marcante na nossa sociedade, principalmente para o ambiente, que podemos resumir a

---

2 "A aurora do 'Antropoceno', a era dos humanos". *O Globo*, 16 jan. 2015. Disponível em: <https://bit.ly/AuroraAntropoceno>.

humanidade até agora em Antes da Revolução Industrial e Pós-Revolução Industrial. Isso porque mexeu intrinsecamente com todas as relações do planeta. Antes dela as pessoas viviam de uma forma. Depois dela, tudo mudou. E ela foi tão transformadora assim porque mudou a função do homem no sistema como um todo, e o modo como ele percebe o que está à sua volta. Mas essa mudança do modo de perceber o que está à sua volta não aconteceu como um clique pós-Revolução Industrial; podemos dizer que essa revolução só se deu da maneira como se deu por conta de uma cultura que já vinha amadurecendo há alguns milhares de anos, a tal cultura da dominação.

Cerca de 12 mil anos atrás os homens, ou as mulheres, ou ambos (sim, existe muita discussão sobre a real versão da história e de quem está por trás do surgimento da agricultura) encontraram uma forma de comer sem ter que peregrinar por aí, e nessa época surgiu a agricultura. A introdução da agricultura no planeta causou, entre outras coisas, duas grandes consequências que levaram o sapiens posteriormente a se tornar um grande consumidor de recursos e coisas: os assentamentos agrícolas, que se tornaram a base para o que hoje conhecemos como cidades, e o excedente cultivado, que iniciou a prática do escambo. O que sobrava da colheita de uma família era trocado com o que sobrava da colheita de outra, e assim as famílias podiam comer trigo, batata, cevada sem ter que plantar tudo no próprio jardim. Até aí parece que tudo bem, afinal as famílias poderiam garantir a sua base alimentar sem precisar ficar perambulando por florestas e paisagens inóspitas ainda habitadas por grandes predadores, que representavam na época uma verdadeira ameaça à própria sobrevivência da nossa raça, visto que nunca fomos os predadores mais fortes da cadeia. De fato, o assentamento possível pela agricultura aumentou a expectativa de vida das pessoas, e isso é bom.

Em consequência disso, a agricultura causou também o aumento das populações e uma primeira grande mudança nas relações desses bandos que agora se organizavam em povoados: quem tinha maior excedente na produção passou a ter mais opções de escambo, o que seria entendido hoje como o conceito de concentração de renda, e portanto de poder. Talvez junto com o trigo estivéssemos plantando uma sementinha das desigualdades sociais que hoje gritam no mundo todo. Sim, porque antes caçadores/coletores não acumulavam coisas, excedentes ou riquezas, então os bandos viviam de uma forma mais igualitária. Tinham também mais tempo livre, pois não "vendiam" toda a sua energia para as lavouras ou qualquer outro tipo de trabalho como conhecemos hoje. Observando atualmente a forma de vida de algumas etnias indígenas e povos originários, me parece que caçadores/coletores tinham bem mais tempo para desenhar pinturas nas cavernas, observar as estrelas, conviver, ser humanos. Atividades que hoje perdemos a capacidade de realizar assim dessa forma, pois estamos o tempo inteiro buscando coisas para fazer, para nos ocupar e gastar o nosso dinheiro, afinal nós "nos matamos" de trabalhar então merecemos viajar, gastar, comprar, né? Não sei. Mas sobre isso falarei um pouco mais à frente.

Com a agricultura, surge, ainda numa forma incipiente, o conceito de dominação, que é um dos pilares da nossa sociedade hoje. A coisa começa a desandar quando achamos que conseguimos pela primeira vez dominar a natureza. Antes da agricultura, os homens tinham uma relação de adoração, reverência e até medo, com o que chamamos de natureza. Afinal, dependia de um grande mistério que houvesse chuva, ou sol, ou que os nômades achassem cogumelos ou um roedor durante um deslocamento para se alimentar. Mas era fundamentalmente uma visão de não separação do que hoje chamamos de natureza. Nós e a natureza éramos percebidos como um grande sistema. Por isso se cantava para chover, se agradecia a colheita, se reverenciavam os frutos como presentes sagrados que são, afinal são eles que nos dão o alimento que possibilita a vida. Quando percebe que pode plantar e domesticar o trigo, que dizem ter sido a primeira espécie plantada, o ser humano acha que tem poder sobre a natureza, já que agora está livre das caçadas e das rondas para coletar frutos nas florestas. Ele acha que plantando e se assentando num lugar a vida será melhor. O conceito de melhor ou pior é bem relativo, pois engloba uma série de fatores difíceis de medir, tendo em vista que não temos registros sobre como esses humanoides viviam. Fato é que a expectativa de vida aumentou, e a proteção em relação a grandes feras também. Alguns trazem uma visão que para nós pode soar estranha à primeira lida: a de que ali por trás da aparente evolução que acompanhou o conceito de dominação da natureza estava a ampla e irrestrita escravidão da raça humana, que passou a dedicar a vida, todas as horas produtivas do dia, para produzir/consumir alguma coisa. No começo trigo, hoje plástico, celular, televisão e por aí vai.

Nós não temos mais a força

Antes da Revolução Industrial, a força motriz de toda a produção era a força natural. Era a força dos homens e mulheres, dos moinhos e de animais como o gado e o cavalo, que puxavam arados e ajudavam a mover as roldanas das engrenagens pré-industriais. Depois da Revolução Industrial, o que era feito pelos humanos e às vezes por animais passou a ser feito por motores. E assim a capacidade de produzir não estava mais relacionada a quanta força e em quanto tempo um homem ou mulher poderia realizar um serviço, e sim em quanto tempo uma máquina poderia realizar aquele serviço. Isso potencializou a produção numa escala de progressão geométrica, aquela que aprendemos na escola que multiplica quase infinitamente os resultados. E com tanta coisa sendo produzida era necessário um sistema que alimentasse essa roda, e quem comprasse. Então, como num passe de mágica, o homem passou a ocupar uma nova função que se tornaria primordial no mundo que ele estava criando: ser consumidor. E dois séculos depois o resultado daquilo que começou de forma tímida, com a produção de tecidos na Inglaterra, virou a religião do mundo: o consumo!

Claro que a Revolução Industrial e, mais recentemente, a Revolução Tecnológica trouxeram também mais conforto e qualidade de vida para os indivíduos. Não temos como negar a importância, por exemplo, de um sistema de aquecimento central para sobreviver num lugar com neve e temperaturas abaixo de zero, nem o fato de a Revolução Industrial ter encurtado distâncias e dado às pessoas acesso a itens que hoje consideramos triviais, mas que eram artigos de luxo, como, por exemplo, talheres e até mesmo uma muda de roupa. Mas a que custo e a que preço para as pessoas e o planeta? Essa mesma Revolução Industrial que trouxe conforto foi baseada num modelo de exploração dos recursos e da mão de obra inédito até então e que se perpetua até hoje, quando vemos 26 pessoas com o capital equivalente ao dos 3,8 bilhões mais pobres do mundo, segundo dados divulgados em 2019 pela Oxfam, organização internacional que busca soluções contra a pobreza e a desigualdade.

O contingente de pessoas ociosas e miseráveis que migravam dos campos para as cidades foi um dos pilares dessa Revolução, já que naquela época o custo da mão de obra era irrisório. Com a Revolução Industrial o campo passou a ter uma outra função, o cultivo daquilo que seria usado como matéria-prima; assim a Inglaterra passou a substituir gradativamente a agricultura familiar e de subsistência pela criação de carneiros para alimentar as fábricas têxteis com a lã, ao mesmo tempo que as colônias britânicas também o faziam, mas usando a terra para plantar algodão. Com isso aumenta o êxodo rural e as pessoas começam a se aglomerar de forma desumana nos centros urbanos. Em Paris, em meados do século XVII um quarto da população era de mendigos. E quem ganhava com essa troca da agricultura de subsistência pela vida miserável nas cidades? A maior parte da população é que não era.

O surgimento de uma nova espécie:
o *Homo consumptor*

No momento em que as máquinas começam a operar, o tempo das coisas muda, porque o tempo de produção fica muito menor. A Revolução Industrial poderia ser também chamada de Revolução do Tempo, ou da produtividade. E, para ser possível, ela alterou profundamente a relação do homem com os ciclos naturais da vida. Nesse momento, é como se tivéssemos virado uma chave, de bichos que somos para peças de uma engrenagem, a do capitalismo. E assim nos distanciamos ainda mais da nossa natureza, ao mesmo tempo que nos tornávamos cada vez mais uma outra espécie. As mudanças estruturais no modo de viver e se relacionar no mundo foram tão grandes que é quase como se tivesse havido uma transformação no DNA dos humanoides, e de uma hora para outra mudamos a nossa forma de ver o mundo e principalmente a nossa função e forma de *se* ver no mundo. De sapiens nos transformamos naquilo que vou chamar aqui deliberadamente de *Homo consumptor*, termo cunhado

31 HOMO INTEGRALIS

por mim para nomear a função principal que a humanidade desempenha na sociedade capitalista: a de consumidores.

Antes de prosseguir, gostaria de esclarecer ao que me refiro quando uso a palavra capitalismo neste livro. Capitalismo é um termo um tanto genérico, já que mesmo entre os pensadores e economistas ele é usado para definir um conjunto de práticas um tanto distintas, com semelhanças, mas com diferenças. Não entrarei na seara do capitalismo de Friedrich Hayek, o filósofo austríaco adorado pelos liberais, ou de sei lá quem. Vou apresentar o termo com uma definição de trabalho, se posso colocar assim, ou seja, o que eu quero dizer quando me refiro a esse termo. Pois bem, nesta definição, trata-se de um sistema no qual a evolução da sociedade é medida pelo aumento na circulação do dinheiro; a melhor forma de se viver em sociedade é de um modo individualista e egoísta; e a melhor maneira de regular essa sociedade é dentro do mercado. Vou aprofundar estes três pilares: o crescimento, o indivíduo e o mercado.

Crescimento. A ideologia capitalista, na sua definição, parte do princípio de que a humanidade está progredindo. Ela se baseia no pressuposto de que crescimento significa progresso. Na vida do ser humano, o progresso é medido pelo crescimento, afinal a gente nasce bebê, pequeno, cresce, evolui, progride e morre velhinho. Na mentalidade capitalista, o progresso se mede a partir do crescimento econômico. Existe uma crença de que vamos continuar progredindo e crescendo como humanidade e de que veremos isso refletido em mais dinheiro no mundo.

Se em outras ideologias você tem como meta chegar no reino de Deus, se iluminar, a meta do capitalismo é viver num mundo cada vez mais rico. Em dinheiro. E, apesar da engenhosidade humana ser maravilhosa, essa não é uma meta que deveríamos querer isolada e primordialmente, como se faz no capitalismo, porque a vida tem diversas formas de ser valiosa e bonita, de ter sentido. E o crescimento econômico, medido pelos PIBs dos países, muitas vezes ocorre quando existe uma piora de qualidade de vida. Um exemplo claro é a guerra. Quando há guerra num país, ele é destroçado, pessoas morrem, cidades são destruídas, mas o PIB cresce. Porque há venda de armas, de comida a preços absurdos, de água, e por aí vai. Crescimento do PIB pode estar ainda relacionado ao consumo de mais remédios, de mais água engarrafada, de mais máquinas para respirar melhor, mais pessoas presas, mais floresta degradada, mais tiros, mais ambulância. Tudo isso faz o PIB crescer. Esse é o pressuposto de crescimento e progresso da sociedade serem marcados pelo dinheiro e pelo PIB. É uma busca constante de crescimento infinito, dois dígitos por ano em tudo, economia, finanças, resultados de lucro de empresas, só que num modelo baseado em extração de recursos finitos. A conta não fecha!

Indivíduo. A sociedade moderna traz no berço a Bíblia, já que se desenvolveu a partir de uma ideologia cristã. Nela, somos feitos à imagem e semelhança de Deus, e a partir daí nasce a ideia do indivíduo. O indivíduo nessa sociedade é aquele que vota, que sente, que deve escolher com quem casa. Que consome, que usa sua força de trabalho para construir o próprio império, que trabalha para viabilizar o bem-estar. Seu e de sua família. O lócus de decisão da sociedade está no indivíduo. Assim, a melhor forma de estar no mundo é sendo individualista. Pelo bem da sociedade como um todo é bom que você seja egoísta, individualista. Essa é mais uma das distorções do que propôs o filósofo e economista britânico Adam Smith. Não vou me aprofundar, mas pegaram o seu pressuposto de que a visão do padeiro de bem-estar produziria os melhores pães para a sociedade e transformaram isso num mundo que gira em torno do umbigo do indivíduo, portanto estamos todos o tempo todo focados em nosso próprio bem-estar. O que isso acarreta no outro, bem, aí é um problema para o mercado resolver.

Mercado. Se o progresso da sociedade é medido pelo aumento da grana, se a melhor maneira de uma sociedade se organizar pelo bem de todos é se todos forem egoístas, então qual a melhor forma da gente organizar o rolê? No mercado. É no mercado que de fato existe há mi-

33 HOMO INTEGRALIS

lhares de anos, que as pessoas realizam suas trocas. Indígenas trocavam peles de animais, ervas especiais. A Grécia tinha seu famoso mercado. Trocas e mercado existem há milênios, mas o *modus operandi* era outro, e a frequência idem. O centro da economia era a família, era a comunidade, depois eram o Estado, os exércitos, e por aí vai. Só que, com o capitalismo juntando todas as funções de família, comunidade e Estado como sendo parte dele também, a melhor forma de organizar os dons e talentos da sociedade é cada um de nós se colocar no mercado, porque ele vai saber regular quanto cada trabalho deve valer; e da mesma maneira, se você quiser satisfazer suas necessidades, vai satisfazê-las no mercado. Vai ser muito mais eficiente do que deixar para o Estado. Vai ser muito mais eficiente se você, em vez de ser contador e plantar uma hortinha, dedicar as horas que seriam usadas no plantio à sua função de contador e pegar o dinheiro pago por isso para ir ao mercado e comprar comida. Essa mediação do mercado como o grande regulador da sociedade é central na ideologia capitalista. Tá com algum problema ou deficiência? Tá rolando corrupção no governo? Tá tendo opressão na família? Tá vivendo a tragédia do *commons* (bens comuns) na sociedade porque estão pescando demais ou poluindo muito o ar? Joga para o mercado que ele regula. Faz crédito de carbono, privatiza terra, privatiza água, leva tudo para o mercado. Essa é a confusão dos conceitos entre capitalismo e mercantilismo, mas neste livro usei o pressuposto de definir tudo como mercado.

Voltando então: antes a produção de um artigo estava ligada ao tempo que a matéria-prima demorava para ser criada pela natureza e ao tempo que o homem demorava para transformá-la em uma coisa. Uma bolsa de couro, por exemplo. Era preciso esperar o boi, ou algum outro animal, crescer, ser abatido e aquela pele ser curtida e transformada numa bolsa pelas mãos de um artesão habilidoso. O tempo para produzir e a capacidade de produção resultavam em peças elaboradas para durar muito. As pessoas tinham menos coisas e essas coisas tinham mais qualidade. A relação das pessoas com seus bens era totalmente diferente. Um camponês da Idade Média podia resumir tudo que ele tinha a uma trouxinha. Mesmo. E ele dava um valor enorme a

34 FE CORTEZ

cada um dos objetos daquela trouxinha. O dinheiro para comprar um sapato, um casaco, uma calça era menos disponível, e a capacidade de produção estava ligada ao tempo da natureza e do homem de transformar matéria-prima em objetos. O tempo de tudo era de fato mais lento. Na minha visão, era mais ajustado ao tempo real dos ciclos de vida do planeta. Na visão de muitos, ineficiente. Mas ineficiente com base em quê? Que resultados eram esses que estavam sendo buscados? Quem lucrava com essa mudança do tempo das coisas?

No momento em que aumentamos a produção, a capacidade de produzir bens de consumo, aumenta também a necessidade de matéria-prima para essa produção. E aí vale lembrar que o sapiens já tinha há muito tempo entrado no *modus operandi* da dominação, e que já estava em curso a sua própria transformação em consumptor. Primeiro, ele havia domesticado animais e plantas na Revolução Agrícola, cerca de 12 mil anos atrás, o que pode sim ser considerado um avanço, mas de lá para cá perdemos a mão e fomos a um extremo de um modo de funcionar enquanto sociedade que nos coloca onde estamos hoje: na iminência da nossa autodestruição e da destruição de todos os ecossistemas da Terra. Depois das plantas, ele começou a dominar pessoas, ou seja, transformá-las em escravos, o que foi a base do desenvolvimento de diversas sociedades, desde a Antiguidade até muito recentemente. Ao mesmo tempo em que fez isso, o sapiens aproveitou para expulsar das terras que queria dominar os seus habitantes originais. Sim, porque as terras que os europeus afirmam ter descoberto, como o Brasil, já eram povoadas por povos originários havia milhares de anos. Mas a lógica de dominação que norteava a sociedade europeia era justificada na visão de que o homem branco europeu era o mais sábio e poderoso de todos os tempos, e era também um legítimo herdeiro de Deus. E por isso ele tinha permissão de matar e dominar em nome desse mesmo Deus, porque no final das contas estava fazendo um grande favor às populações menos evoluídas, leia-se indígenas, africanos, aborígenes, de levar para eles o progresso e a civilização e a salvação das suas almas, que só seria possível quando essas populações se "civilizassem". Na verdade, quando a lógica da vida muda, é necessário que haja expansão de fontes de recursos, bem como de consumidores. E a burguesia europeia que intensifica suas atividades

35 HOMO INTEGRALIS

vai em busca dos dois. No entanto, para transformar povos originários em consumidores era necessário dominar para impor essa maneira de ver a vida que justifica saques, pilhagens e acúmulo. E dessa forma se instituiu, com o aval da Igreja e dos Estados, que nessa época andavam bem de mãos dadas, a cultura da dominação. Dominar em nome de Deus, dominar para levar o progresso, dominar para que o outro, seja ele um outro sapiens "menos sabido" ou um outro ser vivo, possa cumprir o seu papel aqui, ou ser salvo. Porque, claro, tudo que Deus criou foi para servir ao homem. Branco. Europeu. Privilegiado.

E assim, ao mesmo tempo que se transforma em dominador, o sapiens se transforma em consumidor. E, apesar de esse termo não ter sido cunhado ainda, a real é que nossa espécie passa de sapiens para consumptor.

Consumir – e descartar – para existir

A história vem numa toada crescente, mas nada se compara, em progressão exponencial, ao salto de produção e consumo que demos nos últimos cinquenta anos. A Revolução Industrial e posteriormente a Tecnológica de fato trouxeram benefícios para a humanidade, encurtaram distâncias, aumentaram a expectativa de vida, trouxeram conforto e possibilitaram, por exemplo, que hoje mulheres palestinas possam pela primeira vez se rebelar contra a violência e o feminicídio usando as redes sociais para se organizarem. O ponto é que o modelo escolhido para alcançar esse avanço tem um custo sistêmico muito alto. E está cada vez mais claro que esse mesmo modelo, que à primeira vista dá acesso aos bens de consumo a mais pessoas, se baseia numa lógica que destrói a sua própria base. E, mesmo que você leitor ache que o capitalismo é um modelo que tem um saldo positivo, ele precisa ser repensado, e digo por quê.

O sistema como está desenhado hoje tem dois grandes problemas estruturais: o primeiro é que ele se baseia na lógica da economia linear, aquela que extrai o que chamamos de recursos da natureza e os transforma em bens de consumo, que depois de consumidos são transformados em lixo, descartados, sem que sejam, na sua grande maioria, reinseridos no sistema. Assim, a cada ano, esgotamos mais cedo os recursos que o planeta consegue regenerar naturalmente. O Global Footprint Network é um instituto que mapeia desde 1970 o dia do ano em que a Terra entra no cheque especial, ou que a demanda da humanidade por recursos e serviços é maior do que a capacidade que o planeta tem de regenerá-los, o que eles chamam de Dia da Sobrecarga do Planeta. Em 1970, primeiro ano da medição, a Terra entrou no cheque especial em 29 de dezembro. No ano de 2019, esse dia foi em 29 de julho. A cada ano, para sustentar esse modelo econômico, esgotamos mais cedo a capacidade de regeneração da Terra, com uma única exceção desde que começou a ser medido: o ano de 2020. Em função da parada de fábricas mundo afora, ganhamos quase um mês de respiro. Ufa! E chegamos na sobrecarga em 22 de agosto. Mas não há muitos motivos para comemorar, porque isso se deu pela recessão, por uma pausa involuntária, e não por uma mudança nas bases do sistema. E não precisa ser um gênio da matemática para entender que essa é uma conta que não fecha. Porém, apesar de não fechar, é ela que ainda rege o nosso sistema, com países e empresas desejando crescer dois dígitos por ano nos seus PIBs ou resultados, num planeta com recursos finitos e cada vez mais escassos. Em algum momento vai "dar ruim". Na real, já deu.

O segundo ponto fundamental da falha desse sistema é que ele cria cada vez mais concentração de renda e desigualdade, e aqui não vou abordar o que considero pior sobre a desigualdade, que é a maneira desumana como a maior parte da população vive, e sim o porquê de um sistema baseado em consumptors não poder se basear num modelo em que existe essa concentração de renda da forma como acontece agora. Ou seja, um modelo em que cada vez menos pessoas ficam mais ricas e cada vez mais pessoas ficam mais pobres e miseráveis. Só que para escoar toda essa produção deveria ser o contrário: se tem menos gente com poder aquisitivo, quem vai comprar? E, num ciclo vicioso, temos visto cada vez mais crises e mais empresas quebrando, em períodos de tempo muito curtos. Então, de novo, essa é mais uma conta que não fecha. E esses motivos que eu apresento são apenas dois, entre tantos, pelos quais precisamos repensar nosso sistema. Mas o mais fundamental é que esse sistema privilegia a morte e a destruição em vez da vida. E, ao contrário de todos os mecanismos naturais que existem, a evolução do sistema não está ligada à preservação e ao florescimento da vida, e sim à autodestruição. Mais uma vez, não tem como o resultado ser positivo. A não ser para 1% da população... e por pouco tempo!

Num exemplo prático, trago aqui uma analogia ao que temos feito com o sistema que garante nossa vida no planeta. Jenna Jambeck, PhD em engenharia ambiental, cientista e professora da Universidade da Geórgia, nos Estados Unidos, chegou à descoberta impressionante de que, desde 1960, inserimos no planeta 9,2 bilhões de toneladas de plástico. Só para ilustrar o tamanho do problema, isso seria o equivalente a 63 mil estádios do Maracanã. E também descobriu que, desses 9,2 bilhões de toneladas, só 9% foram reciclados, e que ainda estão por aí como lixo cerca de 2,6 bilhões de toneladas, ou 29% do que já foi produzido, ou 18.300 Maracanãs. Até 1950 não existia plástico: não é curioso imaginar que durante 200 mil anos os humanoides habitaram o planeta e conseguiram viver sem plástico?

Esse material foi inserido nas nossas vidas prometendo muitas coisas. De fato, quando pensamos que um carro hoje pesa muito menos porque dentro dele há partes feitas de plástico, e assim ele consome menos combustível, ainda fóssil, e polui um pouco menos, pensamos: *Nossa, esse produto é revolucionário*. E, realmente, pensar que existe muito menos contaminação nos hospitais porque seringas e outros utensílios são feitos de plástico é maravilhoso. Então esse produto faz sentido. Sim. Muito. Só que para bens duráveis, porque até para ocasiões de uso com risco real de infecção poderíamos ter produzido materiais absolutamente seguros e biodegradáveis. Mas faz muito menos sentido ainda para os milhares de tipos de embalagens e de descartáveis plásticos, como o copinho, canudinho e todos os outros "inhos" que vão acabar nos mares matando baleias, tartarugas e golfinhos. Aos milhões. Só faz sentido para a bilionária indústria dos combustíveis fósseis, mais um exemplo de como incentivamos formas de existir no mundo que mais causam destruição do que vida, em nome dos tais 1%.

Gosto de imaginar um ser de outro planeta chegando aqui agora e vendo os oceanos entupidos de plástico, porque ainda jogamos entre 12,5 e 15 milhões de toneladas de plástico nos oceanos todos os anos, e perguntando de onde vem isso. Aí tenta explicar para ele que pegamos uma das matérias-primas mais duráveis que inventamos até agora, que dura pelo menos um século depois de produzida – (!) atenção para esse dado, pois ainda não passou um século desde que o plástico foi introduzido no planeta (!) –, e essa vida útil é baseada em pesquisas da própria indústria do plástico, ou seja, pode ser que daqui a mil anos, numa escavação, o seu absorvente ainda esteja lá, como prova de quão "avançada" era a civilização do *Homo consumptor*... Mas, tenta explicar que pegamos o material mais durável e usamos em bens... descartáveis. Sim, 20% de todo o plástico produzido no mundo é usado uma vez por até cinco minutos.

Vamos desenhar para ver se o ET entende, porque para mim ainda faz bem pouco sentido. Brincadeiras à parte, estamos tomando decisões sérias que impactam muito negativamente a teia da vida, em prol da ganância e da sustentação de um sistema que beneficia, e mesmo assim apenas no aspecto financeiro, uma minoria. Na verdade, a humanidade que concentra poder e renda vem tomando decisões com base nas perguntas erradas, isso quando faz perguntas. O plástico poderia ter sido criado a partir de fontes renováveis, e tendo como premissa, para tudo que tem uma vida útil curta, que fosse compostável e biodegradável, como agora já acontece em diversos casos. Mas quando ele foi jogado no mundo não foram feitas as perguntas sistêmicas sobre seus impactos, não foi introduzido primeiro em apenas um local para entender as consequências, antes de entupir a biosfera, não tivemos o cuidado de atentar para aquilo que acontece depois do consumo ou para o fato de que o tratamento de resíduos no mundo não é o mesmo em todos os lugares. Ele é uma analogia perfeita da lógica do último século, aquela que precisa manter a roda da economia girando e nós, os ratos de laboratório, consumindo. Afinal, foi para isso que Deus nos criou, não? Então mesmo na lógica racional, que é aquela que vem até agora direcionando nossas decisões, não faz sentido. Não para o todo, não para a vida.

Mais estranho que pensar que durante 200 mil anos nossa espécie sobreviveu sem plástico é pensar que durante 195 mil anos os sapiens que habitavam a Terra não compraram nada. Não havia nem

39 HOMO INTEGRALIS

sequer o conceito de dinheiro. A espécie humana sobreviveu como nômade, se alimentando do que encontrasse pelo caminho, durante mais de 190 mil anos. Mas quando a agricultura entra em cena, seguida da indústria, não só o mito da dominação ganha força como as relações entre as pessoas e as coisas mudam. E passam a ser orientadas pela lógica consumo-descarte-consumo-descarte. Por isso para mim o plástico, em especial o descartável, poderia ser o grande símbolo da era do *Homo consumptor*.

Lixo: um oferecimento do sapiens e do capitalismo para você

Na era do Antropoceno, a lógica do consumo e da produção linear alterou de forma nunca antes imaginada as relações sistêmicas e os ecossistemas na Terra. Uma das consequências é que esse próprio sistema está à beira de um colapso, chamado caos climático. Estamos num estado de emergência. E essa emergência deflagra que talvez não tenhamos sido assim tão inteligentes como propõe a nossa arrogância em se autointitular sapiens. Por muito tempo, desde que comecei o Menos 1 Lixo, projeto que idealizei e que mais para a frente vou explicar para vocês, pesquisei bastante sobre o que fazer para reduzir nosso impacto individual, bem como a geração de resíduos no planeta. E num dado momento me dei conta de que o lixo é um erro de design, mas não só o erro de pensar o produto e seu pós-consumo, como essa expressão amplamente usada sugere, e sim um erro muito maior: ele representa de modo tangível o erro da forma de pensar que sustentamos até aqui. E o nosso sistema econômico, o capitalismo, que, como Yuval Harari coloca, pode ser considerado a maior religião do mundo, se baseia na tese de que somos soberanos e portanto podemos brincar de deuses por aqui. E brincar de deuses significa criar ali na Revolução Industrial um modelo que extrai recursos da natureza, transforma esses recursos em bens e vende esses bens, que, depois de usados, viram um outro oferecimento do sapiens/consumptor para você: o lixo.

O lixo é o resultado do modelo de economia linear que a gente vem praticando há cerca de três séculos, pós-Revolução Industrial. Um conceito realmente revolucionário, já que não existe na natureza. Só um homem muito sábio para inventar uma forma de viver aqui cujo resultado final depois do fim de sua vida útil é... Bom, não achamos ainda um uso para esse resultado final, então chamamos isso de lixo. Na natureza tudo, absolutamente tudo, é de alguma forma reaproveitado, transformado após seu uso, sua morte. A natureza é cíclica, e os ciclos são de uma interdependência absolutamente perfeita. Existem estudos que dizem que tudo que há na natureza está exercendo pelo menos três funções simultaneamente.[3] Por exemplo, uma folha, ao mesmo tempo que faz fotossíntese para dar alimento à planta, funciona como casa para diversos organismos como uma lagarta, enquanto também faz sombra para que a água não evapore tão facilmente do solo. E eu poderia continuar: ela serve de pouso temporário para borboletas, de reservatório para gotículas de água etc.

Agora pense nas nossas invenções: o copo plástico, por exemplo. Aquele que inspirou o Menos 1 Lixo, e que se estima que sejam consumidos 720 milhões por DIA no Brasil, com uma taxa de reciclagem próxima de zero. Pois bem, quando em uso, ele cumpre apenas uma função: reservatório de um líquido. E depois ele será enterrado em algum lugar. Aqui no Brasil a gente reza para que seja num aterro sanitário, mas isso só é possível em cerca de metade dos municípios, já que, segundo dados de 2019 da Abrelpe, a Associação Brasileira de Empresas de Limpeza Pública e Resíduos Especiais, os outros 2,5 mil ainda usam lixões para se desfazer do que sobra do nosso consumo. Assim, 41% de todo o resíduo produzido no país, ou quase 13 milhões de toneladas, acabam no lugar errado: rios, mares e lixões. E, mesmo se todos os copinhos usados por dia fossem reciclados, ainda assim esse produto tem um custo sistêmico tão alto que não faz sentido existir. A reciclagem usa muitos recursos para acontecer. Para começar, pense no custo ambiental da extração do petróleo, sua matéria-prima. Depois, na quantidade de CO_2 emitida para levar o petróleo de onde ele foi extraído para a fábrica que vai transformá-lo em pellets (bolinhas pequenas) ou filamentos que irão para as fábricas para se-

---

3 Como *Cradle to Cradle*, o livro sobre economia circular escrito por Michael Braungart e William McDonough. *Cradle to Cradle*, no caso, ou C2C, quer dizer "do berço ao berço".

rem transformados em copos, usando água, energia, matéria-prima para produzir as máquinas de injeção, papel para produzir as caixas de transporte, que depois vão virar mais resíduo. Aí esse copo tem que ser transportado para o ponto onde será vendido. De lá, para onde será usado. Da lanchonete ou escritório, para uma cooperativa (mais CO_2, gasto de pneus, óleo e tudo o mais que um caminhão gasta para transportar qualquer coisa), que vai separar o nosso lixo e tirar dali o material reciclável, que, se tiver valor de mercado (que não é o caso da maioria dos tipos de plástico), vai ser reciclado. No Brasil reciclamos apenas 1,28% de todo o plástico produzido.[4] Para isso é necessário mais energia, mais matéria-prima virgem para fazer um novo copo, porque o plástico não foi pensado e desenvolvido para ser infinitamente reciclado, como o alumínio, por exemplo, que por ser um metal pode ser fundido infinitamente e guardar suas propriedades. O plástico precisa ter aditivos ou uma carga de matéria-prima virgem para voltar a ser copo ou garrafa ou o que quer que seja. E aí mais CO_2 emitido para levar esse copo de novo para a lanchonete onde você vai tomar um suco, um açaí ou um milk-shake. E cinco minutos depois: lata de lixo, provavelmente misturando esse resíduo com o lixo orgânico. E o ciclo começa todo de novo. Ou não tem mais ciclo nenhum e esse copo acaba no mar, junto com os outros 12,5 milhões de toneladas de plástico que jogamos nos oceanos todos os anos. Mas aqui no Brasil ainda misturamos material reciclável com matéria-prima orgânica que poderia estar sendo compostada em grande escala, transformada em terra novamente (a natureza é perfeita no aproveitamento) e adubando o nosso solo, enriquecendo-o com microrganismos preciosos que vão fixar carbono na terra, em vez de usarmos mais um veneno químico que mata a gente, as abelhas e as "pestes" e ainda envenena a nossa água, inclusive muitas águas minerais, sim![5]

---

4 Relatório "Solucionar a poluição plástica – transparência e responsabilização", produzido pela organização WWF, com base em dados do Banco Mundial. Disponível em: <https://bit.ly/M1LPoluicaoPlastica>.
5 Ver, por exemplo, reportagem da Agência Pública, que investigou a existência de agrotóxicos na água de uma em cada quatro cidades do Brasil entre 2014 e 2017, num levantamento conjunto com Repórter Brasil e a organização suíça Public Eye. Disponível em: <https://bit.ly/M1LPublicEye>.

Não seria muito mais fácil se cada um andasse com seu copo na mochila? Muito mais eficiente do ponto de vista da vida?

Estamos todos doentes

Depois da famosa Revolução Industrial, todas as relações do planeta adoeceram. As pessoas adoeceram. Os animais, quando não extintos, adoeceram, o solo está doente, as plantas também. Porque não tem como ser saudável uma relação de dominação e de objetificação de pessoas e da natureza em nome do capital. Não tem como estar saudável um planeta em que nos últimos cinquenta anos a ação dos sabidões extinguiu, segundo a ONU, quase 70% de todos os vertebrados.[6] E ainda aumentou 1,1°C no ar, causou o derretimento parcial das calotas polares de forma nunca antes vista, e, como já mencionei, citando a Oxfam, hoje 26 pessoas têm a renda equivalente à de 3,8 bilhões de pessoas no mundo. Um planeta em que, apesar da nossa enorme biodiversidade, nos alimentamos de monoculturas envenenadas, que envenenam ainda nossa água, e de animais criados como se fossem uma linha de produção de bonecos, com bombas de hormônios, que vão direto para nosso corpo, junto com o desespero pelo qual eles passam em seus breves anos de vida na linha do abatedouro. Não podemos dizer que esse modelo capitalista funcionou quando com toda a tecnologia desenvolvida ainda temos um desperdício de um terço de toda a comida do mundo enquanto 9 milhões de pessoas morrem todos os anos de fome, segundo dados da ONU. Quando a Organização Mundial da Saúde (OMS) atesta que a doença mais comum no mundo e que mais afastará as pessoas do trabalho, até 2030, é a depressão. E que, ironicamente, será a doença que vai gerar mais custos econômicos e sociais para os governos.

Estamos doentes porque o sapiens não é consumptor

A existência humana não pode estar só ligada a produzir, ganhar dinheiro, comprar e ficar nessa roda do rato eternamente, e assim ex-

---

6 Disponível em: <https://bit.ly/M1LBiodiversidade>.

cluir da possibilidade de vida milhões de pessoas e um número incalculável de outros seres. E, se achamos que está ruim até agora, de fato os prognósticos não são nada animadores. Com esse modelo, o que vamos alcançar é chegar em 2050 com mais plásticos do que peixes nos oceanos, com um aumento de 2°C, talvez 3°C, na temperatura média do planeta até 2100, sem termos resiliência como espécie para que nosso organismo se adapte a isso, com alguns bilhões de refugiados do clima, e com a depressão como a doença que mais afetará a população mundial em 2030, e a que mais vai gerar prejuízos econômicos, segundo a OMS.

Parem as máquinas literalmente, mas dessa vez não por conta de um vírus que nos obrigou, e sim porque precisamos repensar tudo. Talvez apenas repensar não baste: ouso dizer que é hora de resgatarmos nossas outras inteligências, e uma das mais poderosas que temos e que, ao contrário do que querem nos fazer acreditar nos últimos séculos, não é pensar, é sentir. O coração é na minha visão e na de diversas culturas o grande centro de inteligência do ser humano, porque só ele consegue nos conectar verdadeiramente com tudo o que há. Só ele nos faz humanos de verdade, pois é a partir desse centro que sentimos, que temos empatia, que nos conectamos e que temos paz. E para sairmos do caos que nós mesmos criamos não basta usar a mesma forma de direcionar nossas ações que viemos fazendo ultimamente. É hora do resgate do nosso verdadeiro potencial. E essa é a grande janela de oportunidade.

Resumindo em pouco mais de um tuíte, o sapiens brincou de Deus até agora, sendo ele *versus* tudo o que há. Só que depois de inventar uma forma de viver aqui, baseada em dominação e consumo, e se transmutar numa nova espécie, o *Homo consumptor*, ele começa a se dar conta de que não pode comer nem beber nem respirar dinheiro, e que o mito coletivo do capitalismo se esqueceu de colocar na conta uma variável bem simples: a interdependência do homem nessa teia da vida. Agora que estamos percebendo que a brincadeira de dominar a natureza como se estivéssemos *à parte* dela "deu ruim", é hora de calçar as sandálias da humildade e admitir que erramos feio, erramos rude! Que na verdade os "recursos" são a base de uma teia poderosa que nos mantém vivos aqui. E que o desequilíbrio ecossistêmico e o caos climático, que causamos em nome do Deus maior, o dinheiro, podem levar o mesmo homem sábio à sua própria extinção.

Agora espere um pouco. Respire e coloque a mão no seu coração. Deixe que ele responda da forma mais honesta e sem intervenção da mente possível:

E se o caos climático, em vez de um apocalipse imutável, for exatamente aquilo de que nós, humanos, precisamos para fazer a Grande Mudança? E se o novo coronavírus tiver vindo como um aviso gentil de Gaia, com muito menos danos do que o que está prestes a ocorrer se não mudarmos nosso propósito enquanto humanidade? Uma mudança na forma como nos percebemos cocriando, colaborando e servindo, em vez de mandando, dominando (tentando, né) e destruindo? E se essa for de fato a possibilidade de um salto quântico na qualidade da vida que cocriamos à nossa volta? E se for a chance de a gente perceber e resgatar o nosso papel na teia da vida? E se for a chave para a evolução da nossa espécie, de sapiens/consumptor para um *Homo integralis*?

O FAZENDEIRO QUE PLANTA AR PURO, ÁGUA LIMPA E TERRA FÉRTIL

João Pereira Lima Neto é mais conhecido como João Louco, ou como o homem que "planta ar puro, água limpa e terra fértil", como ele mesmo gosta de dizer.

Na fazenda Santo Antônio da Água Limpa, em Mococa, interior de São Paulo, você não ouve roçadeiras cortando grama: isso é função dos cavalos, que mantêm a área da piscina capinada. Também não se veem mais enxadas tirando ervas daninhas, ou eliminando o capim da plantação, pois é esse capim que alimenta as vacas, criadas soltas, junto com outros animais, em mais de 450 hectares do que hoje é uma grande floresta produtiva, que gera mais de 150 produtos.

Mas nem sempre foi assim. A fazenda está com a família dele desde 1822, e até meados dos anos 1990 era mais uma do modelo "tradicional", ou seja, monocultura, de café e cana-de-açúcar, com uso intensivo de agrotóxicos e fertilizantes químicos e dívidas no banco, como ele próprio se refere a esse modelo, amplamente praticado no Brasil. João chegou a ser garoto-propaganda da Monsanto, a maior produtora de agrotóxicos do mundo, comprada recentemente pela Bayer.

Na época de safra, eram quinhentos funcionários para colher o café. E, desses, ele chegou a ter mais de cem internados no hospital por conta de ferimentos internos tipo queimaduras, causados pelo uso de químicos na plantação. Não bastasse isso, até a água da fazenda estava imprópria para consumo. Foi quando ele decidiu que não queria mais isso. Não queria mais, como diz, aquela vida para ele e seus funcionários. "Não queria deixar uma fazenda estéril para meus filhos. Não queria mais aquele peso no meu peito."

Foi então que João tirou todos os "cidas" da plantação: herbicidas, fungicidas, bactericidas, incentivado por um professor que explicou para ele que, usando esses "cidas", além de matar as brocas do café, ele matava também todos os seus predadores, como abelhas, vespas, aranhas. E os ovos das brocas, que continuavam vivos dentro dos grãos, nasciam num paraíso livre de perigo. Demorou um pouco, mas quatro anos depois de eliminar os pesticidas as brocas foram

47 HOMO INTEGRALIS

finalmente embora. No entanto, aquele café, bem como o solo da fazenda, estava empobrecido por tantos anos de veneno e monocultura, e o cafezal foi morrendo aos poucos. Nessa época ele ainda estava trabalhando *contra* a natureza, como conta. Não usava mais veneno, mas ainda matava árvores que insistiam em crescer, dessa vez com enxadas, foices e afins.

Em 2001, ele decidiu fazer uma transição e, inspirado por Ernst Götsch, um agricultor e pesquisador suíço de quem falarei mais à frente, colocar árvores na plantação. Em 2005 acabava oficialmente o cafezal, mas a cabeça do fazendeiro já estava mudada, e sua forma de ver a agricultura também. João não sabia exatamente o que faria, mas já sabia que não voltaria a ser um agricultor tradicional "de jeito nenhum".

Ele conta que enquanto tirava árvores e animais da área de cultivo estava trabalhando contra a natureza. Enxadas, foices e roçadeiras controlavam os "problemas" – leia-se ervas daninhas, árvores e capim – usando a morte, e não controlavam os problemas usando a vida. O capim, que era antes considerado uma praga, tinha agora uma função: alimentar as vacas, ao mesmo tempo que elas faziam um serviço de limpeza preciso.

João é desses homens sábios que conversam com os bichos e ouvem as plantas, que se relembraram que a natureza é sagrada. E numa dessas conversas as vacas perguntaram para ele: que mais *cê* quer que a gente faça aqui além de roçar capim? Que mais *cês* sabem fazer? Plantar árvores! Ah, vocês sabem plantar árvores, então vamos plantar árvores para mim também! E assim João começou a dar sementes para as vacas.

Logo depois introduziu porcos, para que, junto com as vacas, pudessem semear e pastar, e assim plantar floresta. Mas para isso teve que achar os porcos "certos", porque de tão modificados geneticamente porcos "convencionais" da indústria do alimento têm o intestino mais curto, e dessa forma não quebram a dormência das sementes. Quebrar a dormência das sementes é o processo natural de início da germinação. Ele pode ser causado por diversos fatores, como contato com água, calor, e algumas espécies têm o começo do processo induzido pelo contato com as enzimas do sistema digestivo de animais, nesse caso os porcos. Porcos plantam árvores comendo sementes que depois saem em suas fezes, juntando a promessa de vida com um adubo natural, num combo de inteligência perfeita, como vêm fazendo há não sabemos quantos mil anos na Terra. João foi ao Pantanal resgatar espécies selvagens, que hoje são criadas soltas numa área de sessenta alqueires, com floresta, lagoas, árvores frutíferas, sombra. Apesar de não serem criados para isso, alguns de seus mais de 1.500 porcos são vendidos e abatidos eventualmente, para compradores especiais, entre eles o chef Jamie Oliver.

Agora João não se define mais como agricultor: ele é um coletor, já que há quase vinte anos nenhum homem planta nada em suas terras, apenas os animais. Ele e seus treze sócios, vizinhos coletores que também mudaram sua visão sobre agricultura. São eles que, num modelo cooperativo, coletam as espécies, sempre na época natural de colher.

Ter se associado aos vizinhos é mais uma grande diferença, já que antes esse mesmo trabalho debaixo de sol e de chuva era realizado por funcionários que faziam o que o patrão mandava. Hoje quem trabalha é dono do sistema. "Ele vai porque acha que tem que fazer, não porque é obrigado a fazer." E isso é tão regenerativo!

Entre as espécies coletadas, o café ainda está presente, mas agora agroecológico, orgânico e premiado. Essa é uma entre as mais de 150 espécies de frutas, frutos, cogumelos, PANCs, flores e outros produtos comercializados pela fazenda Santo Antônio da Água Limpa. Tem gengibre-concha, cogumelo, acerola, taioba, cambará, goiaba, abacate, begônia, jabuticaba, ovelha, porco, vaca, peixinho, almeirão, jambu, ipê-roxo, ipê-branco e ipê-amarelo, assa-peixe, hibisco, mel orgânico, milho, taiuva e tantas *cositas más*. Mas a verdadeira colheita não é essa mais de centena de produtos. Essas são apenas colheitas secundárias. As três principais colheitas, na opinião de João, são "ar puro, solo fértil e água limpa".

João, conhecido como João Louco por ser esse visionário, vanguardista e plantar de uma forma tão pouco convencional, tem alguns princípios, um deles relacionado ao dinheiro, que traduz muito bem conceitos como interdependência e cooperação. "Só pode botar a mão no bolso para botar dinheiro. Não pode botar a mão no bolso para tirar dinheiro para investir, porque essa transição não depende de custos, ela é feita pela própria natureza. Ao contrário do que muita gente pensa, não precisa investir. Se botar dinheiro para fora do bolso, vai atrapalhar. Quando tenta ensinar a natureza, você sai perdendo. Quando bota o seu 'eu', você atrapalha. Você só vai fazer colheita, não vai ensinar a natureza. A transição é muito simples, o que complica é o próprio homem. A natureza é muito descomplicada, tem abundância. Quando faz monocultura, você tem escassez."

Ele segue dizendo que "trabalhar com a vida é muito mais lógico e simples e a solução é definitiva. Quando você trabalha com a morte, está prorrogando e potencializando o problema".

E conta, ainda, que durante essa transição ele teve muitos problemas, por ter ido muitas vezes contra a natureza.

"Tem que acreditar na natureza. É muito simples. Pode fazer junto com bastante animal, eles fazem parte da floresta. Muita gente vê animal fora da floresta, mas ele faz parte da floresta, ele é plantador de floresta, e floresta que tem bastante animal é viva, é jovem. Sem animal uma floresta é decadente, com animal ela é dinâmica. Precisamos levar mais o homem para o campo, para esse tipo de trabalho. Quanto mais tiver homem no campo para fazer desse jeito, mais rico será o processo."

Numa entrevista de João para o Vai se Food, site da jornalista especializada em gastronomia Ailin Aleixo, de onde tirei muitas das citações apresentadas, João termina afirmando que "a humanidade tem dois caminhos. Bem claros. Ou muda, ou muda. Ou ela muda de ação, ou muda de casa".

"A fazenda de seu João é o ápice da agricultura natural, linha que crê numa coexistência benéfica e pródiga entre fauna, flora e humanos. Acredita em comida e planeta limpos. A história de seu João é um alento para a alma – e uma aula para o mundo." E assim, reproduzindo essa frase de Ailin, eu termino a primeira de uma série de histórias de pessoas que ilustram como a Nova História da humanidade já começou. Como podemos fazer diferente, de forma regenerativa, com lucro para todas as partes envolvidas, num sistema ganha-ganha-ganha.

Onde ganham humanos, não humanos e a teia da vida, sobre a qual você ainda ouvirá, ou lerá, muito neste livro.

O MITO DA SEPARAÇÃO E A VERDADE DA INTERDEPENDÊNCIA

> "O mundo não é um problema a ser resolvido; é um ser vivo ao qual nós pertencemos. O mundo é parte do nosso próprio ser e nós somos uma parte do todo, que está sofrendo. Até que cheguemos à raiz da nossa imagem de separação, não poderá haver cura. E a parte mais profunda da nossa separação da criação está no esquecimento da sua natureza sagrada, que também é nossa própria natureza sagrada."
>
> – Llewellyn Vaughan-Lee

A primeira vez que ouvi falar no João Louco foi como ouvir uma música que eu já conhecia de alguma forma. Mais do que isso, vendo que a maneira como ele trabalha com a natureza soa tão natural, tão como as coisas deveriam ser, me veio uma pergunta imediatamente: por que estamos escolhendo deliberadamente caminhar rumo ao suicídio da nossa espécie e à destruição de tudo? Será que essa é a natureza humana? Mas, se essa é a verdadeira natureza humana, como é possível que terras indígenas ainda conservem preservadas 80% da biodiversidade do planeta? E como existem pessoas tipo o João Louco?

A cada história como essa eu vejo que não, que tem que existir mais do que isso. Que nossa natureza não é a da destruição. Isso me soa mais como uma programação, tão antiga que se confunde com o que percebemos como a nossa natureza. Me parece que estamos num momento de transição, de amadurecimento como espécie aqui no planeta. E estamos passando por aquele processo em que nossa visão de mundo se alarga, tipo quando a gente é criança e viaja pela primeira vez, e o mundo que antes era restrito à nossa casa, escola, família mais próxima e vizinhos vira uma coisa enorme, afinal a gente viajou e conheceu o novo. Sinto essa fase quase como um ritual de passagem da infância para a pré-adolescência, mas da humanidade. Estamos começando a relembrar que somos natureza e que o planeta é um ser vivo.

Sobre isso vou falar muito neste livro, mas antes preciso contar para vocês um pouco mais de onde vem essa visão de mundo que cria uma realidade de destruição, porque ela está para muito além daquilo que conhecemos como capitalismo. O capitalismo é apenas um reflexo da forma como vemos o mundo e nos vemos nele. Só podemos dar aquilo que temos, assim como só podemos criar realidades baseadas naquilo em que acreditamos. E é sobre essas crenças que está a fundação histórica desse modo de vida que nos transformou em consumptor e adoeceu a saúde integral da Terra e dos seus habitantes, todos eles. E ela vem de uma história muito bem contada que podemos chamar aqui de História da Separação, e cujo personagem principal é o indivíduo. Isso porque, por mais estranho que possa parecer inicialmente, é esse binômio que ameaça fundamentalmente a vida na Terra.

Talvez alguns de vocês já estejam familiarizados com o que eu vou contar, mas pode ser que a grande maioria não, pois isso tudo está tão entranhado nas nossas vidas que na maior parte do tempo passa completamente despercebido. Eu mesma só comecei a refletir sobre isso faz alguns poucos anos. Por isso pode ser que eu traga aqui algumas verdades inconvenientes, e também alguns fatos que talvez possam causar desconforto. Se isso acontecer, peço que respire e continue a leitura, afinal este é um livro sobre uma nova história possível para a humanidade, cheio de casos inspiradores, mas sinto que precisamos investigar um pouco mais o que causou este momento para não repetirmos esse padrão que adoece tudo. Então a cada página convido você a se conectar com o seu sentir. Sinta se o que eu estou falando faz sentido para você. Mas sinta, não só pense. O objetivo do que vou contar é que possamos criar essa Nova História possível para a humanidade e que ela seja de paz, amor, abundância, alegria, saúde, justiça, equidade e bem-estar. E, para isso, fundamentalmente, que voltemos a nos perceber como agentes de regeneração e parte da teia da vida. Vou apresentar ao longo deste livro alguns dados e reflexões para que você possa se aprofundar numa leitura mais diversa e menos monocultural acerca de mitos que vêm sendo contados há tanto tempo que podem parecer verdades absolutas. A maioria deles não é.

A História da Separação é uma dessas que vêm sendo contadas há tanto tempo que muitos de nós acreditamos fortemente que o mundo é assim e que não existe outra forma de viver em sociedade. Ela é uma tentativa enviesada de responder aos mais profundos anseios da humanidade: quem sou eu? O que estou fazendo aqui? De onde venho? Para onde vou? Há várias formas de definir e contar a História da Separação, mas uso aqui a referência de Charles Eisenstein, para quem é mais ou menos assim:

> Quem é você? Você é um indivíduo separado, entre outros indivíduos separados, num universo que também é separado de você.
>
> A única finalidade da vida é simplesmente viver, sobreviver e se reproduzir, para maximizar o próprio interesse. Uma vez que todos somos fundamentalmente separados uns dos outros, é provável que meu interesse próprio viva à custa do seu.
>
> Quem somos nós como pessoas? Nós somos um tipo especial de animal, o ápice da evolução, com cérebros que permitem a transferência cultural de informações, além da transferência genética. Nós somos os únicos a ter (na visão religiosa) uma alma ou (na visão científica) uma mente racional. Em nosso universo mecânico, só nós possuímos consciência e meios para moldar o mundo de acordo com nosso projeto. O único limite para nossa capacidade de fazê-lo é a quantidade de força que conseguimos usar e a precisão com a qual a aplicamos. Quanto mais pudermos fazê-lo, melhor ficaremos neste universo indiferente e hostil, e mais confortáveis e seguros estaremos.[7]

Muitos desses conceitos podem fazer sentido para você, todos talvez. Sim, porque é isso que escutamos nos mitos coletivos da sociedade, principalmente na justificativa da sociedade do consumismo, de forma clara ou nas entrelinhas que sustentam narrativas sobre vida pessoal, trabalho, capitalismo, natureza. Em linhas gerais, grande parte da nossa visão religiosa é assim, nossa visão científica (de certo modo) é baseada nisso, e o próprio sistema capitalista tem suas raízes fundamentalmente baseadas nesse grande mito. Então às vezes pare-

---

7 Charles Eisenstein, *O mundo mais bonito que nossos corações sabem ser possível*. São Paulo: Palas Athena, 2016, p. 17-18.

ce que esse é um resumo da nossa realidade. Mas eu estou aqui para contar para você novamente que não, essa não é a nossa única realidade. Essa é uma lente sob a qual moldamos a nossa história coletiva até aqui, mas muitos desses conceitos já caíram por terra para pensadores, filósofos, diversos líderes políticos e espirituais e até cientistas. Recentemente começamos a compreender que a separação não existe. Portanto, vivemos com uma visão distorcida de mundo até agora, e talvez tenha sido essa grande distorção a causa do caos em que nos encontramos. A parte boa é que o despertar está acontecendo. E, se fomos nós que causamos o caos, temos toda a capacidade do mundo de limpar a bagunça, como diriam os bons pais das crianças que somos.

O conceito da dominação sobre a natureza, como se não fôssemos parte dela também, data de muito tempo, quando fizemos a ruptura entre o humano e a natureza, e portanto criamos uma busca desenfreada por controlar e dominar essa natureza, ou aquilo que é separado de nós. Ele teve início no medo, com a busca da proteção. Afinal, o sapiens e outros *Homo* que habitaram a Terra viviam de forma nômade, em cavernas e acampamentos, e foi uma longa jornada, por exemplo, até a conquista do fogo. A vida não era fácil, não, e a selva era temida porque apresentava perigos bem reais à vida humana. Mas, passado esse momento em que era vida ou morte, evoluímos enquanto grupos e dizem arqueólogos que passamos um tempo vivendo em bandos harmônicos, reverenciando a magia da vida presente na natureza. Basta lembrar que a maioria das religiões antigas tinha como deuses a própria natureza. Assim, ela era sagrada e indissociável de nós. E aprendemos a trabalhar em conjunto com essas forças e sabedorias para plantar, colher, curar doenças, celebrar. Só que dessa época para cá foi havendo um descolamento brutal entre nós e a natureza, e está aí a raiz da visão de separação. Se analisarmos de forma profunda, o descolamento foi na nossa percepção da realidade, afinal nunca deixamos de ser natureza, mesmo nos percebendo como separados dela. E ela teve dois grandes atores encenando essa peça e guiando o sapiens para se tornar consumptor: a ciência e a religião.

Antes de tocar nesse terreno espinhoso que é crença e religião, quero deixar claro que minha crítica não é à fé, e sim ao uso da religião como máquina de dominação e poder. Apesar de não frequentar, fui criada numa família em parte católica e em parte umbandista. Desde cedo o sincretismo esteve presente na minha vida, e além disso estudei quase a vida toda em colégio católico, mas nem por isso posso negar o que é fato e o que é História com H maiúsculo. Dito isso, quando as religiões monoteístas afirmam lá atrás que existe apenas um Deus, único, e coloca esse Deus no céu, fora de nós e da natureza, elas rompem com a visão que vinha sendo praticada havia milênios pelos povos que habitavam o planeta e que professavam o que ficou conhecido como paganismo. Paganismo, numa definição simplista, nada mais é do que reconhecer o sagrado na natureza e reverenciar esse sagrado. Os templos eram florestas, praias, grutas ou ambientes não construídos pelos humanos. Seus deuses, vários, eram aspectos da natureza, e portanto a natureza era sagrada para eles. A natureza fora e dentro. Deus estava dentro e em tudo. Assim em cima como embaixo, assim fora como dentro. Mas quando as instituições religiosas desconectam as pessoas dos deuses/natureza e os fazem adorar um Deus único e desconectado dos humanos, elas enraízam o projeto de separação. Por trás desse feito existia um outro projeto de dominação: o das pessoas. E da sua liberdade de se conectar com o divino, com o sagrado, sem intermediários. Um claro projeto de poder. E isso foi feito com violência, muita violência. A Igreja católica, por exemplo, nos seus primórdios, destruiu templos politeístas mundo afora e queimou magos e bruxas, na verdade sacerdotes e curandeiros que reconheciam o sagrado na natureza e trabalhavam em conjunto com ela para a cura. A Inquisição queimou na fogueira milhares de pessoas – que sabiam usar suas plantas medicinais, que trabalhavam pela vida.

Não bastasse isso, o segundo ator dessa história foi a ciência, terminando por separar por completo a vida do sagrado. As partes do todo, o humano de todos os outros seres que dividem esta casa conosco. E sapiens de natureza. Esse conceito da separação ficou mais evidente quando o que conhecemos como ciência passou a se desenvolver. Joanna Macy, ativista ambiental, escritora, estudiosa de teoria de sistemas e uma das grandes responsáveis pela difusão de práticas e conceitos de ecologia profunda, uma grande alma, descreve isso de forma brilhante quando afirma que a ciência moderna e o que chama de Sociedade do Crescimento Industrial, essa da qual ainda fazemos parte, cresceram juntas. Mas houve duas pessoinhas com papel fundamental no rolê. Foi com a ajuda de René Descartes e de Francis Bacon que a ciência clássica se afastou de uma visão orgânica e holística do mundo e caminhou para aquela analítica, reducionista e mecânica. Sim, vale lembrar que eles também estavam inseridos com todas as suas células na História da Separação e que o desenvolvimento da ciência nessa época também teve como objetivo tirar o mundo da visão obscura e dogmática das religiões, o que é um ponto positivo, já que negacionismo não é exatamente uma novidade dos nossos tempos. Portanto suas teorias se desenvolveram com esse pano de fundo. Talvez não tivessem tido a intenção de causar um mal, mas a consequência é que suas teorias afundaram ainda mais a humanidade nessas crenças limitantes e nessa imagem da Terra como uma máquina e nós, os engenheiros, como se pudéssemos controlar e direcionar o mundo vivo de acordo com nossos interesses. A ciência clássica que se fortalece com a Revolução Industrial criou essa tese de que a natureza pode e deve ser entendida para ser dominada por nós, e posteriormente foram diversos profissionais dos mais diferentes ramos, como arquitetos, engenheiros, economistas, políticos, que assim como Bacon e Descartes refletiram em suas criações a lente da separação. Intencionalmente ou não, foram os responsáveis pela difusão e materialização desse conceito, com suas máquinas e estruturas que nos separaram fisicamente de tudo e assim fazem parecer que somos separados da natureza e, mais ainda, que dominamos alguma coisa. Basta ver como evoluiu a maior parte dos nossos modelos de cidades; são zonas cinza, de concreto, criadas para somente uma espécie prosperar, o ser humano. Concretamos a terra, furamos suas entranhas, passamos canos de água e (na melhor das hipóteses) de esgoto, retiramos as árvores, eliminamos as fontes e depois reclamamos que está insuportavelmente quente, que tem mosquito da dengue e que a cidade inunda. Claro que vai inundar, e vai inundar sempre. Não tem como em tempestades como as que temos visto, cuja intensidade aumenta com a emergência climática, numa cidade estéril e cuja terra

58 FE CORTEZ

está concretada e separada da vida, a água ser drenada. Simplesmente porque arrancamos árvores, colocamos asfalto e isolamos o melhor mecanismo de drenagem do mundo: a própria terra. Esse é um pequeno exemplo da forma como pensamos progresso e desenvolvimento, e que está intimamente ligado a essa história que nos contaram nos últimos séculos: a ficção da separação.

A saga de dominar o indominável

A visão da Terra como uma máquina e nós como seus engenheiros que se fortaleceu ainda mais pós-Revolução Industrial está tão enraizada na nossa cultura que parece que a principal busca de algumas áreas da ciência e dos negócios ainda é como achar a melhor forma de dominar a natureza, para extrair seus "recursos" com mais eficiência. Isso não é exatamente uma novidade pós-Revolução Industrial, já que o ser humano como membro intermediário da cadeia alimentar, que foi por milhares de anos, vivia muito vulnerável a predadores maiores, mais rápidos e mais fortes e a intempéries climáticas. Por isso foi importante, sim, desenvolver tecnologias que nos dessem uma sobrevida maior e mais proteção contra as feras que ainda andavam soltas por aí; criar formas de diminuir nossa vulnerabilidade foi fundamental para que nossa espécie sobrevivesse e prosperasse na teia da vida. Uma dessas tecnologias foi a Revolução Agrícola, 12 mil anos atrás, quando o homem passou a plantar e se viu menos refém de caçadas e coletas, passando a dominar a produção de alimentos, ao mesmo tempo que passou a domesticar animais para o abate. Pode-se dizer que a dominação real oficial começou ali. E, sim, fez muito sentido e possibilitou que a população aumentasse, vivesse mais tempo e morresse menos.

Só que de lá para cá perdemos o limite, e esse é um ponto central na análise de quando "deu ruim". Não é que a gente tivesse que ficar como coletores e caçadores para sempre, mas perdemos completamente o limite e, na tentação de "brincarmos de Deus" para compensar nossa vulnerabilidade, nos deixamos ludibriar pelas miragens do poder e da dominação. A visão da natureza como fonte de recursos infinitos para alimentar uma roda da Sociedade do Crescimento Industrial, em que todas as empresas e países querem crescer dois dígitos

59 HOMO INTEGRALIS

por ano vendendo coisas que são feitas a partir da destruição de ecossistemas, não passa de um sonho distópico, e os mesmos engenheiros, economistas e cientistas que afirmaram que poderíamos brincar de deuses eternamente estão vendo que nos esquecemos de incluir algumas variáveis nessa conta e que o planeta não tem recursos infinitos, e, mais que isso, que já gastamos muito mais do que a nossa poupança de "recursos" e carbono nos permitia.

De lá para cá, esse conceito de que temos algum controle sobre a natureza chegou a um ápice para agora ser ampla e duramente questionado pela própria ciência, pois o que fizemos nos últimos dois séculos pode nos colocar na fila da extinção mais rápido do que imaginamos, e as consequências sistêmicas dessa cultura de dominação estão cada dia mais presentes na nossa vida – basta ver a quantidade de incêndios florestais de magnitudes impensadas, tsunamis, enchentes e secas que assolam o planeta. Basta ver que um simples terremoto no Japão destrói cidades inteiras e vaza para o mundo resíduos radioativos de sua usina nuclear. Num simples terremoto, Gaia, a Mãe Terra, mostra como somos pequenos diante de sua potência. E uma das principais razões para isso é que seguimos por muito tempo aplicando na ciência uma visão separatista e linear que analisa apenas o que quer ou pode, através das metodologias e tecnologias existentes, ser analisado. Mas isso não significa que as variáveis deixadas de lado não vão interferir no resultado final, já que estamos falando de natureza e não de máquinas, cujas peças são construídas por nós para funcionarem de acordo com a forma como as desenhamos. Parece que estamos despertando agora para entender que a visão reducionista e mecanicista humana não se aplica a um conjunto de variáveis complexas, e a emergência climática, por exemplo, já é uma realidade. Mesmo assim os tomadores de decisão do mundo, que só conhecem ou ainda se beneficiam das velhas formas de fazer negócios, insistem em não agir diante do que está claro e na nossa frente: nós ultrapassamos todos os limites físicos e éticos no que diz respeito à teia da vida. Físicos porque baseamos a sociedade do consumismo em crescimento infinito, calcado em extração de recursos finitos, e o resultado é um desequilíbrio planetário sem precedentes. Éticos porque nossa visão de mundo e valores por trás de tanta destruição parece não perceber que a vida só acontece através da interdependência, e aparentemente na nossa cultura nós não entendemos de verdade o significado dessa palavra. Só que agora não importa se queremos ou não entender; teremos que caminhar para isso caso desejemos viver por aqui no futuro próximo.

O novo coronavírus trouxe ainda mais clareza sobre o que significam sistemas complexos, cooperação e interdependência. Afinal, a pandemia mostrou a importância tanto do compartilhamento honesto de informações sobre o surto e de dados científicos confiáveis quanto da solidariedade e da coordenação global para enfrentar uma crise sanitária que se alastrou por todo o mundo. A Covid-19 é uma zoonose, ou seja, um vírus transmitido por animais para seres humanos – nesse caso, ao que tudo indica, a partir de morcegos. Morcegos são animais extremamente importantes para ecossistemas diversos no mundo todo, principalmente em florestas. E têm características muito únicas. Segundo estudos da Universidade da Califórnia, em Berkeley, por serem os únicos mamíferos que voam, precisam manter sua temperatura e sua taxa metabólica sempre altas, como se estivessem sempre com um tipo de febre. Justamente por isso, seu sistema imunológico é um dos mais resistentes, cultivando vários tipos de vírus como o da Covid-19, que não causam doenças nos morcegos, mas sim em outros animais que não têm um sistema imunológico tão ativo. O fato é que enquanto os morcegos estão lá na floresta, seu hábitat natural, os vírus estão lá também, contidos e em equilíbrio. O problema se dá quando invadimos esses hábitats, e temos feito isso o tempo todo para instalar nossas cidades, aumentar a fronteira agrícola, explorar minérios, e assim interferimos no funcionamento natural desses sistemas, sem ter total clareza do que isso vai causar.

A pandemia da Covid-19 é, portanto, um exemplo claro de que sistemas complexos têm interligações muito mais profundas do que entendemos hoje, e sobre isso falarei mais à frente. Além disso, fica claro ainda que nossa espécie e o que chamamos de natureza são interdependentes. Dependemos da saúde desses sistemas para estarmos saudáveis. E, como seres humanos, só prosperamos com a cooperação. Para termos chegado até aqui, já disse Yuval Harari,[8] tivemos que cooperar. E para não espalhar ainda mais a contaminação de Covid-19 tivemos que, talvez pela primeira vez na história, cooperar planetariamente, já que ficar em casa, fechar fábricas e fronteiras, vacinar em massa foi a forma de segurar uma maior expansão do contágio. O que salvou vidas foi justamente a noção de que estamos todos interligados e que só prosperamos com a cooperação. De uma maneira dolorosa, ele antecipou o despertar global para o fato de que a visão de mundo mecanicista, reducionista e separatista não faz mais sentido. Simplesmente porque ela não reflete a realidade.

Essa visão, amplamente adotada por uma grande parte dos cientistas, que acreditaram ser possível explicar o todo pelas partes, começa a ficar obsoleta quando os biólogos entendem que ela não tem meios de explicar os mecanismos de autorrenovação da vida nem o funcionamento de sistemas complexos ou todo e qualquer ecossistema no planeta. Quando cai essa ficha, é como se os conceitos de Bacon e Descartes ficassem datados ao entendimento de mundo da sua época. Surge então uma outra forma de ver a vida, que ainda estamos começando a aplicar, e ela troca a análise das partes pela análise do todo e das substâncias e elementos isolados pelos processos. Esses biólogos passam então a ver os elementos como parte de padrões mais amplos, que se conectam e se desenvolvem com base em certos princípios. Esses princípios da inter-relação dão vida, assim, a uma nova forma de ver o mundo e suas relações, de que falarei no próximo capítulo, conhecida como Teoria Geral dos Sistemas, como afirma aquele que é considerado seu pai, o biólogo Ludwig von Bertalanffy.

Monocultura e a autodestruição

A lente pela qual vemos o mundo está ligada ao nível de consciência que temos em determinado momento. Assim, o que era verdade absoluta em 1500 é bem diferente do que consideramos verdade hoje. Isso

---

8 A análise da cooperação feita por Yuval Harari está no seu ensaio "Na batalha contra o coronavírus, faltam líderes à humanidade", publicado no Brasil pela Companhia das Letras (2020).

vale para conhecimentos científicos e também para a ética em relação à vida. Basta olhar a escravidão, por exemplo. No século XVII não só ela era aceita como empresas que traficavam vidas humanas vendiam ações nas bolsas de valores da Europa. Hoje está bem claro que isso é considerado inadmissível, e assim acredito que o que hoje aplicamos de maneira irrestrita e que é base da nossa forma de viver em pouco tempo se tornará inadmissível, como as monoculturas.

A monocultura é um exemplo excelente de como usamos a lente da separação em vez da interdependência para criar nossos sistemas. Ela exemplifica quanto esse mito foi amplamente aceito como a grande verdade, quiçá a melhor forma de fazer que conhecemos. Até agora! Talvez porque as pesquisas nesse âmbito tenham sido financiadas justamente por empresas interessadas em manter o poder e a dominação. Talvez porque a história de que essa é a única maneira produtiva de gerar alimentos tenha sido contada repetidas vezes. Talvez porque até pouco tempo atrás não conhecêssemos as resultantes desse tipo de cultivo, e quanto ele polui e envenena a terra, as águas, as pessoas e os animais.

Uma monocultura, ou seja, uma única espécie ocupando vastos territórios de terra, não existe na natureza, simplesmente porque nada na natureza sobrevive sozinho, isolado e separado do todo. Mesmo as florestas temperadas, que parecem ter apenas pinheiros, têm vivendo ali uma diversidade enorme de seres. Toda a inteligência natural se baseia no conceito de rede e de equilíbrio sistêmico. E ele só é possível com a interdependência, já que um sistema natural só sobrevive com colaboração baseada na relação e nos padrões formados pela interação das partes. As plantas e árvores apresentam um sistema absolutamente refinado de comunicação em que suas raízes estão todas ligadas por uma rede de fungos, tipo a internet, que avisa quando uma praga chega, quando falta água, quando o desmatamento acontece. E essa comunicação só é possível com essa rede equilibrada, e sem veneno. Mas a Revolução Verde, que veio logo depois da Segunda Guerra Mundial, como forma de fazer com que as empresas que produziam bombas químicas para a guerra continuassem escoando seus produtos, criou um tipo de cultivo de alimentos em que usamos vastos territórios de solo para cultivar uma única espécie,

63 HOMO INTEGRALIS

naquilo que ficou conhecido como agricultura industrial. O modelo da agricultura industrial é baseado no conceito da indústria, aquela que faz produtos sem vida. Mas para uma forma de produzir que cria artigos mortos ser adaptada para uma forma de produzir alimentos vivos, comida, a intervenção tem que ser gigantesca, e ela se chama veneno. A monocultura só sobrevive com altos índices de agrotóxicos, pesticidas e herbicidas e sementes geneticamente modificadas, pois essa forma de cultivar o solo, ao mesmo tempo que empobrece a terra e retira sua capacidade de se autoadubar, mata tudo o que existe ali e cria um parque de diversões para as pragas, que deitam e rolam quando existe apenas uma espécie. Sim, porque numa floresta tropical, por exemplo, pragas nunca conseguiriam evoluir, já que a quantidade de biodiversidade torna impossível a proliferação de um único tipo de vida a ponto de tomar conta de um sistema. E as árvores conversam e trocam informações avisando umas às outras da chegada de uma ameaça. Assim, elas podem se equipar com seus mecanismos de defesa e lutar pela vida. Mas nas monoculturas isso não é possível, pois, além de a teia de fungos permitir que a comunicação das plantas pelas suas raízes seja exterminada pelo veneno, não há resiliência num sistema sem diversidade. Mesmo assim, a monocultura foi uma história muito bem contada desde a Revolução Verde, e a gente acreditou nela com a promessa de acabar com a fome no mundo. Curioso que passados mais de cinquenta anos a fome não acabou. Porque foi uma outra fome que causou essa revolução, a de poder.

Ou seja, na monocultura a necessidade de colocar veneno para deixar a praga de lado destrói a própria capacidade daquela espécie de se comunicar com o entorno e de saber que aquela praga está vindo, por exemplo. Mas, mais que isso, esse conceito é autodestrutivo porque não enxerga a interdependência, não colocou nos cálculos – ou prefere ignorar – que o empobrecimento do solo e o desmatamento causados pela própria expansão agrícola no modelo de monocultura mudam o regime de chuvas, fundamental para a vida e a colheita acontecerem; que o veneno mata abelhas, e sem elas, já dizia Einstein, a humanidade não sobrevive por mais de quatro anos. Aí a ciência/indústria investe mais bilhões em pesquisas para criar outras sementes transgênicas e espécies mais resilientes. Mas por que criar espécies mais resilientes, que precisam de mais veneno que estamos ingerindo hoje na água que bebemos e matando diversas outras vidas, se podemos apenas voltar à forma tradicional de cultivar e de coexistir com o que bilhões de anos de evolução aprimoraram sequencialmente? Por que não usar a tecnologia para desenvolver fertilizantes biológicos e naturais? Por que não investir bilhões em pesquisas de desenvolvimento de novas máquinas que possam ser usadas na agricultura sintrópica, sobre a qual falarei mais adiante? Por que brincar de Deus e querer dominar a natureza em vez de aprender com ela e ser sua aliada?

Independência, a grande quimera

Quer você acredite nisso ou não, temos dados suficientes que provam que a emergência climática é causada pela atividade do homem no planeta, e essa foi até agora direcionada pela quimera, a ficção, da independência absoluta da nossa raça em relação a tudo o que há. Dominação e separação foram as bases do sistema que nos trouxe até aqui, e essas bases já estão rachando. Furacão Sandy, enchentes por todos os lugares, incêndios incontroláveis. O novo coronavírus. Todas as provas de que não podemos dominar a natureza, porque não somos seus mestres. Menos ainda podemos crer que a vida independente é viável, porque ela não é. Mesmo que você viva num apartamento cujo ar-condicionado está ligado 100% do tempo e que nunca tenha pisado na terra. É de lá e é dela que vêm o que você come, a água que você bebe e o ar que você respira. Mesmo que ele esteja poluído numa grande cidade.

Então, já que essa brincadeira de Deus falhou, está na hora de juntos cocriarmos a nova forma de viver por aqui. E o que aprendemos com ela? Só para citar dois exemplos, entre muitos: que a natureza não pode, e não deve, ser dominada como pensamos até então, simplesmente porque não entendemos ainda como ela de fato funciona; e que é através desse sistema complexo e que se autorregula que existe a possibilidade de estarmos vivos aqui. Nós e os bilhões de outros seres que dividem esta grande casa conosco. Não podemos mais basear nossa forma de vida apenas em desejos individuais: o paradigma deve mudar para um de cooperação, que é exatamente a forma como todas as outras espécies fazem para se manterem vivas. Não podemos mais nos comportar como fazemos em nossos prédios, numa aparente vida em comunidade em que não conhecemos nossos vizinhos, só dividimos as contas do condomínio.

Podemos aprender também que resiliência só é possível através da diversidade. De culturas, de espécies, de ideias e de pessoas. Um sistema sem diversidade é menos resiliente e mais factível de ser exterminado. Que possamos então honrar e respeitar o diferente. Que o diferente seja a base da reconstrução das nossas formas de viver aqui. Monoculturas de alimentos ou de ideias são tão nocivas à vida quanto a lente que está por trás delas, a ficção da separação.

A parte boa disso tudo é que a colaboração e o cuidado estão no nosso DNA, sim, porque só sobrevivemos enquanto espécie dessa forma, o que faz com que sejam habilidades inatas ao ser humano. Essa sim é a verdadeira natureza humana, e ela pode e deve ser a base do caminho para que deixemos a nossa versão *Homo consumptor* e passemos a habitar nossa versão integralis. Basta que a gente queira fortalecer nosso melhor lado, e para isso já passou da hora de contarmos outras histórias. Como a do João Louco e sua fazenda de água limpa, ar puro e solo fértil, ou a do homem que parou o deserto.

O HOMEM QUE PAROU O DESERTO

Anos 1980. Uma seca terrível atinge a região do Sahel, no país conhecido hoje como Burkina Faso, uma ex-colônia francesa. Historicamente, ao longo de décadas, milhões de pessoas morreram ali em consequência da fome e da miséria, causadas pela diminuição abrupta na precipitação pluviométrica anual. Poços secaram, lençol freático idem e milhões de pessoas abandonaram suas terras, por não terem como sobreviver. Mas Yacouba Sawadogo, não. Afinal, seu pai estava enterrado ali, na sua fazenda, uma terra ocupada há muito tempo por sua família, de geração em geração. Era uma terra considerada sagrada. E esse senhor, que na época em que esta história foi contada não sabia a própria idade, mas já tinha bisnetos e devia ter para lá de seus setenta anos, já havia criado uma forma de se relacionar com a terra que traria para sua família um desfecho diferente, mais próspero. Não só para ele como para a transformação que se deu na região pela inovação por ele desenvolvida.

Yacouba é conhecido na sua região como o homem que parou o deserto, já que, graças à sua iniciativa, a região, que de savana passou a deserto com a seca, entrou na pauta de pesquisadores do Departamento de Pesquisas Geológicas dos Estados Unidos, que a classificaram como "a maior transformação ambiental positiva no Sahel, e talvez em toda a África". E tudo começou na crise das mudanças climáticas, que ele afirma terem sido a causa da desertificação e sobre a qual afirma que "tem algo a dizer". Yacouba já vinha se adaptando a períodos de mais calor e menos umidade vinte anos antes da terrível seca, e desenvolveu um método para aumentar o crescimento de culturas como o sorgo e o painço. Sua técnica inovadora, da qual se orgulha, era misturar esterco de boi aos *zais* – nome dado aos poços superficiais cavados nas raízes das culturas para recolher e concentrar as escassas chuvas. Seus amigos agricultores zombavam dele, achando que aquilo era capricho de agricultor maluco, mas ele viu resultado, não só no aumento do rendimento do que plantava, mas em algo inesperado: árvores começaram a crescer entre o que ele plantava, já que o estrume adicionado ao *zai* carregava também sementes, que naquele terreno fértil brotavam. E é para se orgulhar mesmo. Segundo ele, "desde que comecei essa técnica de reabilitação de terras degradadas, minha família tem desfrutado de segurança alimentar nos anos bons e nos ruins".

E, a cada ano que passava, as árvores cresciam mais e mais e o rendimento das plantações idem. Mas não só isso: a técnica que alguns cientistas chamam de regeneração natural administrada pelos agricultores, ou agrossilvicultura, apresenta inúmeros outros benefícios. No caso da África, a venda de madeira, já que os galhos cortados das árvores são vendidos para serem usados como lenha para cozinhar. Além disso, as árvores protegem a semeadura contra o sol escaldante e as rajadas de vento, que são tão fortes que muitas vezes os agricultores precisavam semear a mesma terra três, quatro ou cinco vezes, pois as sementes e os brotos eram cobertos pela areia que vinha com as rajadas. As folhas servem ainda para adubar o solo, e no caso da seca extrema podem ser comidas para evitar a fome. Nas estações secas, servem de forragem para o gado.

Porém não foi só Yacouba que plantou árvores: o sucesso da sua técnica se espalhou pela vizinhança e cruzou as fronteiras, e agora quase não há quem plante de outro jeito. No Mali, país vizinho, a agrossilvicultura também foi assimilada, e a perda de mais de um metro de lençol freático que se seguiu à tal seca de 1980 logo depois foi transmutada num crescimento de mais de cinco metros na profundidade desse lençol. As árvores servem ainda como fonte de medicamentos naturais, fato importantíssimo num lugar onde os cuidados de saúde modernos são escassos. Além disso, o plantio de árvores trouxe espécies de animais que há muito não eram vistas por ali, como pequenas lebres. E a inovação não partiu de nenhum sofisticado laboratório, nem de ajudas humanitárias. Yacouba na verdade nem ler e escrever sabe. Mas sabe perceber a vida e que tudo está interconectado. Sabe ler a natureza e cooperar com ela.

Esta é uma história com muitas histórias se atravessando. E elas falam de resiliência, cooperação, tecnologia social, conhecimento ancestral, de observar a natureza e cooperar com ela, ser parte e se perceber interdependente da teia da vida. Reconhecer o sagrado na terra e a magia da abundância da vida quando servimos a ela. Essa é uma história que mostra que novas narrativas inspiram e o exemplo é um poderoso instrumento de transformação. Essa é a história do homem que parou o deserto. E, se Yacouba pode parar o deserto, imagina o que nós não podemos fazer quando mudarmos a lente para uma que perceba que a verdade maior é a interdependência e a potência maior para que a teia da vida floresça é a cooperação?

Esta história foi contada em 2011 pelo jornalista Mark Hertsgaard, no seu livro Hot: Living Through the Next 50 Years on Earth *(algo como: "Quente – vivendo na Terra pelos próximos 50 anos"), e depois adaptada para o* Drawdown: 100 iniciativas poderosas para resolver a crise climática, *de Paul Hawken.*

A TEIA DA VIDA

Yacouba é conhecido como o homem que parou o deserto, mas ele poderia ser conhecido como o homem que sabe ler a teia da vida, esse sistema sofisticadíssimo que mostra que a vida é gerada a partir da vida e com o qual ele lindamente coopera por ter entendido em suas células a conexão entre tudo o que existe. É quase certo que você já tenha ouvido frases como "todos somos um", ou "estamos todos ligados", ou ainda que o bater de asas de uma borboleta no Atlântico causa um tsunami no Pacífico. Isso é porque de fato estamos todos conectados de diversas formas numa grande teia da vida. E ela opera em diferentes níveis, inclusive no nível físico ou da matéria, aquele que podemos enxergar e que por isso se torna mais perceptível para nós. Todos somos um, na minha opinião, é muito mais profundo do que o que conseguimos ver e diz respeito, entre outras coisas, à interconectividade de nossas consciências, algo como o conceito do inconsciente coletivo. O conceito da teia da vida é uma grande evolução no nosso entendimento de como os sistemas estão interligados por aqui, mas, mais do que isso, que o planeta, ao contrário do que afirmou a ciência por muito tempo, é vivo. E, por ser vivo, está o tempo inteiro buscando sua autorregulação. E esse grande sistema vivo chama-se Gaia.

Na mitologia grega, Gaia é a Mãe Terra, aquela que carrega em si a potência infinita de gerar vida. E foi com esse nome que o cientista-pensador James Lovelock batizou a hipótese apresentada por ele e sua parceira de trabalho, a bióloga Lynn Margulis, de que o nosso planeta não é uma rocha enorme com seres vivos vivendo sobre ela, e sim, em si, um ser vivo consciente. Na época, Lovelock trabalhava para a Nasa e começou a comparar a Terra com os planetas vizinhos, percebendo que ela é um planeta extraordinariamente raro. Tão raro que apenas aqui havia condição de vida para bilhões de seres, e que isso se dava por muitos motivos, entre eles a distância do Sol, sua massa e, o mais importante, pela biosfera, essa camada da superfície da Terra onde há vida. A biosfera teve participação fundamental para que a vida fosse possível, desenvolvendo as condições ideais para ela prosperar durante mais de 4 bilhões de anos.

73 HOMO INTEGRALIS

A hipótese de Gaia como um planeta vivo que se autorregula nasceu em meados dos anos 1970, pela combinação das pesquisas de Lovelock e Margulis, e sua grande inovação é trazer a visão de que a vida modela o ambiente e não o oposto, como a ciência acreditava até então. E de que, por ser um organismo vivo, o planeta está o tempo todo trabalhando para se autorregular. Até então, na ciência prevalecia o entendimento de que a vida prosperava com a seleção natural, uma visão darwinista do planeta, que baseia toda a teoria evolutiva na prevalência do gene mais forte, numa perspectiva de que no fundo a evolução se dá através do egoísmo, do *que vença o melhor*, da derrota do fraco em relação ao mais apto. Além disso, até aquele momento, cientistas, biólogos e geólogos observavam e analisavam as partes do planeta de modo mais reducionista, sem considerar a complexidade desse sistema. A metodologia utilizada era enxergar e recortar partes para modelar o todo. A ciência ainda estava caminhando para o entendimento de que essa metodologia não dava conta de entender e explicar tudo, principalmente quando esse tudo é um sistema complexo como Gaia. Era uma forma de aprendizado tradicional, a que muitos de nós nos habituamos: estudava-se, por exemplo, o regime de chuvas da Floresta Amazônica em separado. Separado do regime de gases atmosféricos. Separado da vida no Cerrado. Separado do bioma da Mata Atlântica. Separado do Ártico. E por aí vai.

Os cientistas admitiam, sim, que havia interação, mas até então determinavam que o produto final daquela interação era que o ambiente modelava a vida, numa hipótese de causa e efeito em que a causa era o ambiente e sua consequência, a vida possível a partir do ambiente, e não vice-versa. Parece um pouco confuso, mas um exemplo simples nos ajuda a entender: a seca. Poderíamos dizer que a seca era resultado da falta de chuvas num determinado lugar, e, como não dominamos o regime de chuvas, o resultado era a convicção de que a vida não prosperaria nesse ambiente de seca. Ou seja, sem chuvas o solo era pobre e, por isso, não poderia ver nascer uma árvore. E assim milhões de famílias ao longo da história – inclusive várias gerações de parentes de Yacouba – abandonaram suas terras, acreditando que nada mais poderia ser feito uma vez instaurada a seca.

Talvez lendo isso você possa achar que faz sentido, certo? Mas agora já existem provas de que não, e foi isso que Lovelock e Margullis apresentaram na sua Teoria de Gaia nos anos 1970. Sua visão era tão revolucionária para a ciência que predominava até então, o neodarwinismo, que ambos foram chamados de hereges por muitos cientistas dessa linha. Houve uma grande patrulha ideológica sobre eles, rechaçando sua visão e excluindo sua teoria das rodas importantes do meio. Gosto quando o cientista brasileiro Antonio Donato Nobre, reconhecido internacionalmente, conta esse episódio numa palestra para o ciclo de estudos Selvagem, disponível no YouTube.[9] Ele afirma que a demora dos cientistas em reconhecerem a Teoria de Gaia reforçou uma interpretação dogmática e fundamentalista que rechaçou por quase quarenta anos a hipótese de Margullis e Lovelock e levou a humanidade a uma condição de autoaniquilação. Isso se deu tanto pela visão até então de que a Teoria de Gaia ia contra Darwin quanto pela dificuldade de provar a nova hipótese com a metodologia científica tradicional e as tecnologias e dados disponíveis na época. Os neodarwinistas consideraram que, se a hipótese de Gaia não podia ser comprovada, não existia ou não era verdade.

Nobre compara o que foi feito com a Teoria de Gaia ao que fizeram na Inquisição. A patrulha foi tão ostensiva que cientistas sérios não queriam ser associados àquele campo de estudo e, diante daquela campanha de perseguição, as pessoas se afastaram do tema. (Essa estratégia te lembra alguma coisa que está acontecendo agora?) Tanto que se nomeou a hipótese de Gaia de Ciência da Terra. Afinal, era preciso criar o nome mais distante possível de Gaia para não cair na patrulha. Ocorre que hoje até os neodarwinistas aceitam e estudam essa hipótese.

Ainda segundo Nobre, não é que a teoria neodarwinista esteja completamente equivocada, e sim que ela não consegue explicar tudo. Trata-se de uma verdade inicial. A seleção natural melhora os genes, seleciona aqueles que vão deixar descendentes mais fortes, configurando aquilo que Nobre compara a uma espécie de rede de segurança evolutiva – algo como a rede colocada nos circos para que, em

---

9 Disponível em: <https://bit.ly/AntonioDonato>.

caso de queda, o trapezista não morra. Portanto, ela é um sistema de resgate, não um sistema que cria novos conhecimentos ou novas soluções. É um *benchmark*, um ponto de referência, que reforça e testa soluções. E para por aí. A partir daí, para explicar a complexa teia da vida, ela não tem mais serventia, ou capacidade, dada a complexidade do tema.

E por que aquela perseguição dogmática foi tão grave? Porque, durante mais de quarenta anos, cientistas se afastaram da hipótese de Gaia e assim conseguiram explicar apenas parte do funcionamento do clima. Ou seja, conseguiram somente explicar a parte linear desse sistema: os gases. Os estudos iam até a parte que dizia que os gases de efeito estufa aumentam a temperatura da Terra. Os mecanismos de controle desses gases, por exemplo, presentes no planeta há bilhões de anos, não conseguiam ser explicados.

E assim as teorias climáticas ficavam frágeis, e o sistema econômico se aproveitou disso para deitar e rolar. Resultado: chegamos hoje a este estado terminal do planeta. A indústria suja do petróleo e o neoliberalismo usaram a debilidade das teorias climáticas para pisar no acelerador, mesmo sabendo dos riscos. Segundo Nobre, hoje já se sabe que empresas como a ExxonMobil e a Shell investiram muito dinheiro em campanhas negacionistas, contra a ciência, e que, sim, haviam sido avisadas por seus próprios cientistas sobre as ameaças das mudanças climáticas ao seu modelo de negócio. Os tomadores de decisão sabiam exatamente o que estava em jogo, da mesma forma que está acontecendo hoje no Brasil em relação à Amazônia. O governo tem total clareza de que a floresta está muito próxima do seu ponto de não retorno, aquele ponto em que ela vai virar uma savana, e mesmo assim quer liberar mineração na floresta e legalizar grilagem e desmatamento.

Perdemos quarenta anos e quase perdemos a Terra, ou a nós mesmos! Porque sem Gaia, sem o entendimento desse megaorganismo e sem sua capacidade de gerar vida, não há economia, não há ciência, não há neodarwinismo ou neoliberalismo.

O que os cientistas da época não conseguiram demonstrar, e que agora já se comprovou claramente, é que a vida gera vida e que o planeta está o tempo todo buscando seu equilíbrio, sua autorregulação. Assim como o corpo humano busca a homeostase, o planeta busca a regulação do todo. O planeta tem uma estabilidade climática não explicável apenas com a geofísica e a geoquímica. É necessário analisar também a BIO – biofísica e bioquímica. Sem a biosfera não é possível explicar o funcionamento de Gaia ou a capacidade de emergir vida desse sistema.

Hoje se sabe que a vida no planeta opera nos conceitos da Teoria dos Sistemas e, portanto, está o tempo inteiro se adaptando para manter aqui o equilíbrio. E aqui voltamos à história de Yacouba: na visão da ciência tradicional, aquela era considerada uma terra arrasada, sem condições de gerar vida. Seria preciso ocorrer uma mudança no regime hídrico, trazendo chuvas, ou nos ventos para que os agricultores conseguissem semear sem perder tantas sementes e colheitas. Mas o que o homem que parou o deserto mostrou, numa prática que chegou a ele de forma intuitiva, é que vida gera mais vida. O microclima mudou, animais voltaram, a sua terra é sempre produtiva. A Teoria de Gaia é também sobre isso. Graças a Margullis e Lovelock, não vemos mais o planeta como uma rocha inanimada sobre a qual vivemos, mas como um eterno processo de gerar vida, do qual *somos* parte. Isso muda tudo, inclusive as possibilidades de regeneração que esse sistema desenvolve à medida que aprende com os feedbacks da sua evolução.

Gaia é um grande sistema que se autorregula

No livro *Coming Back to Life* (Voltando a viver, numa tradução livre), Joanna Macy, aquela da ecologia profunda, e Molly Brown apresentam uma imagem muito usada por pensadores para ilustrar a evolução de sistemas: uma chama. Se você observar uma fogueira, vai perceber que a chama usa a madeira para manter sua forma original. Ela faz isso através da transformação daquilo que queima. A chama consome seu combustível ao mesmo tempo que transmuta esse combustível em outra coisa – a madeira, por exemplo, se transforma em cinza, mas a chama está lá, usando a madeira para se manter chama. Isso é o que ocorre com sistemas. Eles consomem matéria e informação que passam por eles, constantemente desintegrando e reconstruindo, num movimento eterno de renovação, tentando manter sempre seu equilíbrio. Assim como o fogo, um sistema transforma e é transformado pelo que é alimentado nele. Isso vale, e muito, para além da matéria, para nossos pensamentos e imaginação, e a energia que deles emana o tempo todo.

A Teoria de Sistemas e a forma como ela molda a vida no planeta foram uma das descobertas mais importantes dos últimos tempos, pois mudaram radicalmente a visão e o foco de como víamos as interações na nossa vida. Quando os cientistas abandonam o conceito de partes como entidades separadas e focam em suas relações, descobrem que a natureza se auto-organiza, o que permite entendermos a vida sob um outro prisma. Essa visão se aplica a toda forma de interação no planeta. A Teoria dos Sistemas é como a ciência pós-moderna explica o que diversas tradições ancestrais e espirituais sempre afirmaram e nós, ocidentais, moldados pela cultura da separação e da dominação, tínhamos muita dificuldade de entender: todos somos um, porque estamos todos conectados na teia da vida, e ela funciona com base nos princípios que Joana Macy e Molly Brown tão belamente colocam em seu livro.

O primeiro ponto, segundo a Teoria dos Sistemas, é que qualquer sistema, do átomo à galáxia, é o todo. Isso significa que não podemos reduzi-lo a seus componentes, porque suas capacidades são derivadas da relação dinâmica de suas partes. Sua interação é sinergética, gerando propriedades emergentes que não são previsíveis analisando-se as características de suas partes isoladas. As autoras citam como exemplo a umidade. Não podemos prever, antes de ocorrer, que, se combinarmos oxigênio e hidrogênio, isso vai resultar em umidade. Do mesmo modo, ninguém consegue prever tamanha criatividade de soluções que podem emergir quando um grupo de pessoas coloca sua inteligência para jogo.

O segundo ponto importante é que, graças ao fluxo contínuo de matéria, energia e informação, os sistemas abertos conseguem se autoestabilizar e manter seu equilíbrio. Isso permite aos sistemas que se autorregulem em meio a mudanças no ambiente. Isso é o que ocorre, por exemplo, na homeostase do corpo humano.

Outra característica de seu funcionamento é que sistemas abertos não só mantêm seu equilíbrio em meio ao fluxo, mas também evoluem em complexidade. Quando ameaças vindas do ambiente persistem, eles podem se desintegrar ou se adaptar, se reorganizando com base em novas formas de funcionar. Se as mudanças forem contínuas e muito rápidas, por exemplo, e o sistema não conseguir se adaptar a elas porque as oscilações crescem numa proporção maior que sua resiliência, o sistema perde sua coerência e complexidade e começa a se desmantelar. Esse é um ponto muito importante, porque é o que está acontecendo neste exato momento. Quando a Amazônia é desmatada nos graus em que está sendo agora, ela não consegue mais se manter como floresta e, assim, vai se adaptando para virar uma savana, um grande cerrado. Eis o risco do que estamos fazendo: não há como ter absoluta certeza do que vai acontecer, pois a rapidez da destruição é maior do que a capacidade de autorregulação para manter o sistema como estava. Não custa lembrar que é a floresta que, com seus rios voadores, mantém os regimes hídricos de quase todo o país. Ou seja, um simples decreto ou financiamento que incentiva a expansão da fronteira agrícola gera um impacto muito maior do que podemos prever, e de forma muito mais nociva.

Por fim, segundo a Teoria dos Sistemas, todo sistema é um *hólon*, ou seja, é ao mesmo tempo um todo que contém subsistemas e parte de um sistema maior. Em cada nível desse hólon, ou subsistema, de um átomo para a molécula, da célula para um órgão, de uma pessoa para uma família, em cada nível geram-se novas propriedades emergentes que não podem ser reduzidas às propriedades separadas. Por isso os cientistas do clima não conseguiam explicar as mudanças climáticas apenas analisando a emissão de gases do efeito estufa, porque ao passar para um grau seguinte vemos, por exemplo, que grande parte desses gases hoje é absorvida pelos oceanos. Por isso eles estão mais ácidos, e, assim, as condições de vida estão em risco.

Na minha visão, um dos grandes aprendizados com a negligência da academia em relação à Teoria de Gaia e sua demora para admiti-la como pertinente é que não podemos esperar ter todos os dados para tomar uma decisão. Ao mesmo tempo que não podemos mais tomar decisões sem levar em consideração a visão de impacto sistêmico. Assim, neste momento precisamos ser cautelosos quanto às propostas de soluções para a emergência climática, optando pelo que já sabemos não ter impactos negativos. Esperar para agir neste momento só interessa a quem ganha nesse sistema neoliberal, a mais ninguém. Eu, você, sua mãe, sua filha, seu vizinho, o chimpanzé, a rede de fungos, todos perdemos com essa demora e esse negacionismo. Soma-se a isso o fato de que, mesmo com computadores superpotentes, não dá para prever exatamente o que vai acontecer. As propriedades de um sistema, ou seja, sua forma de funcionar, emergem de modo imprevisível quando suas partes são recombinadas, ou quando a velocidade da destruição é maior que a capacidade de regeneração.

Se de tudo deste livro ficar apenas isso para você, saiba que a coisa mais importante que precisamos fazer hoje é regenerar o planeta e não permitir mais nem uma mudança sequer nos ecossistemas. Isso significa reflorestar, reflorestar, reflorestar. Significa desmatamento zero, emissões de carbono zero. É tão grave quanto isto: o corte das emissões tem de começar AGORA. E não podemos nos deixar levar por papinho de economia que precisa se recuperar, porque o que está em risco é a vida. Este é o desafio mais sério de todos os tempos. E, sim, durante a crise da pandemia inúmeros estudos de recuperação econômica demonstraram que a restauração, a regeneração e a economia de baixo carbono são saídas não só absolutamente necessárias sob o ponto de vista da vida, mas com um potencial na casa de trilhões de dólares de gerar riqueza e empregos.[10]

Interser: sou porque somos

Thich Nhat Hanh é vietnamita, monge budista, escritor e um dos mais importantes ativistas pela paz do mundo. Em 1966, ano em que fundou a Ordem do Interser (*Interbeing*, palavra cunhada por ele), encontrou-se com Martin Luther King e Robert McNamara, na época

---

10 Ver, por exemplo, o estudo do Banco Mundial "Future Foodscapes: Re-imagining Agriculture in Latin America and the Caribbean" (2020), disponível em: <https://bit.ly/FutureFoodscapes>. Ou o relatório "State of Finance for Nature" (2021), produzido pelo Programa das Nações Unidas para o Meio Ambiente (Pnuma) com o Fórum Econômico Mundial (WEF, na sigla em inglês) e a Iniciativa Economia da Degradação da Terra (ELD, na sigla em inglês). Disponível em: <https://bit.ly/M1LSFN>.

secretário de Defesa dos Estados Unidos, e apresentou uma proposta de paz, com cinco pontos, para acabar com a Guerra do Vietnã. No ano seguinte, Luther King indicou Nhat Hanh para o Prêmio Nobel da Paz. Considerado o criador do budismo engajado – que significa colocar os monges a serviço das necessidades da população –, sua visão de paz no mundo está ancorada em diversos pilares da filosofia budista e no conceito de que a existência só é possível através do ser inter-relacionado com tudo o que há, ou o que ele definiu como *interbeing* – numa tradução literal, Interser. É dele esse conceito do Interser, que ainda não existe no dicionário, mas que traduz de uma forma poética e bela o que a Teoria de Gaia explica de forma científica. Segundo ele mostra no livro *O coração da compreensão*:

> Se você for poeta, verá nitidamente uma nuvem passeando nesta folha de papel. Sem a nuvem, não há chuva. Sem a chuva, as árvores não crescem. Sem as árvores, não se pode produzir este papel. A nuvem é essencial para a existência do papel. Se a nuvem não está aqui, a folha de papel também não está. Portanto, podemos dizer que a nuvem e o papel intersão.
>
> Apesar da palavra Interser não se encontrar ainda no dicionário, se combinarmos o radical inter com o verbo ser, teremos um novo verbo: Interser. Se examinarmos esta folha com maior profundidade, poderemos ver nela o sol. Sem o sol, não há floresta. Na verdade, sem o sol não há vida. Sabemos, assim, que o sol também está nesta folha de papel. O papel e o sol intersão.
>
> Se prosseguirmos em nosso exame, veremos o lenhador que cortou a árvore e a levou à fábrica para ser transformada em papel. E vemos o trigo. Sabemos que o lenhador não pode existir sem seu pão de cada dia. Portanto o trigo que se transforma em pão também está nesta folha de papel. O pai e a mãe do lenhador também estão aqui.
>
> Quando olhamos desta forma, vemos que, sem todas estas coisas, esta folha de papel não teria condições de existir. Ao olharmos ainda mais fundo, vemos também a nós mesmos nesta folha de papel. Isso não é difícil porque, quando observamos algum objeto, ele faz parte de nossa percepção. Sua mente está aqui, assim como a

minha. É possível, portanto, afirmar que tudo está aqui nesta folha de papel. Não conseguimos indicar uma coisa que não esteja nela – o tempo, o espaço, o sol, a nuvem, o rio, o calor. Tudo coexiste nesta folha de papel.

É por isso que para mim a palavra Interser deveria ser dicionarizada. Ser é Interser. Não podemos simplesmente ser sozinhos e isolados. Temos de Interser com tudo o mais. Esta folha de papel é, porque tudo o mais é. Imagine que tentemos devolver um dos elementos à sua origem. Imagine tentarmos devolver a luz do sol ao sol. Você acha que a folha de papel ainda seria possível? Não, sem o sol, nada pode existir. Se devolvermos o lenhador à sua mãe, tampouco teremos a folha de papel. O fato é que esta folha de papel é composta apenas de elementos não papel. Se devolvermos estes elementos a suas origens, não haverá papel algum. Sem estes elementos não papel, como a mente, o lenhador, o sol e assim por diante, não haverá papel. Por mais fina que esta folha seja, tudo o que há no universo está nela.

É justamente essa visão de Interser a base da Teoria de Gaia e de uma proposta de cura para o planeta apresentada por Lovelock em seu livro *Gaia, a cura de um planeta doente*. Nele, Lovelock afirma que "a evolução dos organismos se encontra tão intimamente articulada com a evolução do seu ambiente físico e químico que, juntas, constituem um único processo evolutivo, que é autorregulador. Desse modo, o clima, a composição das rochas, o ar e os oceanos não são exclusivamente resultantes da geologia; são também as consequências da presença da vida".

Lovelock está dizendo o mesmo que Nhat Nahn, o que por sua vez é a base da cosmovisão (ou visão de mundo) de diversos povos originários, algo comprovado pela física quântica quando afirma, através de experimentos, que o objeto se modifica por meio da presença do observador. Tudo isso exemplifica a mudança de consciência e a evolução sistêmica que acontecem o tempo todo ao nosso redor. Lovelock propôs em seu livro que a cura do nosso planeta passa por usarmos essa nova lente da interdependência ou do Interser, que são o oposto da cultura da dominação e da separação que até então era quase como uma verdade absoluta para a humanidade. Graças à evolução sistêmica e aos ciclos de feedback e retroalimentação, emergiu essa nova visão de mundo, essa nova consciência que torna a antiga obsoleta.

A visão da vida como um sistema complexo e interdependente não mais permite fazermos *business as usual*, ou fazer negócios como fazíamos antigamente, simplesmente porque a evolução do sistema da vida nos coloca no momento em que as nossas escolhas se fazem cada vez mais importantes, na década que vai determinar a continuidade ou não da vida em Gaia. Já entendemos que, com a lente antiga da Sociedade do Crescimento Industrial, o que teremos como produto final será nossa extinção, com um caminho recheado por mais algumas quebras nas bolsas e falência de milhões de pequenos empresários, como acabou de acontecer após o mundo passar por uma pandemia. Com a lente antiga também teremos migração em massa por conta de secas e alagamentos, falta de água e de comida e a morte de grande parte da humanidade. Não se enganem, se a gente não mudar radicalmente tanto o sistema quanto a forma como vivemos nessa comunidade chamada Gaia, pandemias e quebras serão cada vez mais presentes em nosso cotidiano. É isso que queremos coletivamente? Tenho certeza de que não.

A evolução da consciência

Até a Teoria de Gaia, a ciência em sua maior parte operava sob a mesma lógica da cultura da dominação e da separação. Assim, a lente usada pelos cientistas para criar os modelos de teste de hipóteses e analisar a vida era também a da separação e da visão mecanicista, na qual a realidade é vista separando substâncias de processos. À medida que uma nova consciência, ou nova forma de ver a vida, começa a se desenvolver e se espalhar pela grande teia de informações que nos conecta a todos, se tornam possíveis descobertas com essa nova lente, ou esse novo grau de consciência. Isso porque de fato estamos todos interligados em diversos níveis, e um deles é essa troca de informação, o inconsciente coletivo.

Curioso observar que a Teoria de Gaia surgiu após o movimento hippie ganhar força e espalhar pelo mundo uma visão diferente da que estava em curso até então; que John Lennon lançou sua música *Imagine* exatamente em 1971; e que a primeira conferência internacional para tratar do meio ambiente no mundo – a Conferência de Estocolmo – ocorreu justamente em 1972. Foi como se de uma hora para outra uma preocupação e uma visão de união passassem a florescer em diversas partes do planeta simultaneamente. Esse é o poder dessa teia invisível que troca informações o tempo todo. Podemos dizer ainda que esse é o poder de novas frequências de energia que chegam ao planeta e que tornam possíveis outra vibração e um acesso e desenvolvimento de novos paradigmas, baseados em novas lentes, possíveis apenas porque esse sistema de feedbacks traz a evolução necessária para que isso seja possível. Por isso este livro é sobre novas narrativas e sobre novas lentes, porque, apesar de parecer o contrário, não só é possível mudar radicalmente o sistema que rege nossa sociedade como isso já foi feito algumas vezes na história.

Vida gera vida

A vida gera condições de a vida prosperar. E na natureza vemos isso acontecer o tempo todo, basta ter olhos para ver. Foi com esses olhos que Yacouba parou o deserto, mas também que um suíço radicado no Brasil chamado Ernst Götsch aprendeu a plantar água, e assim está revolucionando a forma como cultivamos alimentos.

Um dia Götsch se perguntou: "Será que não conseguiríamos melhor resultado se procurássemos modos de cultivo que proporcionassem condições favoráveis ao bom desenvolvimento das plantas, em vez de criar genótipos que suportem os maus-tratos a que as submetemos?". Nessa época ele trabalhava no laboratório de pesquisa em melhoramento genético da instituição estatal FAP Zürich-Reckenholz (hoje Agroscope), na Suíça, e, depois de questionar profundamente o papel do seu trabalho, decidiu largar tudo e testar outras formas de cultivar o solo, baseadas numa linha de pesquisa chamada Agricultura Ecológica. Eram os anos 1970 – olha os anos 1970 aí novamente –, e seu teste inicial foi em terras frias: Suíça e Alemanha. O projeto se ba-

84 FE CORTEZ

seava numa nova maneira de combinar o plantio de raízes, verduras e grãos, aos quais ele combinou posteriormente árvores frutíferas. A inserção das árvores foi o que faltava para o entendimento que levou ao que hoje é conhecido como agrofloresta, ou agricultura sintrópica. Ernst observou que, na natureza, as plantas de uma floresta estão em diferentes níveis de altura e que cada tipo de planta cresce e se desenvolve melhor com uma quantidade adequada de nutrientes, luz e sombra. Assim, para ele fazia mais sentido plantar da forma mais próxima possível à natural do que criar sistemas de monocultura que não existem na natureza. E eles não existem, entre outras coisas, porque um sistema monocultural não tem resiliência alguma, tampouco tem a capacidade de prover para si próprio o alimento necessário para essa única espécie crescer. Um sistema que não tenha essas duas variáveis não pode de forma natural sobreviver, que dirá ser base da alimentação de qualquer parte da teia da vida.

Quando Ernst Götsch plantou sua agrofloresta num local considerado pelos especialistas como terra arrasada e solo morto – ironicamente chamado Fugidos da Terra Seca – e anos depois viu quatorze nascentes rebrotarem, ele reafirmou a hipótese de que a vida molda o ambiente. Se não fosse assim, como nasceria uma verdadeira floresta de Mata Atlântica num lugar com um solo tão pisoteado e compactado pelo gado?

Justamente aí está a grande diferença da agricultura sintrópica, agroflorestal ou regenerativa, para todas as outras: ela trabalha de mãos dadas com o que a natureza já faz, só dá um empurrãozinho, e prova que a vida tem sim a capacidade de gerar mais vida, como também fizeram Yacouba e sua agrossilvicultura. Sintropia é o conceito básico da vida no planeta, e ela é calcada na colaboração. Ao contrário da teoria darwinista e da maneira como a nossa sociedade se organiza, baseadas no egoísmo, só com cooperação é que a vida gera vida. Ou, como afirma Antonio Nobre, o amor incondicional é a base da vida em Gaia. Porque sem o cuidado, sem a cooperação, a vida não acontece. A sintropia não acontece. E assim Ernst Götsch transformou uma fazenda de 480 hectares, que se chamava Fugidos da Terra Seca, na fazenda Olhos D'Água, nome dado depois que as quatorze nascentes foram plantadas ou brotaram em função do reflorestamento sintrópico da região. Essa fazenda foi o que fez o suíço se mudar de mala e cuia para as nossas terras.

Fugidos da Terra Seca é mais um exemplo dos milhares de fazendas exploradas até o osso, com essa visão de dominação e exploração que pautou até agora a lente com a qual percebíamos a nossa realidade. O antigo proprietário das terras era madeireiro e cortou todas as árvores para vender, até não restar mais nenhuma. Depois disso introduziu o gado (será que isso lembra de alguma forma o que está sendo feito com a Amazônia agora?) e no final a terra estava tão sofrida que nem pasto florescia ali. Um amigo e conterrâneo de Ernst o convidou para ser sócio na empreitada de dar vida novamente àquela terra. O resultado, dez anos depois, foi uma floresta tão densa que o Ibama foi até lá entender como uma terra cujos registros de satélite mostravam quase um deserto tinha sido transformada numa cobertura vegetal densa a ponto de não se ver de cima a quantidade de espécies de alimentos plantadas em total harmonia com as árvores. Hoje ele exporta um cacau com uma qualidade tão alta que é um dos melhores e mais caros do mundo, cerca de quatro vezes mais valioso que o cacau convencional (destaquei o "quatro vezes mais valioso" para você leitor que está pensando aí: se fosse tão bom assim, a monocultura já tinha evoluído para isso, né?). Nem precisa dizer que é também orgânico, porque esse tipo de agricultura usa a matéria vegetal abundante para suprir e enriquecer o solo com todo tipo de nutrientes, bactérias e fungos necessários para o crescimento natural da vida.

A fazenda Olhos D'Água é hoje um fragmento de Mata Atlântica abundante em biodiversidade, além de ter um microclima mais frio que seu entorno e um regime de águas completamente diferente do das fazendas vizinhas. Todos os córregos que renasceram por lá têm água correndo o ano inteiro, e se fez vida de uma forma tão linda que nos dá uma referência clara de que podemos ter aqui um papel de aliados, e não mais de inimigos da natureza.

A agrofloresta, ou agricultura sintrópica, é um tipo de tecnologia nova que está revolucionando o modo de praticar agricultura no mundo. Na verdade, é aquele novo que resgata os saberes ancestrais e que nasce da observação da própria floresta. Está em curso em milhares de lugares do mundo. Não foi só o Ernst que fez o download da teia de informações que nos une, dessa forma de cultivo. Milhares de outras pessoas atentas e conectadas com Gaia receberam essas informações também e estão plantando água e regenerando o solo mundo afora, vide Yacouba, que nem ler e escrever sabe. Basta mesmo ter olhos para ver e ouvidos para ouvir.

Sistemas se autorregeneram a partir da adaptação e da cooperação entre suas partes, para benefício mútuo. Ordem e diferenciação andam de mãos dadas, e seus componentes se diversificam enquanto coordenam papéis e inventam assim novas respostas. Isso é justamente o que está acontecendo agora no planeta, em diversos níveis. Entre nós, quando nos juntamos para cocriar novas formas de regenerar nosso entorno; na natureza, quando as árvores mandam informações pelas suas teias de fungos e assim criam resiliência para uma seca, por exemplo; e na galáxia, que em seus ciclos evolutivos mudam a frequência das ondas de energia que se dispersam e chegam a Gaia, trazendo com essas frequências novos padrões vibracionais; enfim, em todos esses níveis, vamos coletivamente aprendendo e tendo a oportunidade de criar uma nova maneira de viver em sociedade, em que o sonho seja talvez a célula matriz, que se conecta com outros padrões de vibração alinhados, gerando uma outra teia, essa de uma outra consciência, vibrando numa nova frequência, que dessa vez apresenta uma nova forma de ver.

Saímos da era de Peixes, do indivíduo, para entrar na era de Aquário, do coletivo. E assim estamos começando a trocar a separação pela inter-relação, a dominação pela cooperação e o objetivo individual pelo transpessoal, ou coletivo. Afinal, estamos evoluindo, sabendo que Darwin explica uma só parte do todo e compreendendo que egoísmo só destrói o sistema. Ou, nas palavras de Antonio Nobre, "o funcionamento de indivíduos para si só é uma anomalia. Uma anomalia na natureza, uma anomalia cancerígena. E isso precisa encerrar. Acabou o tempo dela. Já produziu muito dada a ameaça à existência total. À existência!... Gaia é uma necessidade fundamental, essencial. E sem possibilidade de alternativa".

Precisamos finalmente migrar da Sociedade do Crescimento Industrial, egoísta, para a Sociedade da Regeneração, colaborativa, ou aquela que sustenta a vida.

BOM, LIMPO E JUSTO

O ano de 1986 marcou a abertura do primeiro restaurante do McDonald's na Itália. Justo lá, país conhecido internacionalmente por sua tradição gastronômica, cujos pratos adentraram tantas culturas e são encontrados mundialmente. Mas nem a Itália foi poupada da praga do fast-food. Aquela loja aberta na Piazza di Spagna, um símbolo de Roma, deu o que falar. Não faltaram protestos de diversos grupos contrários àquilo que celebridades definiram como a "americanização da Itália", que políticos afirmaram que representava a ruína do centro histórico romano. Oficiais do governo tentaram impedir o funcionamento da loja alegando falta de alvarás específicos, e em meio a todo o rolê das pessoas que se aglomeravam na praça um homem usou a tática mais não violenta de todas: distribuiu pratos de penne, um dos símbolos da gastronomia local, aos que protestavam. Nascia ali o movimento *Slow Food*, que três anos depois se tornava internacional, com a adesão de mais quinze países, que assinaram e publicaram em Paris o Manifesto *Slow Food*.

O movimento *Slow Food*, ou comida lenta, numa tradução livre, foi fundado por Carlo Petrini, o jovem que distribuiu pratos de macarrão na inauguração do McDonald's e que junto com um grupo de amigos também ativistas resolveu criar um movimento que fosse contrário justamente ao que o fast-food representa. Seu objetivo inicial era defender as tradições regionais, a boa comida, o prazer gastronômico e um ritmo lento de vida.

De lá para cá esse movimento só cresceu e ampliou seu escopo de objetivos. "Comer é essencial para viver. A forma como nos alimentamos tem profunda influência no que nos rodeia – na paisagem, na biodiversidade da terra e nas suas tradições." É com essa reflexão que o movimento, sem fins lucrativos, se apresenta no site do Brasil. Sim, ele já está presente em 170 países e conta com mais de 100 mil membros oficiais, divididos no que eles chamam de *convivium*, palavra latina que significa 'um festim, entretenimento, um banquete', usada no movimento para denominar os grupos que se organizam voluntariamente em cada país. E segue. O princípio básico do movimento é o direito ao prazer da alimentação, utilizando produtos artesanais de qualidade especial, gerados de forma que respeite tanto o meio ambiente quanto as pessoas responsáveis pela produção, os produtores. *Slow Food* é basea-

89 HOMO INTEGRALIS

do no tripé BOM (alimento saboroso e saudável), LIMPO (sem agrotóxicos e cultivado da maneira mais tradicional possível) e JUSTO (com os produtores, sempre pequenos, na dimensão econômica e social).

Slow food é ativismo num momento de mundo definido como a Grande Aceleração. Mas é muito mais do que isso: é uma resistência pela biodiversidade, pelo localismo e pela valorização cultural das comidas e de suas tradições. Pela reconexão com o tempo da vida, com o que nos faz mais vivos. *Slow food* é ativismo contra o rolo compressor do consumismo imposto pelas referências principalmente estadunidenses e seus hábitos que não geram mais vida, e sim mais morte. Afinal uma comida *fast* e *junk* (rápida e sem nutrientes) não fortalece nem traz saúde ao nosso corpo. *Slow food* é sobre uma outra perspectiva de como vivemos nossas vidas e o que valorizamos, e se tornou uma filosofia tão poderosa que seu fundador, o Carlo, foi eleito em 2008 pelo jornal inglês *The Guardian* uma das cinquenta pessoas que poderiam salvar o planeta e premiado em 2013 pela Organização das Nações Unidas com o título de Campeão da Terra.

Mas eu amo mesmo quando eles colocam o prazer na sua filosofia. "Acreditamos que todos têm o direito fundamental ao prazer de comer bem e consequentemente têm a responsabilidade de defender a herança culinária, as tradições e culturas que tornam possível esse prazer." *Slow Food* é um movimento político que conecta prazer a mudanças fundamentais na sociedade, e Carlo é um visionário, também por conta dessa forma de conectar prazer e política. Visionário ainda por criar a única universidade no mundo dedicada apenas às Ciências Gastronômicas, que ele define como o estudo da nossa comida e das formas naturais, ou aquelas conduzidas pelo homem, de produzir alimento.

A visão de Carlo Petrini é que quando conseguimos atingir os três pilares do *Slow Food* não somos mais meros consumidores, e sim coprodutores, que dividem de modo justo os custos de produzir um bom alimento, ao mesmo tempo que criamos comunidades justas. Num de seus inúmeros livros, *Slow Food Nation*, ele apresenta uma metáfora do mundo como a Arca de Noé, sendo o planeta essa arca compartilhada por todos os seus habitantes, não só os humanos, mas estes sim tendo o dever de cuidar dessas espécies. Esse conceito foi traduzido por uma reportagem do jornal espanhol *El País*, em comemoração aos 25 anos do movimento, como oposto à maneira como a maior parte das pessoas ainda se vê no planeta. É como se houvesse hoje duas formas de vida coexistindo:

> Dois modelos de sociedade, duas formas de vida, duas maneiras de olhar o futuro a partir da alimentação: Um mundo global uniformizado e de fácil identificação coletiva diante de um mundo que põe ênfase na biodiversidade e na riqueza das múltiplas identidades que povoam o planeta.

Biodiversidade é um dos pilares do trabalho de Carlo Petrini, que está criando, através da Fundação Slow Food para a Biodiversidade, essa arca metafórica na sua forma física, catalogando alguns milhares de espécies e de produtos para preservá-los e ainda dignificar o trabalho de quem os produziu e promover o prazer dos que os consomem. Seu trabalho incansável de mudar o mundo a partir da nossa relação com a comida influencia milhares de pessoas mundo afora, entre elas o príncipe Charles e até o papa Francisco, este também um defensor de uma nova forma de vida no planeta. Nessa entrevista para o *El País*, Carlo Petrini conta que, depois de enviar um de seus livros para o pontífice, o *Terra Madre*, ele, que é agnóstico, recebeu uma ligação de Sua Santidade. Na ocasião o papa queria agradecer o presente e falar de temas como "imigração, agricultura, da importância de dignificar o trabalho dos agricultores e das pequenas explorações; e de preservar a diversidade e a qualidade dos produtos autóctones da Terra". Tempos depois, em 2020, lançaram um livro juntos, sobre conversas acerca do que Francisco chama de "ecologia integral".

Para ele, todos podem praticar o *slow food* a partir de uma educação dos sentidos, afinal essa filosofia não é sobre alta gastronomia, ou sobre produtos caros, mas sobre novas relações com a terra, com os produtores e principalmente com os ritmos da natureza. Não à toa seu nome começa com a palavra *devagar*. Não há como saborear um alimento se não tivermos tempo para isso, bem como não há como produzir uma comida de verdade, integral e de qualidade, sem veneno, se não respeitarmos os tempos e os ciclos de Gaia.

> "É inútil forçar os ritmos da vida. A arte de viver consiste em aprender a dar o devido tempo às coisas."
>
> – Carlo Petrini, jornalista, ativista, fundador do movimento *Slow Food*.

91 HOMO INTEGRALIS

NOVOS TEMPOS, VELHOS CICLOS

"É inútil forçar os ritmos da vida. A arte de viver consiste em aprender a dar o devido tempo às coisas." Repito aqui propositalmente essa frase de Carlo Petrini porque este é um capítulo sobre o tempo. Não tem como criar uma nova história para a humanidade se não pararmos para pensar sobre como percebemos e vivemos o tempo, neste período que não à toa ficou conhecido como A Grande Aceleração, um dos nomes usados para definir o período do Antropoceno. Para isso proponho, assim como Carlo, que voltemos a olhar e a aprender com Gaia e com seus bilhões de anos de evolução, que têm muito a nos ensinar.

O que define nossa existência em Gaia é a dimensão do tempo. Afinal, a única certeza que existe desde o momento em que nascemos é que em algum momento vamos morrer, e cada tique-taque do relógio encurta essa distância entre nascimento e morte. Talvez por isso a maior parte das pessoas tenha tanto medo de morrer, já que, se olharmos apenas para a existência neste planeta, a morte define o fim. Mas podemos, como diversas tradições espirituais e culturais, olhar para essa morte como um recomeço. Fato é que, independentemente de como você a veja, ela é intrínseca à nossa existência. Não só à nossa, mas à de todos os seres que dividem esta casa conosco, pois todos eles também têm sua dimensão de tempo finita neste planeta. Mesmo que você leitor não acredite em vida após a morte de alguma forma, sinto que precisamos mudar nossa relação com ela, que, junto com o nascimento, é um processo natural. E inevitável. Para seres vivos e para o que a gente constrói artificialmente, bem como para processos, formas de pensar, de agir. Negar o fim dos ciclos causa sérios distúrbios nos sistemas, mais ou menos o que tentamos prorrogando esse formato de modelo econômico que busca crescimento infinito. Observe, no entanto, que na natureza não existe crescimento infinito, existe sim a busca pelo equilíbrio. Uma floresta não cresce infinitamente, ela se renova. Quando esse crescimento sem fim acontece, é porque o sistema está muito desequilibrado, como quando as células no nosso corpo se multiplicam sem controle, causando um câncer. E esse desequilíbrio, se não regulado, leva à morte. Não queremos isso em nós, não é verdade? Então por que criamos sistemas que buscam algo tão antinatural como crescimento infinito? Não perceber que ciclos e fins são parte fundamental da existência já causou danos demais.

Se pensarmos como sistema, é a morte que proporciona o recomeço, num eterno ciclo de vida-morte-vida. Quando as folhas das árvores caem no outono, sua decomposição nutre o solo e permite que os nutrientes sejam novamente fixados ali, para depois serem reabsorvidos por outras plantas e organismos. A morte de um animal transforma seus restos em alimento para outros, que por sua vez alimentam outros, que por sua vez alimentam outros, num eterno ciclo de passagem desses nutrientes pelo que denominamos cadeia alimentar.

Toda a vida em Gaia é cíclica, e esse é um dos princípios básicos dessa relação entre existência e finitude num organismo vivo.

Entre os ciclos mais perceptíveis, existem as estações do ano, as fases da lua, o dia e a noite. E ciclos existem pois são parte inerente da vida, ciclos são a forma como o fenômeno da vida emerge e acontece em Gaia. Se observarmos as estações, por exemplo, vemos características muito distintas do que ocorre em cada uma delas. O verão é o auge da vida, é para fora; ele é quente, assim a energia se move mais, e as moléculas se aceleram, as plantas estão no auge, sua seiva está na pontinha de cada folha. Na nossa vida normalmente é quando temos mais vontade de ir para a rua. O Carnaval é no verão. As férias escolares são no verão. Na Europa, nesse momento, muitas empresas fecham coletivamente – sim, ainda bem que ainda existem muitas empresas que fecham coletivamente por mais de um mês, para os funcionários aproveitarem o máximo do sol, da explosão da vida. É tempo de se movimentar, de pôr para fora o que estava sendo retido dentro. Porque respeitar essa necessidade é respeitar a vida.

Depois vem o outono, uma época em que as folhas caem e as plantas começam a perder partes, a morrer, para dar vez ao novo. Perder folhas no outono é uma estratégia genial para sobreviver ao inverno, já que elas fazem uma cobertura no solo que vai protegê-lo da neve e do frio intenso, e ainda porque as folhas gastam muita energia da planta na fotossíntese e no outono a incidência de luz solar e de calor é menor. Então, se as árvores tiverem muitas folhas, elas vão drenar muito da energia que precisam começar a armazenar para o inverno. É necessário se livrar dos excessos para entrar no inverno, a próxima fase desse ciclo. No inverno em países frios parece que a natureza morreu. As árvores estão nuas, aparentemente sem vida. Na verdade, elas estão hibernando, estão ali usando o mínimo de energia para gestarem sua nova fase, seus novos frutos. Fazem isso para sobreviver a um período sem abundância de luz ou de nutrientes, no qual, dependendo do frio, a movimentação das moléculas é tão baixa que muitas coisas congelam. O inverno é tipo a lua nova, quando a energia está voltada para dentro, quando o olhar é para dentro, quando paramos para pensar naquilo que queremos gestar no nosso próximo ciclo. É um tempo de diminuir a intensidade, até não fazer nada, é um tempo em que ursos hibernam, pois há menos alimento para eles. Inverno vem do latim *hibernum*. É um tempo de pausa para um reinício.

Quando parece que tudo morreu, vem a primavera, e junto com ela seu milagre de renascimento. Flores desabrocham, sementes brotam e frutas começam a aparecer. Aquela energia toda guardada no inverno é direcionada para um novo ciclo da vida, que vai chegar ao auge no verão novamente. A palavra primavera vem de primeiro verão, quando o que foi gestado vem para fora aos poucos e vai sendo cultivado. E tudo isso levou um ano para acontecer.

Tudo tem seu tempo. E todas as fases são fundamentais para o florescimento da vida e para a interdependência dos ecossistemas que colaboram para a autorregulação de Gaia. Mas aparentemente o consumptor e sua Grande Aceleração não entenderam isso: basta olhar nosso modelo econômico, que é o da economia linear. Linear e circular são conceitos bastante distintos, bem como sua resultante. A sociedade do descarte é consequência da linearidade, que é consequência da visão de mundo que a sociedade e os tomadores de decisão carregaram até aqui.

95 HOMO INTEGRALIS

É hora de deixar morrer para nascer o novo

Em algum momento da nossa caminhada como humanidade vivemos muita escassez, e por isso desenvolvemos esse comportamento de acumular. Alimento principalmente. Mas hoje essa não é a realidade. Não falta mais alimento no mundo, inclusive um terço dele nem sequer chega às mesas. Aliás, com o que produzimos todo ano, daria para alimentar a população inteira do planeta. Portanto não sofremos mais de falta, sofremos de mecanismos econômicos de perda e ganho de capital e concentração de renda que fazem com que esses alimentos não cheguem às 9 milhões de pessoas que morrem de fome todos os anos no planeta. Então essa mentalidade de acúmulo não é mais adequada ao momento que vivemos, pois esse acúmulo, que passou de medo de passar fome para um ter desenfreado e até obsolescência programada, precisa acabar. É hora de mudar esse comportamento humano, pois ele não serve mais a este momento da nossa existência.

Somos mais de 7 bilhões de pessoas no planeta, e se queremos permanecer aqui temos que entender como usar o que chamamos de recursos para atender a todos. Num sistema equilibrado não pode haver tanta desigualdade. Num sistema vivo não pode haver esse egoísmo. É preciso encarar de frente a morte dessa forma de viver e deixá-la ir, pois ela fere a base da teia da vida. Não entender os ritmos e tempos de Gaia para regenerar seus sistemas coloca o planeta no cheque especial ano após ano, e essa poupança deficitária é justamente o que pode causar a não sobrevivência da única espécie que habita Gaia sem entender que é parte dela, que é formada pela mesma matéria-prima dela, e que é, em si, natureza. Nós. Os consumptor.

Mas...

NÓS SOMOS NATUREZA

NÓS SOMOS NATUREZA

NÓS SOMOS NATUREZA

Um estudo publicado pela revista científica *Current Biology*, em 2013, afirma que a Lua influencia o sono do ser humano, mesmo que ele não saiba em que fase ela está. Os cientistas afirmaram que mesmo com os confortos da vida moderna o ser humano ainda "responde ao ritmo geofísico do satélite natural". Segundo reportagem do site Terra sobre o estudo, "Os dados indicam que, durante a lua cheia, a atividade cerebral relacionada ao sono diminuía cerca de 30%. Além disso, os voluntários levavam em média cinco minutos a mais para cair no sono e dormiam vinte minutos a menos".[11] Essa descoberta da ciência moderna corrobora aquilo que os povos originários e as civilizações antigas já sabiam: a Lua rege muito mais que apenas as marés, mesmo que o homem moderno esteja apenas começando a entender como.

Os ciclos lunares são fundamentais para a vida na Terra, são como as estações, mas em períodos de tempo menores. Desde a Revolução Industrial, o tempo de produção que conhecemos está desconectado dos ritmos naturais, mas quem cultiva a terra, pesca ou vive em conexão direta com o que chamamos de natureza sabe quanto a Lua está conectada com a vida. A Lua orienta a pesca, pois é a sua atração gravitacional que faz com que as marés subam ou desçam a cada 12,5 horas. Quando pegamos uma tábua de maré, usada por pescadores e navegadores, isso fica bem claro. E, se o planeta é 70% coberto por água, e a maior parte dessas águas são oceanos, podemos dizer que a Lua influencia diretamente os ritmos de Gaia. E nós, seres humanos, somos 60%, 70% água na composição do nosso corpo. Talvez seja essa composição, talvez seja em função do campo eletromagnético, não sabemos... O que sabemos é que, sim, a Lua também nos influencia. E arrisco dizer que em bem mais áreas do que apenas o sono.

Mesmo que você ainda não esteja percebendo isso claramente, nosso corpo também trabalha em ciclos, afinal nós somos natureza. E, em sendo natureza, precisamos olhar e respeitar essa ciclicidade, porque é ela que dá conta de regular os sistemas, e é dessa regulação que depende nossa vida.

---

11 "Estudo indica que a fase da Lua influencia no sono". 25 jul. 2013. Disponível em: <https://bit.ly/M1LLua>.

Gaia e a capacidade de autorregulação

Gaia, esse organismo vivo do qual somos parte, é um sistema muito abundante, e nele vida gera mais vida. Essa vida toda acontece quando esse sistema está equilibrado. Como falei no capítulo anterior, Gaia está o tempo todo buscando se autorregular, e por isso cada coisa tem seu tempo na natureza.

Todo organismo vivo tem um ritmo natural. Uma mulher quando fica grávida precisa esperar os nove meses para o bebê nascer de forma saudável. Mesmo que ela tenha uma viagem importante antes ou a vontade de que seu filho nasça em três meses, isso não vai acontecer, e, se por acaso o bebê vier ao mundo vivo antes dos tais nove meses, é provável que ele precise ficar numa incubadora para ter condições de terminar sua formação básica fora da barriga da mãe. Ele pode até nascer, mas com sérios riscos à sua saúde. E isso depois de um certo tempo mínimo, que não será nunca de três meses de gestação.

Isso vale para bebês e para toda forma de vida natural no planeta.

Só que, para atender a interesses econômicos e do sistema, passamos muito tempo estudando formas de acelerar processos. Pensemos nas tecnologias que criamos e que fazem em frações de segundo o que antes demoraria dias, até semanas, para ser feito, como, por exemplo, processamento de dados. Veja que oportunidade maravilhosa a gente conseguir acelerar alguns processos não naturais para termos mais tempo. Afinal, se o que define nossa existência aqui é o tique-taque do relógio, ter mais tempo para gozar a vida deveria ser um grande objetivo comum, certo? Para mim faz sentido. Para o Carlo Petrini e os mais de 100 mil afiliados ao movimento *Slow Food* também. Mas até eu, que tenho total consciência disso, quando vejo meu dia a dia, percebo como estou condicionada a essa Grande Aceleração. Percebo que até nas atividades mais básicas do meu dia, como ao colocar uma máquina para lavar, aquele tempo que eu usaria para lavar uma roupa ou uma louça é ocupado com outra coisa. Alguma coisa que me traga uma sensação de produtividade, tipo aquela olhadinha rápida no Instagram, mesmo que, no caso das redes sociais, o efeito seja contrário. Parece que nos últimos anos fomos dragados por essa necessidade de produzir o tempo todo, ou de não ficar de fora do que está acontecendo

99 HOMO INTEGRALIS

– existe até um termo para isso, FOMO (*fear of missing out*, ou medo de perder alguma coisa). Esses excessos são antinaturais e ferem nossa própria capacidade de autorregulação, e entre as consequências deles está o surto de ansiedade que cada dia acomete mais pessoas. Segundo a Organização Mundial da Saúde, o Brasil é país com os maiores níveis de ansiedade do mundo, quase 10% da nossa população sofre com esse transtorno.

Na quarentena causada pela pandemia, essa relação com o tempo ficou bem evidente, mesmo que de formas diferentes para cada pessoa. Se por um lado muita gente não pôde trabalhar ou passou a trabalhar em casa e assim ganhar o tempo antes usado no deslocamento para o local de trabalho, por outro, para muitos, as atividades do lar se intensificaram. Cuidar dos filhos que antes iam para a escola ou ter que cozinhar, faxinar, lavar louça e roupa sem ajuda (ajuda essa que culturalmente no Brasil ainda é um dos pilares da nossa sociedade, por termos um contingente de pessoas com baixa escolarização que encontram no emprego doméstico muitas vezes a única opção de geração de renda, já que o país é o nono com a maior desigualdade de renda do planeta) – tudo isso ocupou muito do nosso tempo. No saldo, alguns sentiram que tinham mais tempo, e outros, menos. Mas ser obrigado a ficar em casa trouxe para muita gente oportunidade de reflexões. Algumas delas justamente sobre ele, o tempo.

Curiosamente, nesse período ouvi de muitas pessoas que estavam se matriculando em não sei quantos cursos, fazendo aulas que, segundo elas, nunca tiveram tempo para fazer. Uma enxurrada de lives, aquelas transmissões ao vivo principalmente em Instagram e YouTube, veio automaticamente como que aliviar a sensação de solidão ou de ansiedade que ficar em casa nos causou. E aí, na primeira oportunidade que muitas pessoas tiveram em suas existências de não trabalhar, não por opção, mas por imposição, e/ou de ter mais tempo reflexivo, ele foi ocupado justamente com mais uma distração. Antes, viagens, resenhas, happy hours; agora, lives e zooms. E para muitos, como para mim, em vez de distração, isso trouxe uma sensação de ansiedade que foi difícil de gerenciar no começo da quarentena. Talvez quando você ler este livro a pandemia já tenha passado, talvez ainda estejamos vivendo essas privações, e talvez você já tenha tido a oportunidade, nesse meio-tempo, de refletir, justamente, sobre o tempo. É antinatural vivermos como estamos fazendo. Justamente por isso, essa era ficou conhecida como a Grande Aceleração.

Um ótimo, ou péssimo, exemplo de como esse sistema busca o tempo todo acelerar processos é a agricultura industrial, que é a base da nossa alimentação mundialmente hoje. O uso indiscriminado de fertilizantes químicos e agrotóxicos nas lavouras e de hormônios na criação de animais para abate é também uma tentativa de acelerar o tempo de crescimento dos alimentos. Só que pagamos coletivamente um alto preço por isso, poluindo águas e solo e inclusive culminando com a diminuição do nosso tempo ou da nossa qualidade de vida aqui. Há inúmeros estudos que associam o uso de agrotóxicos a doenças como o câncer. Se você fizer uma busca básica na internet, vai se deparar com inúmeras publicações do Instituto Nacional do Câncer (INCA), da Fiocruz e de outros órgãos de pesquisa sérios e reconhecidos internacionalmente. Um desses estudos foi conduzido pela pesquisadora Marcia Sarpa de Campos Mello com três colegas mulheres e mostra que o uso de agrotóxicos é, sim, causador de diversos tipos de câncer, como o câncer do sangue, o linfoma não Hodgkin.[12] Os agrotóxicos são também responsáveis, segundo a Associação Brasileira de Saúde Coletiva (Abrasco) e o Ministério da Saúde, por problemas neurológicos, motores e mentais, distúrbios de comportamento, problemas na produção de hormônios sexuais, infertilidade, puberdade precoce, má-formação fetal, aborto, mal de Parkinson, endometriose, atrofia dos testículos e câncer de diversos tipos.

Outros estudos relacionam o uso excessivo de hormônios na criação de animais para abate a doenças do coração, diabetes e outros distúrbios como a alteração dos ciclos hormonais que regulam nosso corpo. Mas no final tudo isso significa uma vida com menos saúde, logo menos qualidade ou até menos tempo de qualidade. Olha que paradoxo: temos medo da morte, tentamos a todo custo prolongar a vida e a juventude – essa que nos faz sentir que temos mais tempo - mas o que estamos fazendo é justamente acelerar processos e tentar ganhar

---

12 "Exposição ambiental e ocupacional a agrotóxicos e o linfoma não Hodgkin (LNH)". Disponível em: <https://bit.ly/M1LLNH>.

101 HOMO INTEGRALIS

tempo, só que sem qualidade. Porém não se engane, não existe almoço grátis, e o preço que pagamos é um número alto de doenças físicas e mentais, que podem causar, e muitas vezes causam, uma aceleração dessa mesma morte que tememos tanto...

Essa grande aceleração de processos, junto com máximas como "tempo é dinheiro", serve para perpetuar a lógica que retroalimenta esse sistema e que, por definição, é antinatural. É um sistema do capital e que gera mais morte do que vida. Portanto, as consequências dela atingem todos os participantes desse sistema: consumptors, sapiens, integralis – aqueles que nunca se renderam a esse modelo de sociedade como povos tradicionais – e todos os outros seres que dividem esta casa conosco, ou que mantêm a teia de vida de pé. Ainda.

E é por isso que precisamos falar sobre esse assunto. Pode até parecer que estou insistindo no velho paradigma. Você pode estar pensando: mas, se este livro é sobre uma nova história, por que estamos chafurdando na lama dessa história antiga? Porque precisamos entender mais profundamente o que aconteceu para termos outras lentes possíveis de enxergar uma nova realidade. Quando os alemães constroem os monumentos do Holocausto ou um grupo de monges budistas visita Auschwitz todos os anos, é justamente para nos lembrarmos do que somos capazes e assim termos a escolha consciente de fazer diferente.

O sono, por exemplo, é um importante instrumento de autorregulação do corpo. É nele que eliminamos toxinas que nos fazem mal, que regulamos nossos hormônios e que damos um reset para produzir a energia que usaremos no dia seguinte. E, na sociedade da produtividade e do desempenho, quantas vezes ouvimos de amigos que viraram a noite trabalhando para entregar um projeto? Quantas vezes nós mesmos não viramos noites para terminar um trabalho da faculdade ou para dar conta de alguma coisa que no tempo normal do dia não deu para fazer? Sinto que nas últimas décadas, com a medida de sucesso atrelada a quanto de capital um sujeito pode acumular, estar sempre ocupado ganhou ares de status.

Curioso imaginar que antigamente quem trabalhava eram os escravos, os camponeses, as classes menos favorecidas das sociedades. Os burgueses e os nobres, não. Quem assistiu à série *Downton Abbey* talvez lembre de um diálogo em que Lady Grantham, a condessa-viúva, pergunta, espantada, na mesa de jantar, "O que é final de semana?" após ouvir de Matthew Crawley que ele poderia cuidar dos assuntos relacionados à herança quando não estivesse trabalhando, nos finais de semana. O choque da senhora demonstra que para quem não trabalhava, os nobres na época, não havia diferença entre uma segunda e um sábado, não é mesmo? Nem para quem trabalhava todos os dias, o que era e ainda é, em alguns lugares do mundo e do Brasil, imposto a trabalhadores. Mas, desde que o capitalismo pisou no acelerador e as corporações cresceram, status hoje significa para muitos ainda o que você tem. E para *ter* você, eu e a maior parte da população mundial precisamos trabalhar. E quem mais ganha? Homens brancos e heterossexuais que ainda hoje ocupam as posições de poder nas organizações. E o que eles menos têm? Tempo. Menos ainda as mulheres, que ainda em pleno 2018 trabalhavam em média o dobro do número de horas que os homens nos cuidados de afazeres da casa e de parentes, segundo estudo publicado pelo IBGE.[13]

Mas essa glamorização do estar ocupado o tempo todo também serve a esse sistema, e ela vem justamente do fato de altos executivos de empresas serem normalmente pessoas cujo tempo está sempre preenchido por reuniões e afazeres, e são eles quem ganham os maiores salários. Ou seja: se eu estou sempre ocupado, sou importante e ganho dinheiro. Como se só isso bastasse para uma vida plena! Mas isso não é saudável e bom para nenhum dos envolvidos. Porque não somos consumptor. E o que não percebemos muitas vezes é que mesmo quem já tem muito continua um servo do capital, esse senhor quase absoluto do panteão do capitalismo. E, quando servimos ao capital acima de tudo e ao ter acima de todos, perdemos os momentos mais importantes da vida, que são aqueles que acontecem espontaneamente, na presença absoluta, no maravilhamento das pequenas surpresas do dia a dia, como um filho dando seus primeiros passos ou um pôr do sol inesquecível. Nos desligamos do sentido real da vida. Nós nem paramos para pensar qual ele é. Recebemos esse milagre e esse presente de estarmos vivos aqui neste planeta e podermos experimentar sentimentos como o amor, a ale-

---

13 Estudo disponível em: <https://bit.ly/M1LIBGE>.

103 HOMO INTEGRALIS

gria e o prazer e trocamos essas oportunidades por *ter*. Para acumular. Mais. E mais. E mais. Porque aqui não estou falando da base da pirâmide de Maslow, aquelas pessoas que trabalham para garantir a sobrevivência, estou falando de quem já cruzou essa linha há muito tempo e que segue numa busca de acumulação sem limites. Buscando aquele mesmo crescimento infinito, mas dessa vez das contas bancárias. Quando abrimos mão das nossas necessidades básicas como humanos, como a autorregulação, o que vem junto é um preço muito alto, muito mais alto que qualquer dinheiro possa comprar, porque ele é a ruptura da teia da vida, essa mesma que faz com que os nossos corações e o planeta pulsem e gerem mais vida. Não à toa, pela primeira vez na história, a expectativa de vida de homens americanos caiu, e a de brancos está mais baixa que a de hispânicos. A causa: doenças emocionais!

E o que fazemos com nós mesmos é aquilo que fazemos com o entorno. Se aceitamos comer comida com veneno, é normal imaginar que podemos envenenar a terra também. E, se aceitamos deixar de lado esse processo fundamental da vida que é a autorregulação, acharemos aceitável tirar de Gaia toda e qualquer capacidade de autorregulação também. Tem só um pequeno detalhe aí: a autorregulação vai acontecer por bem ou por mal. Em nós ou em Gaia. Só que ela pode significar desenvolvermos uma doença grave que obrigue nosso corpo a parar – quantos casos de *burnout* conhecemos? – ou novos surtos de variantes do coronavírus. A autorregulação pode acontecer com o surgimento de fenômenos naturais, cujas causas não entendemos a fundo, mas que promovem a regulação do meio. Como um furacão, por exemplo. E, como sou porque somos, mudar o nosso ritmo pode gerar novos padrões no campo mórfico e contribuir para a autorregulação de todos os envolvidos.

Vivemos num planeta em que a dimensão do tempo define nossa existência, não só porque nascemos sabendo que vamos morrer, mas porque esse senhor de destinos, como bem coloca Caetano Veloso em sua "Oração ao tempo", é também o senhor da vida-morte-vida, ou seja, do ritmo, da ciclicidade e da autorregulação. Mas sinto que nos perdemos no meio do caminho. Queremos tempo para quê?

Tempo para quê?

A forma como entendemos e definimos o tempo vai muito além dos segundos do relógio – é a base de como percebemos a vida. Para os mais idosos, parece que o tempo está cada vez mais acelerado. Para quem já nasceu nas últimas décadas, parece que sempre foi assim. Gosto muito desta fala do Ailton Krenak em seu livro *A vida não é útil*: "Acredito que nossa ideia de tempo, nossa maneira de contá-lo e de enxergá-lo como uma flecha – sempre indo para algum lugar –, está na base do nosso engano, na origem do nosso descolamento da vida". Suas palavras me atravessam de uma forma certeira, é como se ele tivesse traduzido o que sinto quando penso na importância do tempo para nossa reconexão com a vida. E ele fala disso nesse livro, que trata do sentido da vida. A vida não é para ser útil, é para ser uma experiência de fruição. "A vida é tão maravilhosa que a nossa mente tenta dar uma utilidade a ela, mas isso é uma besteira. A vida é fruição, é uma dança, só que é uma dança cósmica, e a gente quer reduzi-la a uma coreografia ridícula e utilitária."

Durante milhares de anos o ser humano viveu em harmonia com a natureza, seguindo seus ciclos e ritmos naturais. Assim, o calendário que regia a humanidade era natural, solar (ditando os ritmos do dia a dia) e lunar (estações, plantio, celebrações). Afinal, se o Sol rege o ritmo do dia a dia dos seres vivos e a Lua rege as águas, a colheita, o ponto em que a seiva está nas árvores e, dizem, até os nascimentos humanos, que jeito melhor de orientar a vida senão seguindo os ciclos naturais do planeta? Mas mudamos essa lógica e hoje seguimos um calendário antinatural. Nós *criamos* a percepção do tempo como a vemos hoje, como essa flecha sempre indo a algum lugar em frente, e cada vez mais rápido.

Quando eu era pequena demorei um tempo para entender nosso calendário: um mês tem trinta dias, outro, 31, e tem ainda aquele que tem 28. Em alguns anos, 29. Para uma criança, que não está imersa nos mitos em que acreditamos coletivamente e aos quais chamamos realidade, e que tem uma visão curiosa e de investigação e reflexão sobre as coisas, faz bem pouco sentido o nosso calendário, é até meio burro, porque parece que quem criou não sabia fazer conta.

Mas foi justamente a conta, na verdade a contabilidade, que fundamentou a criação de um calendário com essa divisão um tanto artificial e aparentemente aleatória dos meses. Mais precisamente, a cobrança de impostos fez com que mais uma vez se nos desligássemos da nossa natureza e da natureza de tudo para nos ligarmos à ordem invisível do capital. Muitos não sabem, mas o calendário gregoriano que conhecemos hoje e que rege muitos países e a economia ocidental foi criado em 1582 por um homem branco, extremamente poderoso e com um objetivo bem claro: ele era uma santa sumidade, o homem mais importante do mundo ocidental na época em que Igreja e Estado eram quase uma coisa só. Foi papa Gregório XIII que criou o calendário que usamos hoje, uma evolução de outro, criado por Júlio César, em 46 a.C. em Roma.

Chamo atenção aqui para a etimologia da palavra calendário. Ela deriva do latim *calendarium*, que significa "livro de contas ou dívidas", que por sua vez deriva de *calendae*, data do primeiro dia do mês, quando se faziam anúncios à população (vem do verbo grego *kalein*, chamar, convocar). Num resumo rápido, o conceito de calendário como vemos hoje é baseado no Sol (um ano equivale ao número de dias que a Terra demora para dar a volta completa ao redor do Sol) e em pagamentos de contas, ou seja, baseado em como seria mais fácil recolher impostos da população.

Mas sempre foi assim? Não. O próprio calendário gregoriano, pasmem, só foi aceito pelo mundo todo no século XX. A Turquia, por exemplo, passou a usar esse meio de contagem de dias e anos em 1926, a Grécia em 1923 e a China só em 1929.

Antes dos calendários gregoriano e juliano, a maioria das civilizações regia seu tempo pelos ciclos lunares e solares, numa combinação dos dois, os solares para determinar os dias e os lunares para representar os ciclos da natureza, com treze períodos de 28 dias, que batem exatamente com as fases da lua, já que durante um ano são treze lunações (luas cheias) e um dia extra, chamado no sincronário maia – um sistema que se utiliza de diversos tipos de ferramentas para analisar o tempo, desenvolvido pela civilização maia –, por exemplo, de dia fora do tempo, dando um total de 365 dias. Dia este para as pessoas pausarem e repensarem o ciclo que passou, a fim de projetarem o próximo. Um dia de pausa para uma autorregulação. Não à toa o nome é sincronário, pois ele é baseado na sincronia e nas sincronicidades da natureza e dos homens.

O calendário gregoriano é aceito por todos os países do mundo ocidental em função do capitalismo. Talvez ele não tenha sido criado para nos desconectar dos ritmos e ciclos naturais que regiam a noção de tempo antigamente, mas o fato é que inventar um calendário que nos desconecta dos ritmos e ciclos naturais que existem, e cujo nome está ligado ao recolhimento de impostos, tem um preço muito alto que estamos pagando enquanto humanidade. Estamos há cerca de 2 mil anos nos desconectando sistematicamente da natureza, portanto o resultado que vemos hoje à nossa volta de absoluta destruição é uma consequência de camadas e camadas de desconexão. Digamos que ele faz parte de uma engrenagem maior, como diz o mexicano José Arguelles, um dos grandes estudiosos do sincronário maia, que se baseia na visão de que TEMPO É ARTE. Num trecho famoso tirado de seu *Plano mestre da cultura galáctica*, de 1996, ele afirma:

> No paradigma gregoriano/mecânico há um sistema de crença que faz você pagar para nascer, então você vai para uma instituição educacional onde basicamente eles ensinam e preparam você para se juntar à força econômica. Você deve se formar, ir à faculdade ou conseguir um bom trabalho, ter uma família, talvez obter uma casa de férias, um veleiro ou uma casa na floresta e, em seguida, antecipar a aposentadoria para que você possa ter mais tempo de lazer. A estrutura que mantém o sistema de crenças de que o propósito da vida é conseguir um bom trabalho, trabalhar duro, ganhar muito dinheiro para que você possa desfrutar de algum tipo de lazer ou vida recreativa no que é chamado o fim de semana ou tempo livre. O modelo de realidade é mantido em conjunto pelo programa macro do calendário gregoriano e é reforçado em todos os níveis por todas as diferentes formas de comunicação pública, mídia e educação.

Desacelerando para se reconectar

Lendo o que abordei a respeito do tempo até aqui, talvez você possa pensar: mas, Fe, como fazer para se reconectar com os ciclos naturais nesta sociedade muito louca e acelerada em que vivemos? Vamos todos morar na roça?

Não, não é isso que estou propondo, até porque se todos formos para o campo com a mentalidade da cidade não haverá mais campo... Por isso gosto tanto dos movimentos de desaceleração. Se a nossa relação com o tempo, esse que vemos como a flecha do Krenak que está sempre indo para algum lugar, é a base da nossa desconexão, precisamos desacelerar para reconectar. E a partir daí poderemos ter espaço mental, emocional, físico e espiritual para fazer mais perguntas, para sair do piloto automático do corre-corre que essa vida louca imprime. Se a desconexão com o tempo da vida é a raiz da destruição, o primeiro passo é se reconectar a esse tempo. E, já que não vamos conseguir mudar o calendário amanhã, que tal se começarmos a mudar o nosso calendário interno? Que tal começar a perceber esse ritmo interno de cada pessoa, que é diferente do ritmo do amiguinho, da sua mãe, da influenciadora/apresentadora que dorme quatro horas por noite e acha isso o máximo. Quando temos tempo de refletir, podemos fazer melhores escolhas, melhores para nós e melhores para a teia da vida. E tem muita gente que já percebeu isso, tanto que o movimento *Slow* hoje é muito mais do que só o *Slow Food*.

Slow Food deu origem a filhotes como *Slow Living* (Desacelerar a Vida) e o *Slow Movement* (Movimento da Desaceleração). Por trás de todas as propostas do *slow* está um repensar sistêmico, e eu explico.

No *slow food*, ele conecta quem come com quem planta ou produz o alimento, mas conecta ainda todos a seus outros sentidos e ao prazer. De comer, de compartilhar, de ser comunidade, de estar vivo. Ele propõe que olhemos mais profundamente para o que significa viver ou ter uma vida com significado. Algo parecido com o que propõe Krenak, que repensemos o sentido da vida. Quando nos tornamos coprodutores do alimento por financiar um sistema agrícola bom, limpo e justo, entendemos nosso papel e nossa responsabilidade nessa teia da vida, e também nosso poder de questionar e escolher viver de outras formas.

O *slow living* amplia esse conceito para a vida como um todo, começando pelo eu. Apesar do termo vir do *slow*, ou lento, ele não tem a ver apenas com o desacelerar, mas sim com questionamentos bem mais profundos, como qual é o meu tempo, o meu ritmo, e por que estou fazendo o que faço do jeito que faço? *Slow living* é sobre viver de uma forma consciente e intencional, sobre estar presente e respeitar a vida, começando pela nossa própria. É sobre uma busca pelo simples, pelo equilíbrio e pela satisfação, pela alegria de estar vivo. É sobre curtir, saborear seu tempo aqui na Terra e ter paciência com o caminho evolutivo. É sobre respeitar os ciclos da vida, mas também sobre como ampliar isso para a sociedade. E é sobre experiências mais do que sobre coisas. Por isso, abrange uma nova relação com o consumo, com questionamentos acerca dos porquês de cada compra, já que propõe não mais uma vida que busca um atestado de sucesso pelas coisas que temos, mas sim o equilíbrio e bem-estar com o que somos nas nossas relações. Por isso *slow living* é uma forma de viver que também reduz a nossa pegada, nosso estresse e tudo que vem sistemicamente com isso. Mas ele vai além da busca por uma vida mais sustentável. Bruna Miranda, em seu site Review Slow Living,[14] aprofunda esse sentido: "Somados a isso, entram a cooperação, o respeito, a gratidão, a celebração e a resiliência. Um viver consciente inspirado por reflexões que nos direciona para novos olhares e novos caminhos. Em tempos conectados, um resgate de valores e sabedorias que trazem de volta o compartilhar. Conexão entre todas as pessoas, lugares e seres vivos, inclusive com nós mesmos. Cuidar e proteger nossa casa num sentido mais amplo".

Se o *Slow Food* advoga por relações mais justas e limpas entre pessoas e o alimento e, consequentemente, os ecossistemas, o *Slow Living* aprofunda questionamentos para que o indivíduo saia da roda do rato e se questione sobre o sentido. Da vida, dos ritmos, dos ciclos. Já o *Slow Movement* é uma ampliação desses conceitos para comunidades inteiras. Já existe o *Cittaslow*, um movimento por cidades *slow*,

---

14 Disponível em: <http://reviewslowliving.com.br/>.

e até um instituto que propõe a migração para um planeta *slow*, o The World Institute of Slowness. Segundo a definição do site slowmovement.com:[15]

> Ao nos juntarmos ao movimento de desaceleração, temos a oportunidade de nos conectarmos com a vida. O que se conectar com a vida significa? Se conectar com a vida é se conectar com cada aspecto das nossas vidas. Mais importante de tudo é nos conectarmos com nós mesmos, e com nosso próprio movimento dentro da vida. Isso é, nos conectarmos com nosso corpo, nossa mente, com a espiritualidade, com o nosso estágio de vida, com os ritmos naturais que nos guiam, e nos conectarmos com a morte e o morrer – parte natural da vida.

> Para o professor Guttorm Fløistad,

> a única certeza que existe é que tudo muda. A taxa de mudança aumenta. Se você quiser acompanhá-la, é melhor correr. Essa é a mensagem hoje. No entanto seria importante lembrar a todos que as nossas necessidades básicas não mudam nunca. A necessidade de ser visto e reconhecido! Essa é a necessidade de pertencimento. A necessidade de proximidade e cuidado, e de amor! Isso só é alcançado através da desaceleração das relações humanas. Para sermos bem-sucedidos nas mudanças, temos que recuperar a desaceleração, a reflexão e a união. Aí sim encontraremos uma renovação real.

Regenerar o planeta só é possível quando começamos esse processo de regeneração interno, e ele já começou para milhões de pessoas espalhadas pelo globo. Pessoas que, intuitivamente ou não, se questionaram sobre qual o seu papel aqui, sobre a forma como se

---

15 Disponível em: <http://slowmovement.com/>.

veem em suas sociedades e comunidades e, mais do que isso, sobre o que elas querem e podem fazer de diferente. A base para essa Nova História é o questionamento. Para sairmos do papel de consumptor e começarmos a viver de forma mais integralis, precisamos olhar de forma crítica se o que fazemos é nossa escolha ou se é apenas um piloto automático. E, se está a serviço do quê? Se conectar com a morte tem inúmeras camadas de interpretação, afinal vivemos diversas mortes ao longo das nossas vidas. E, para que haja vida, a morte precisa acontecer. Para que o *Homo integralis* possa emergir sistemicamente, é preciso que o consumptor e toda a sua concepção antinatural morram. E isso não vai acontecer da noite para o dia, ou de cima para baixo, e sim a partir de cada uma das pessoas que a cada momento do dia escolhe usar outra lente, se ver de outra forma, ouvir seus corpos, mentes e os sinais que Gaia está o tempo todo emitindo. Para isso, precisamos ter olhos para ver. E só vamos enxergar se estivermos presentes e intersendo. Para isso não cabe mais a busca desenfreada por fazer, fazer, fazer, acumular, acumular, acumular, acelerar, acelerar, acelerar. É preciso silenciar, se voltar para dentro e, a partir daí, se reconectar. Com ritmos, ciclos e a potência da vida.

GUERREIROS SEM ARMAS

Imagine trazer em duas horas para o centro de Paraty um elefante cor-de-rosa. Parece papo de maluco, mas essa foi a prova de uma gincana que reuniu toda a população da cidade, nos anos 1980, e que marcou a vida de Edgard Gouveia. Esse arquiteto, urbanista, empreendedor social, professor internacional de jogos cooperativos, consultor e dono de uma das falas mais energizantes que conheço foi marcado por esse episódio. Na época, ele, pequeno, não acreditou quando o organizador da gincana anunciou a prova e acreditou menos ainda quando um dos grupos conseguiu pegar, num circo, um elefante emprestado, transportado no caminhão de um parente de um participante, e eles ainda pintaram o elefante de rosa. (Eram os anos 1980, e maus-tratos de animais ainda não eram pauta, mas foca aqui no que essa prova despertou.) Edgard se transformou e transformou a sua visão sobre o ser humano. A partir desse episódio, a premissa que guia tudo que ele realiza é: o ser humano tem seu potencial elevado exponencialmente quando em grupo.

Anos mais tarde, em 1999, Edgard, já formado arquiteto, se deparou com um desafio: reconstruir o Museu de Pesca de Santos. Não pensou duas vezes: se articulou com colegas de faculdade que já sonhavam em mudar o mundo, e juntos foram botar a mão na massa para articular pessoas que também quisessem contribuir para a comunidade. A experiência foi tão transformadora para todos que eles descobriram sua missão. Nascia ali o Instituto Elos, criado por Edgard e mais quatro colegas de faculdade.

O Elos existe para mudar o mundo, mas não só mudar ou consertar o que está errado, e sim para realizar com inteligência coletiva aquele mundo com que nós sonhamos. No paradigma da abundância que direciona todos os projetos e a metodologia dessa ONG, o objetivo não é criar um mundo melhor, e sim o mundo sonhado, desejado, aquele que faz nossos corações baterem mais forte. Esse mundo parte de pessoas e comunidades. E esse tripé – inteligência coletiva, comunidades e paradigma da abundância – é (r)evolucionário.

Nosso modelo de desenvolvimento ainda é o do sucesso individual. Fomos educados para o sucesso individual. A sociedade deman-

113 HOMO INTEGRALIS

da que você seja bem-sucedida, a melhor aluna da escola, depois uma boa profissional, depois tenha um carro, uma casa. Isso é ser bem--sucedida, no paradigma do egoísmo de que já falei aqui, enquanto o sucesso coletivo é menos prezado na nossa sociedade, pois fomos educados a desacreditar no sucesso coletivo. Somos totalmente desestimulados a isso. Nas nossas crenças limitantes, a maior parte das pessoas já associa iniciativas coletivas a algo que vai dar trabalho, que não vai dar em nada, que vai ser chato. Temos ideias preconcebidas acerca do coletivo. Assembleia de condomínio? Ninguém quer ir. Sonhar o Brasil, sonhar o bairro? Ah, não, isso é coisa para os políticos. Ao passo que ali no fundo da sua mente tem aquela vozinha falando: tenha um sonho individual, se não for capaz de ter esse sonho você vai ser um derrotado na vida. A sociedade demanda que você tenha esse sonho individual e o desencoraja de ter um coletivo. "Só que estamos sendo derrotados enquanto sociedade, e não nos damos conta de que é porque a gente não está ousando sonhar, se reunir para sonhar o nosso sonho para a sociedade." Rodrigo Rubido, cofundador do Elos, me respondeu dessa forma quando perguntei o porquê da existência do Elos. E essa resposta vale como um precioso caminho para sairmos da enrascada, ou da derrota por ele citada, em que nos colocamos. O Elos e o Guerreiros Sem Armas, principal projeto do instituto, promovem esses diálogos, esses encontros comunitários, e comprovam a cada projeto que sonhos coletivos são mais comuns e poderosos do que pode supor nossa vã filosofia.

O projeto Guerreiros Sem Armas nasceu ali naquele episódio de Santos e completou 21 anos em 2020. Ele é uma vivência profunda de mudar a lente na prática, de ver potência onde muitos só veem problema, de resgatar o poder da comunidade de se transformar por dentro e a capacidade de cada um de seus membros de sonhar. É uma experiência de formação de multiplicadores, como se fosse uma pós-graduação, mas que acontece em salas de aula e na prática, numa grande gincana de fazer o impossível. Afinal, se podemos trazer um elefante rosa para a praça de Paraty, que mais um grupo determinado e energizado não pode realizar?

Mais de seiscentas pessoas, de 51 países, já passaram pelo programa, com frutos para mais de novecentas comunidades no Brasil e no mundo que receberam projetos inspirados na metodologia do Elos. O Guerreiros está gerando um movimento mundial, que extrapola as duzentas e poucas comunidades afetadas diretamente, afinal estamos falando de abundância, não é mesmo?

Abundância para o Elos é assunto sério. Aliás, os sete passos percorridos pelos Guerreiros em seu treinamento foram elaborados para a criação de uma cultura de abundância.

O sucesso do trabalho do instituto é medido através de um índice de cultura de abundância. E ele parte do potencial. Se você não acredita que tem potencial, dá medo de sonhar. O primeiro passo então é o OLHAR, que é reconhecer o potencial do lugar e das pessoas do lugar. E todo lugar tem potencial. Nosso olhar está tão treinado a ver a escassez, por conta da cultura que nós viemos alimentando até aqui, que esse é o primeiro passo, e por si só um desafio. A primeira tarefa dos Guerreiros ao entrarem numa favela, por exemplo, é encontrar belezas. Meia hora, caminhe pela comunidade e volte com dez expressões de beleza. É tão impactante receber essa tarefa que Rodrigo conta que muitas vezes o grupo não sai da sala; eles ficam parados olhando para a cara do monitor achando que é uma pegadinha, uma brincadeira: "Tá, agora fala qual a atividade real".

Essa é a premissa do Elos, mudar a lente para que outras realidades possam emergir. Afinal, é muito cruel, para não dizer outra coisa, entrar numa comunidade cheia de seres humanos, por si sós potenciais, e só ver problemas. Mas isso é fruto de uma construção sociocultural. Que bom! Porque, se é fruto de uma construção, significa que podemos desconstruir e criar uma nova. Os moradores da comunidade também foram condicionados a esse olhar de escassez. Influenciados também por quem vê de fora. Afinal, para muitos moradores de favelas existe um protagonismo naquela história. Muitas daquelas casas foram construídas pelas mãos dos moradores. Quantas histórias de superação, de pessoas que saíram de situações duras no interior do país, no Nordeste, vieram fugidas da seca, por exemplo, e com muita batalha hoje têm uma casa para chamar de sua. Veja bem, não estou fazendo uma idealização da favela, como se não houvesse problemas graves nesses espaços, como a violência, a falta de acesso a serviços básicos como coleta de esgoto, fornecimento de água e coleta de resí-

115 HOMO INTEGRALIS

duos. Mas não é tudo ruim. Existe, como em tudo na vida, potencial! E beleza! Basta ter olhos para ver!

O segundo passo é o AFETO. É perceber que não só eu tenho potencial como estou cercada por gente cheia de potencial. Esse passo trabalha nas relações. O afeto é o ponto de partida para o diálogo com essa comunidade. Quem são essas pessoas, quais são suas histórias, seus valores e seus talentos? Tem até um show para isso, em que a comunidade apresenta seus talentos. E eles vão desde os mais clássicos como música, dança, até o depoimento da senhora mais antiga da comunidade, que sobe no palco para contar como tudo começou. É de fato um momento mágico, no qual os moradores ficam extasiados com o potencial do lugar em que moram e que nunca tinham percebido. Um show de talentos desse, bicho! É revolucionário, afinal pela primeira vez para muitas comunidades alguém está chegando de fora não para apontar problemas, mas para evidenciar potencial.

Elos está no nome, no propósito e na metodologia de tudo que o instituto desenvolve, e, claro, no programa dos Guerreiros Sem Armas. E é por isso que os grupos de cada formação são o mais diversos possível, onde vão dividir um quarto na imersão, por exemplo, uma jovem liderança comunitária de uma comunidade sem luz de Guiné-Bissau e uma empresária de São Paulo. Afinal, para mudar comunidades, temos que construir pontes, fazer emergir novos afetos. Só assim o campo do sonho se abre, e a partir dele possibilidades infinitas de (r)evolução.

O que impulsiona a mudança não é saber aquilo que temos que consertar e resolver; se fosse assim, não teríamos mais a ameaça das mudanças climáticas. Saber de todos os desafios que temos pela frente pode ser absolutamente desmotivador, e temos visto isso na pauta ambiental de forma bem clara. O que impulsiona a mudança real, oficial, é o sonho! É sentir nas nossas células uma emoção diferente ao imaginar como as coisas poderiam ser belas e boas. E por isso ele é o próximo passo depois de OLHAR e criar AFETO.

Que sonho podemos ter de futuro que seja do tamanho da nossa potência? Essa é a pergunta norteadora do que será criado na prática a cada imersão. E sonhar é muito poderoso, porque quando sonhamos, seja de noite ou acordados, o nosso corpo sente aquilo, o nosso cérebro não consegue distinguir o sonho da realidade. É uma mágica, a mágica de sentir sem que aquilo tenha acontecido, que dispara no nosso sistema a fagulha necessária para nos movimentarmos em direção a esse sonho, até que ele se torne realidade. O senso de direção vem da vontade de sentir todo dia aquilo que sentimos quando sonhamos. Então qual é o sonho comum dessa comunidade?

Depois de escolherem juntos, numa metodologia participativa, entra a fase do CUIDADO. Agora que já sabemos o sonho, vamos decidir por onde começar e, a partir daí, cuidar para que esse sonho seja transformado em projeto.

E, já que o Elos foi fundado por arquitetos, por que não materializar num protótipo como será o sonho? E isso acontece com a criação de uma maquete. Assim, é mais forte a visualização da transformação; ela começa com a primeira materialização visível do sonho. Uma vez pronta, essa materialização é mais eficiente do que qualquer contrato! Mas, ao contrário do que você pode estar imaginando, essa é uma maquete democrática, feita de materiais simples como papelão, de uma forma que crianças, idosos e todos os envolvidos possam botar a mão na massa. É com as mãos de todos os envolvidos que as negociações vão acontecendo. São cem, duzentas pessoas metendo a mão e negociando uns com os outros onde será o balanço da pracinha, onde colocar a horta, como será a creche comunitária. É nesse momento que estão sendo cuidados o sonho e os sonhadores. E tudo isso é feito com uma metodologia divertida, mas desafiadora. Afinal, o Guerreiros traz a metodologia dos jogos, e jogo sem desafio não é jogo. Pôr cem, duzentas pessoas para negociar por si só não é tarefa simples, e nessa hora emergem disputas de poder, medos, inseguranças. Mas também existe uma inversão de poderes nesse momento, quando um menino de dez anos usa sua criatividade e argumentação e consegue estar em par de igualdade com aquela pessoa considerada a mais poderosa da comunidade. E isso é ver na prática uma outra sociedade possível. É construir uma praça, sem recursos financeiros envolvidos, premissa do Elos, e num final de semana. Tem algo mais desafiador que isso?

A história da escassez conta que, se eu não garantir o meu primeiro vou ficar sem. E aí mutilamos nossos valores porque acreditamos que, se não competirmos com o outro, vamos morrer. Mas isso é uma mentira. E não tem ser humano que se sinta bem assim. Nós nos anestesiamos porque nos disseram que não tinha outro jeito. Quando percebemos que existe outra forma, a alma humana floresce, junto com um brilho nos olhos e uma felicidade genuína de se sentir fazendo o bem para o outro. Não é à toa que, depois do cuidado, vem o MILAGRE.

O nome dessa próxima etapa emergiu dos depoimentos dos moradores das comunidades que, ao construírem, por exemplo, uma praça em 48 horas sem dinheiro envolvido, exclamavam: foi um milagre! Mas, na opinião do Rodrigo, nós temos a impressão de que um feito desses é um milagre porque esse potencial todo está adormecido, como se tivéssemos esquecido na história da separação que juntos somos mais fortes e que juntos podemos muito mais do que a soma do que podemos separados.

É o mito da separação, que o outro é meu inimigo, que cai por terra após uma vivência como essa. Segundo a Val Rocha, gestora do Núcleo de Relacionamento, não só cai por terra, mas dá lugar a uma outra forma de ver o outro, como aquele que me alimenta! E essa é a principal mentira revelada, e também a mais transformadora. É tão poderoso que após uma vivência dessas ninguém sai como entrou. As pessoas passam a confiar em si mesmas e umas nas outras.

É tão potente que um dos depoimentos mais marcantes nessa trajetória é de um menino, o Jackson, morador de um cortiço, que, quando perguntado sobre o que mudou na sua vida após a experiência dos Guerreiros, respondeu: "Eu ouvi a minha vida inteira que meu fim era morto ou na cadeia, e descobri que eu podia ser qualquer coisa". Hoje Jackson é assistente social, trabalha na prefeitura de sua cidade e é uma liderança.

Quando se muda a lente, ela funciona para todo lugar que você olha, não só para o coletivo, para o outro, mas para você mesmo. Quando você se olha, enxerga seu potencial para além do que contaram para você.

Ouro mito que cai por terra é o valor das crianças. Elas não são o futuro, elas são o presente e a mudança. Segundo a Val, ouvir as crianças e sua percepção sobre o espaço onde vivem é emocionante. Elas conhecem tudo e são chave para conseguir as ferramentas e as pessoas certas para a realização do desafio, afinal faz parte da metodologia do Guerreiros que não se aceite qualquer doação em dinheiro para a materialização dos sonhos, mas valem doações de material de construção, empréstimo de ferramentas etc. E, para isso, um pedido de uma criança é bem mais difícil de se negar que o de um adulto. Assistindo às falas do Edgard, ele sempre diz que as crianças ficam ali "ah tio, por favor, tio, você tem que me ajudar, tio" – a criança insiste porque acredita! E, mesmo diante de tanta potência, a criança tem um valor na construção de comunidade muitas vezes invisibilizado. Mas que ficou tão evidente nesses vinte anos de Guerreiros que fez com que o Edgard se concentrasse só nelas agora. Um tempo depois de sair do Elos, tirar um sabático, dar a volta ao mundo e refletir sobre sua atuação, criou o Primavera X, um jogo só para crianças, em que pretende plantar através delas 1 bilhão de árvores. De novo sem dinheiro envolvido e por meio da cooperação e da metodologia dos jogos.

O que os Guerreiros Sem Armas aprendem é a guiar as pessoas para que elas percebam que têm esse potencial e que vale a pena trabalhar para construir esse sonho do futuro bonito, próspero.

As ideias de mundo melhor que lemos e vemos serem discutidas são normalmente de um mundo consertado. Ninguém quer viver uma vida consertada, e sim uma vida plena, mas no coletivo só é permitido a você consertar problemas. Como se a nossa capacidade coletiva não fosse de criar um mundo mais bonito que nossos corações sabem ser possível, e sim um mundo onde podemos apenas consertar o que "deu ruim", enquanto nas nossas vidas podemos e somos incentivados a ir além, a não parar nos problemas. Nós dizemos que queremos acabar com a fome, acabar com a guerra, acabar com as drogas. Dizemos muito o que queremos destruir, mas não o que desejamos construir. Sempre olhando para o que está ruim, e não para o que queremos realizar. Por isso em todo momento a cultura está minando os esforços coletivos. Nós já vamos sabendo que provavelmente aquilo não vai dar certo.

"No Elos a gente não sonha em fazer um mundo melhor, porque fazer um mundo melhor é consertar problema, a gente quer fazer o melhor mundo, que é aquele com que a gente sonha!" E Rodrigo segue: "E os sonhos sempre são realizados para além do que se imaginava! Sempre! E é tão potente derrubar em três dias aquelas crenças das quais

119 HOMO INTEGRALIS

tem gente que vai morrer sem se dar conta, que eram apenas limitações de narrativas que nos foram contadas tantas vezes que viraram verdades absolutas. Depois de um fim de semana em que se constrói uma praça, não cabe mais dizer que se a gente se juntar não vai dar em nada, que não é possível transformar comunidades. É uma porta que se abre com uma chave de permissão de poder sonhar! De perceber que todos têm talentos, que não é a falta de dinheiro que vai impedir um sonho, e que podemos sonhar coisas maiores, que elas vão se realizar".

No fim das contas o objetivo nunca foi construir a praça, sempre foi construir uma cultura de abundância, em que as pessoas acreditam no seu próprio potencial, com um senso de pertencimento fortalecido o suficiente para que possam protagonizar transformações. Por isso existem comunidades engajadas há vinte anos; uma vez que se desvelam os véus, não tem mais como voltar atrás. Esse é o objetivo! E é por isso que é do jeito que é. Tem que ser de fato uma materialização construída a partir das belezas, dos talentos e dos recursos disponíveis naquele lugar, fortalecendo laços entre as pessoas construídos a partir de um sonho comum.

Nesse momento é hora da CELEBRAÇÃO! A tão sonhada hora em que as pessoas envolvidas vão viver todas as sensações e emoções que afloraram no sonho, agora no presente. "É como se fosse uma sincronização do tempo. Do sonho e das emoções. E isso só é possível porque estamos juntos." Para Val, a celebração é o momento em que o sentir é assentado. E é esse sentir desperto que pode nos levar a outras histórias, individuais, coletivas e planetárias! A hora chegou!

Mas calma, não terminou. O sétimo passo é a RE EVOLUÇÃO, que eles escrevem assim, separado mesmo. Depois de materializar o sonho, de conhecer o potencial, qual é o próximo passo? Se nós realizamos o que realizamos num final de semana, o que vamos querer realizar em um mês, em seis meses ou em um ano? E aí esses planos, a partir de outros sonhos, vão virando cultura, vão virando uma forma de aquela comunidade se encontrar depois que os Guerreiros vão embora, de planejar e desenhar, com os seus talentos e recursos, todos os sonhos que seus corações sabem ser possíveis. Rodrigo termina citando Eduardo Galeano:

A utopia está lá no horizonte. Me aproximo dois passos, ela se afasta dois passos. Caminho dez passos e o horizonte corre dez passos. Por mais que eu caminhe, jamais alcançarei. Para que serve a utopia? Serve para isso: para que eu não deixe de caminhar.

E é no sentido da utopia que o Elos caminha, e o Edgard também. Agora com foco exclusivamente naqueles seres para os quais o impossível ainda é desconhecido e os sonhos se fundem com a realidade: as crianças.

VAMOS SONHAR JUNTOS NOVAMENTE?

"*I have a dream.*" Foi com esse título que ficou conhecido o famoso discurso que Martin Luther King proferiu nos degraus do Lincoln Memorial em Washington, em 28 de agosto de 1963. "Eu ainda tenho um sonho. É um sonho profundamente enraizado no sonho americano." Seu sonho e seu discurso, que juntou 250 mil pessoas assistindo ali, unidas pelo Movimento pelos Direitos Civis americanos, que buscava igualdade entre negros e brancos nos Estados Unidos, mudaram a história da nação e do mundo. Sua emocionante fala não começa com esse texto, mas é quase no fim que Luther King apresenta seu sonho, repetindo as palavras "*I have a dream*" diversas vezes, seguidas de afirmações sobre justiça, igualdade e fraternidade entre negros e brancos.

O que muitos não sabem é que essa frase, "eu tenho um sonho", que marcou o que para muitos é o melhor discurso do século XX, quase não saiu do papel, por ter sido considerada clichê. Ele, que já vinha falando sobre isso em seus discursos anteriores, foi aconselhado pelo assessor, Wyatt Walker, com quem revisou e editou o texto diversas vezes dias antes, a não usar justamente a parte do sonho. Aquela seria a apresentação de Luther King em escala nacional, e por isso Walker teve medo de que usar o sonho fizesse perder de alguma forma a seriedade e a importância de sua fala. Segundo reportagem da revista *Exame*, "o discurso foi escrito para ser uma avaliação sobre a importância histórica da luta pela liberdade dos afro-americanos, e tinha como modelo o de Gettysburg, do presidente Abraham Lincoln", como explicou à Agência EFE o diretor do Instituto de Pesquisa Martin Luther King, Clayborne Carson.[16]

Quando se assiste à gravação, fica claro que até chegar à parte do sonho King estava lendo o discurso num papel, no melhor estilo conferencista. Mas há um momento de virada que precede a proclamação dessa fala emblemática. A impressão que dá é que ele sente que falta algo mais, ou que é acometido por uma súbita inspiração. Nessa hora, deixa de lado o papel e profetiza seu sonho. Dá para ver que ele passa

---

16 "'I have a dream', de Martin Luther King, completa 50 anos". *Revista Exame*, 27 ago. 2013. Disponível em: <https://bit.ly/M1LIHAD>.

123 HOMO INTEGRALIS

a falar, não mais lendo a cola, e sim no melhor estilo pregador batista que era. Sua fala vem de uma emoção de dentro do coração. Seu tom muda, sua expressão corporal muda, quase como se nesse momento ele de fato se conectasse com essa visão maior, como se estivesse vendo tudo acontecer em sua tela mental. Como se ele já estivesse vivendo essa possibilidade, tão distante na época, de um país livre de verdade, com igualdade, em que negros e brancos sentariam lado a lado e dariam as mãos.

O sonho de Luther King era tão forte, e compartilhado com tantos outros milhares de pessoas, quiçá milhões, que a partir desse discurso ele conseguiu impulsionar definitivamente o movimento pelos direitos civis, ao mesmo tempo que era classificado pelo FBI, que na época o investigava por supostas ligações com o comunismo, como "o líder negro mais perigoso e influente do país". Seu sonho e seu ativismo de desobediência civil não violenta, inspirado em Mahatma Gandhi, foram tão poderosos que ele ganhou o Prêmio Nobel da Paz em 1964. Luther King é considerado um ícone no liberalismo e progressismo estadunidenses, mas seu maior legado foi garantir o progresso nos direitos civis americanos. Dias depois de seu assassinato, o Congresso americano aprovou o Ato pelos Direitos Humanos de 1968, que passava a proibir por lei a discriminação baseada em raça, religião ou nacionalidade no país, depois expandida para sexo, status familiar ou necessidades especiais.

Trago aqui este capítulo da história para ilustrar a potência do sonho que se sonha junto. Naquele momento, qualquer análise de probabilidades da aprovação de uma lei como essa seria tremendamente desanimadora. Hoje historiadores afirmam que se Luther King não tivesse trazido seu sonho para o discurso talvez ele não tivesse sido tão impulsionador para o movimento. Com certeza não teria a força de ser considerado o melhor do século XX. Sonhos servem para isso: para trilhar um caminho, para acender uma chama, para mobilizar pessoas.

Quando nos deparamos com as pesquisas acerca da emergência climática e perda de biodiversidade, os prognósticos são os piores possíveis. Deveriam servir para despertar na humanidade uma urgência de mudança, similar àquela que teríamos se soubéssemos que um meteoro estava chegando para destruir a vida no planeta. Ainda assim, a humanidade mudou pouco ou quase nada perto do tamanho do desafio global. Quando o discurso ambiental está quase sempre relacionado a um desafio praticamente impossível de ser vencido, ou a um NÃO – não pode mais comer carne, não pode mais tomar banhos longos, não pode mais viajar tanto de avião, não pode mais usar plástico –, ficamos paralisados, desanimados. Como bem colocou Rodrigo Rubido, nós dizemos pouco o que queremos construir. Mas, se pegarmos a lista do que queremos destruir, ah, senta que ela dá a volta ao mundo. Só que acreditar que as pessoas vão se mobilizar, na força e magnitude necessárias para a mudança, apenas focadas no não, no que queremos destruir, sem sentir vibrarem todas as células com a potência do que pode ser este mundo, não vai rolar. Porque nós não funcionamos assim. Aceitamos nos colocar como consumptors o tempo todo porque a publicidade e o sistema entenderam muito bem o rolê. Quando vemos um anúncio, não vemos as coisas consertadas, vemos um ideal que faz com que nos identifiquemos. Compramos um batom vermelho XYZ porque acreditamos que com ele virão o poder e a sensualidade daquele anúncio. Compramos um carro grande e novo porque achamos que assim conquistaremos nossos sonhos. É sobre sonhos, é sobre nossas células vibrarem, nosso coração bater mais forte, é sobre emoção!

E aqui eu aprofundo um pouco mais o que a Val Rocha menciona. Quando sonhamos, nossas células e nosso cérebro não identificam a diferença entre o que é realidade e o que é sonho, parecido com o que ocorre quando vemos televisão. Nós sentimos aquilo da mesma forma. Quem nunca acordou de um pesadelo e mesmo depois de abrir os olhos não quis apagar as luzes porque o medo de morrer, de cair, do perigo, ainda estava ali. Mesmo dizendo para si mesma "isso foi só um pesadelo, estou bem, na minha cama, segura", o nosso corpo registra em sua memória celular aquela sensação e o medo permanece ali por alguns minutos, horas talvez. Então, se queremos viver esse mundo mais bonito que nossos corações sabem ser possível, e repare que eu uso muito o título do livro do meu muso Charles Eisenstein aqui, porque esse é um mantra na minha vida, precisamos sonhar, sentir, fazer nosso corpo todo vibrar. Arrisco dizer que só sou ativista porque tenho essa capacidade de sonhar e imaginar esse mundo mais bonito acontecendo. Porque SEI no racional e nas minhas células, e principalmente no meu coração, que temos o poder coletivo de mudar tudo! Que existe uma qualidade de abundância em Gaia esperando para florescer, se nós deixarmos. Que a natureza humana é muito mais do que guerra e competição. Não à toa, quem participa de uma vivência como o Guerreiros sem Armas fica viciado em servir, em agir em grupo, em cooperar, porque entende o poder de materialização que há quando a comunidade sonha junto!

"Imagine all the people, living life in peace"

Nós humanos somos seres imaginativos. John Lennon, conectado que era com o rolê da espiritualidade, da física quântica e sabe-se lá mais do quê, sabia das coisas. "Imagine todas as pessoas vivendo a vida em paz." Essa música, essa obra-prima, evoca, como o movimento hippie, a nossa capacidade de sonhar acordado, da imaginação ativa, que precede a criação na matéria de qualquer coisa, a realização. Se você olhar uma criança brincando por meia hora, vai se encantar com a criatividade com que ela transforma uma poça num lago azul com peixes, ou numa piscina olímpica para sua boneca, ou ainda numa casa de um jacaré perigoso que pode atacar uma família inteira. Crianças são os seres mais puros que existem, porque elas são a nossa versão antes de estarmos imersos no que conhecemos por valores morais e cultura. À medida que crescemos, porém, vamos sendo moldados por esses valores, e a nossa própria imaginação muitas vezes fica limitada àquilo que conhecemos, ao mesmo tempo que vamos acreditando nas histórias que são contadas todos os dias e se transformam naquilo que entendemos como a realidade de um coletivo. E assim, quando juntamos nossa capacidade imaginativa com o que chamamos de mitos coletivos, entendemos por que conseguimos conviver em bandos de milhões, ou até bilhões, sob a forma de organização do que denominamos países. Porque fundamentalmente acreditamos em histórias bem contadas. E nos organizamos como sociedade em torno delas.

Trata-se de histórias como as das religiões, já que os deuses, ou Deus, são um conceito abstrato; não vemos Deus, mas acreditamos no poder das histórias coletivas que as religiões nos contam. Alguns até matam em nome Dele. Acreditamos em ficções como empresas, já que, se você parar para pensar, uma empresa, entidade jurídica, não existe. Existem uma sede, um produto, um CNPJ, mas a empresa em si é uma história pactuada entre pessoas. Você não segura nas mãos de uma empresa, mas aquele documento que chamamos de contrato social cria, do dia para a noite, literalmente, uma entidade de valor reconhecido por uma sociedade. Por isso o historiador Yuval Harari defende em seu livro *Sapiens* que o ser humano é a única espécie que acredita naquilo que não é real, e só tem a capacidade de colaborar coletivamente em grandes grupos porque cria histórias compartilhadas por todos, das quais a principal hoje é o capitalismo, mais precisamente uma forma de moldar a sociedade em torno do resultado econômico e baseada na economia linear (extrai, produz, consome, descarta).

Mas não é sobre ele que quero falar agora, e sim sobre essa característica intrínseca à nossa espécie de se organizar, se mobilizar em torno da imaginação coletiva. Se nos organizamos hoje em função do mito do capital, é porque ele nos prometeu muitas coisas, nos fez e nos faz sonhar todos os dias com conforto, liberdade, felicidade. Só que algo deu errado no meio do caminho. E a promessa está mais para aquele creme contra rugas: só funciona no papel, com o Photoshop do anúncio. Se queremos viver aqui outra realidade, precisamos de novas narrativas poderosas o suficiente para mobilizar a humanidade, ou pelo menos parte dela que pode mudar tudo! Precisamos voltar a sonhar sonhos coletivos poderosos o suficiente para mobilizar nações, para mobilizar a civilização planetária! Agora que já sabemos a gravidade da situação, precisamos de mais *"I have a dream"*. Na verdade, precisamos de *"WE have a dream"*, NÓS temos um sonho!

Sentindo a realidade, para criarmos outro caminho

Neste momento diversas realidades coexistem no mundo. Florestas estão sendo aniquiladas, como é o caso da Amazônia, e pessoas estão praticando agricultura sintrópica e "plantando água". Existem bilionários com jatinhos particulares, e bilhões vivendo com menos de US$2,50 por dia. Existem locais onde a seca é tamanha que cidades inteiras se tornaram fantasmas, e outros sendo atingidos por tornados e enchentes nunca antes vistos. Todas essas realidades coexistem, e nelas estamos imersos. Estamos imersos ainda numa realidade coletiva em curso, aquela que traz à tona o resultado do nosso sonho coletivo até então: a emergência climática, a maior extinção em massa desde os dinossauros, há 65 milhões de anos, e uma perspectiva de que, segundo a ONU, um terço dos anfíbios, pelo menos um quinto de todos os mamíferos e um oitavo de todos os pássaros do planeta estão ameaçados de extinção, mas dessa vez não por conta de um asteroide gigante que nos atinge, e sim pelas nossas ações do dia a dia, mais especificamente pelo nosso estilo de vida e todo o lixo e poluição que derivam dele.

E, sim, é preciso olhar para essa realidade ampliada para que possamos fazer a escolha. Quando nos deparamos com uma realidade tão dura, em que o futuro se apresenta como uma oportunidade de vida de qualidade muito pior do que o que já temos, a tendência de muitos é negar. Negar ou paralisar. Ou achar que o que quer que façamos é pequeno demais diante do tamanho do problema. E muitas vezes a dor é tanta que criamos mecanismos para não mais sentir a dor do mundo. Mas, quando paramos de sentir a dor do mundo, paramos de sentir também tudo. Não somos máquinas em que podemos simplesmente desligar uma parte do circuito. Somos seres com vida, emoções, e com um funcionamento curioso, no qual não podemos desligar apenas a parte que sente essa dor. Segundo Joanna Macy, ou desligamos toda a nossa capacidade de sentir, inclusive prazer e orgasmos potentes, e criar, ou não desligamos nada. Nosso sistema é um sistema complexo, e nele, assim como no planeta, tudo está interligado. Assim, quando negamos e paramos de sentir empatia, ou tristeza pelo que está acontecendo, quando vemos uma notícia de jornal das queimadas na Amazônia, por exemplo, e não sentimos essa dor, é hora de acionar o sinal de alerta máximo, pois Joanna afirma que essa chavinha que desliga a nossa capacidade de sentir isso desliga outras que a maior parte das pessoas não gostaria de desligar. Afinal, quem deliberadamente gostaria de restringir sua capacidade criativa, ou a de ter prazer?

Sentir a dor do mundo, segundo Joanna, é a porta de entrada para nos reconectarmos com ele. Arrisco dizer que Martin Luther

King sentia isso de forma profunda. Seu sonho, a maneira como ele fala sobre isso, vem de um lugar de dor profunda pela situação dos americanos negros na época. Sua força veio de uma dor, de uma raiva, que ele não negou. Ele mergulhou na dor e usou essa energia da raiva para mobilizar uma multidão, e de forma não violenta. E é por isso que eu trouxe e trarei ao longo do livro muitas verdades inconvenientes, já que este momento não permite uma visão ingênua do que estamos enfrentando, e a dor do mundo pode e deve ser a base para a Grande Virada, outro termo usado por Joanna Macy para este exato momento em que estamos agora, aquele que pode ser lembrado nos anais da história como o do despertar da humanidade para uma outra forma de viver e se relacionar. Mas o sonho de King não se restringia ao que ele via em sua realidade. O sonho dele, com toda aquela potência, vinha de um lugar que ele sabia ser possível, mesmo quando tudo que acontecia à sua volta dizia o contrário. O sonho tem essa qualidade de evocar aquilo que não se restringe, aquilo que transborda, aquilo que, como semente, tem um potencial de germinar uma floresta, mesmo sendo uma pequena bolinha que cabe na palma da mão.

As histórias que ainda não estão sendo contadas

Quando os Guerreiros entram numa comunidade, a metodologia aplicada parte de ver potencial, de descondicionar o olhar que diz que numa favela não pode haver beleza. Quando Luther King discursa seu sonho, ele parte de uma nova narrativa, fala aquilo que não se ousava dizer na mídia. Digo isso porque ambos olham para histórias que não estão sendo contadas. E é para elas que precisamos olhar agora, se quisermos plantar sementes de novos futuros possíveis, já que muito desse estilo de vida que adotamos no Ocidente, e que agora é exportado também para o Oriente, é mantido por uma máquina chamada mídia e calcado no sonho americano, aquele de consumismo. A mídia de massa foi durante muito tempo o único meio pelo qual sabíamos o que estava acontecendo no mundo. E ela sempre escolheu quais histórias contaria e como rechearia os intervalos dessas histórias, com o que conhecemos como publicidade. A soma da publicidade, cerca de 40 mil anúncios por ano aos quais uma criança americana assiste em média, e a narrativa do medo e do ódio e da separação – leia-se assaltos, guerras, traficantes presos, políticos corruptos, enchentes e todo o arcabouço de eventos trágicos e pontuais – ainda são a narrativa da mídia e, apesar de não serem exemplos da maior parte dos eventos que entendemos por realidade, somam quase o total daquilo que vemos nos veículos. É claro que a mídia tem um papel importantíssimo de disseminar o que está acontecendo, de levar informação isenta de viés ideológico. Mas infelizmente o que vemos é muitas vezes esse viés ideológico, ou de interesse dos anunciantes, que pagam a conta, direcionando a narrativa da maior parte dos veículos no mundo. E olhando assim, pelo que vemos por aí, um mundo só de dor, medo e desgraças parece ser a única realidade. Porém isso não é verdade. Mostrar eventos pontuais para os quais as câmeras podem ser apontadas é muito mais fácil e "vende" muito mais do que mostrar como aos poucos uma nova realidade, paralela se quisermos chamar assim, está florescendo. Existem hoje diversas comunidades, alguns milhões de empresas e mais um número incontável de pessoas, talvez mesmo você que me lê neste momento, que estão vivendo e direcionando sua energia vital e suas vidas para criar uma nova realidade, a da Grande Virada. Aquela baseada num novo rol de valores e portanto de possibilidades, em que o futuro não é mais unicamente uma previsão do Apocalipse. E, mesmo que a mídia ainda não esteja contando essas histórias, isso não significa que elas já não estejam acontecendo.

Quando olho para a minha história, para o meu negócio de impacto e meu ativismo e para tantos outros negócios criados para regenerar a vida, e para quem está por trás deles, vejo nessas pessoas uma incrível capacidade de sonhar. E, como as culturas ancestrais, e hoje a física quântica, comprovam, é no sonho que começa a materialização de tudo. E é por isso que precisamos voltar a sonhar. Sonhos coletivos. Inspirados por tudo aquilo que dentro dos nossos corações sabemos ser possível. Para inspirar mais pessoas a religarem seus sentidos e seu potencial imaginativo, é preciso que haja outras referências. Na mídia, nas redes sociais, nas cidades. Quando uma comunidade recebe a vivência dos Guerreiros Sem Armas, ela experimenta na prática a ampliação de seu repertório de possibilidades. Ela relembra seu poder de cocriação, se liberta da narrativa da escassez e consegue começar a vislumbrar saídas, possibilidades, novas histórias. Histórias em que todos nós somos cocriadores da vida. Em que nossos pensamentos, atitudes e empresas sejam desenhados para regenerar e para curar. Pessoas, ecossistemas e o planeta. E esse sonho já está acontecendo!

O poder dos sonhos

Diversas tradições ancestrais, entre elas as dos aborígenes da Austrália e da Nova Guiné, acreditam que aquilo que consideramos pragmático é, na verdade, sonho (imaginação) e vice-versa. Para eles, tudo o que construímos aqui na Terra surge do sonho de alguém.

Sonhar é o primeiro estágio de qualquer materialização, seja a criação de uma empresa, sua festa de aniversário ou o seu futuro. Nós estamos o tempo inteiro sonhando coisas, usando nosso poder da imaginação para desenhar nas nossas mentes e nos nossos corações a realidade que queremos ver manifestada depois. Aqui nem me refiro aos sonhos de quando dormimos e que trazem à tona o nosso inconsciente, mas falo daqueles que temos estando acordados, que também podem ser chamados de imaginação ativa. O problema é que até agora a lente que usamos para enxergar o mundo é a lente da escassez, e assim, consequentemente, estamos sonhando sonhos limitados, individualizados, separados.

Como diz o Rodrigo, nossa cultura fortaleceu até agora o sonho do indivíduo e menosprezou o sonho do coletivo. E isso serve para perpetuar esse sistema. Depois daquele discurso de Martin Luther King ficou claro o poder de mobilização que os sonhos e os coletivos têm. Um sonho de uma nação livre pode tornar um líder negro o mais perigoso dentro dela. E, num momento em que os problemas parecem grandes demais, as desigualdades se apresentam quase como intransponíveis e o nosso poder de mudar alguma coisa no sistema parece ser praticamente nulo. Precisamos retomar a capacidade de sonhar os sonhos coletivos.

Contudo o fato de não sonharmos um sonho coletivo não significa que não vivemos uma realidade coletiva, muito menos que não trabalhamos para realizar o sonho de alguém. Estamos inseridos num sistema capitalista inicialmente sonhado por alguns, depois teorizado por Adam Smith no final do século XVIII, modificado ao longo do caminho e diariamente alimentado por bilhões de pessoas ao redor do mundo. No nosso trabalho, na maioria das vezes, usamos nossa energia e trocamos nossas vidas por dinheiro para botar de pé o sonho de alguém, ou de poucas pessoas, os donos, CEOs, diretores daquela empresa na qual trabalhamos. Na vida em sociedade, nós seguimos as leis que saem da cabeça de políticos que usam seu poder de imaginar para criar o que acreditam ser o melhor para a sociedade, com base no seu conjunto de crenças e consequentemente seus sonhos. Então não importa se sonhou ou não aquele sonho, você está inserido nessa roda de qualquer jeito, talvez do pior jeito, pois, como aquele sonho não foi sonhado coletivamente, ele vai atender apenas aos desejos e necessidades de quem sonhou aquilo. E muitas vezes esse sonho na prática se torna um pesadelo.

Os sonhos são tão poderosos que hoje existe até uma metodologia baseada na visão dos aborígenes australianos sobre eles, desenvolvida para criar projetos que causem impacto positivo no planeta, a *Dragon Dreaming*, ou, numa tradução livre, Sonhando o Dragão. Essa metodologia foi desenvolvida por John Croft, um australiano, consultor internacional, especialista em empreendimentos e projetos sustentáveis, de liderança e desenvolvimento organizacional, planejamento humano e biogeografia e cofundador da Gaia Foundation, uma organização baseada nos princípios de crescimento pessoal, construção de comunidades e serviço ao planeta Terra. A *Dragon Dreaming* tem quatro processos principais, ou quadrantes de uma roda: sonhar, planejar, realizar e celebrar. Essa metodologia foi usada para criar fundamentalmente projetos que coloquem na mesa uma visão ganha-ganha, desenvolvidos de forma colaborativa, sustentável e com alto engajamento dos participantes.

Segundo John Croft, "*Dragon Dreaming* é um conjunto de ferramentas desenhadas para promover dinâmicas de ganha-ganha em substituição à cultura de ganha-perde em que estamos inseridos. É uma filosofia para a construção de projetos de sucesso em organizações, além de dicas e técnicas que podem ser adaptadas para projetos pessoais". Ela usa o melhor da inteligência coletiva e se difere de técnicas como *brainstorming* porque foi idealizada para que os envolvidos estejam de fato engajados em todas as etapas do projeto, afinal ele parte de um sonho coletivo. Como os Guerreiros fazem. Se queremos realizar de uma outra forma, precisamos de novas tecnologias sociais que facilitem processos participativos, colaborativos, como é o caso da Metodologia Elos, da *Dragon Dreaming* e de tantas hoje já disponíveis.

O sonho ou imaginação ativa é aquele espaço em que nós, seres humanos, somos ilimitados. Nos sonhos tudo é possível. E numa realidade tão dura como a que vemos ao nosso redor todos os dias, para que possamos dar o salto e cocriar uma nova forma de viver em sociedade, o ponto de partida deve ser o de uma tela em branco. É preciso sair de uma perspectiva que não nos limite, e, mais do que isso, que não se baseie na mente, no que podemos pensar apenas, pela lógica aceita até agora, pois esta é limitada por definição, já que se baseia naquilo que está posto, no que já conhecemos e no que somos, nosso repertório. Só que, se queremos uma saída diferente daquela prevista por pensadores e cientistas, devemos usar novas metodologias, tecnologias e inteligências. E precisamos partir de um sonho coletivo novo.

Por isso *Dragon Dreaming* ou qualquer outra metodologia de facilitação que seja baseada no sonho é, na minha visão, algo que faz muito sentido para este momento de mundo. Não à toa ela foi criada com base em três pilares que precisamos fortalecer para a cocriação de um mundo que gire em torno da vida. São eles: expansão do senso comunitário, crescimento pessoal e o que Croft chama de Serviço à Terra (consciência e minimização dos impactos negativos ao meio ambiente). E também não à toa ela começa com a etapa de sonhar. Como já destaquei, sonhar é o primeiro estágio de qualquer materialização e, quanto mais energia colocamos coletivamente nos nossos sonhos, mais essa egrégora é alimentada e mais vai atraindo outras pessoas que estão vibrando na mesma sintonia. Esse é o grande poder do sonho: ele cria uma nova possibilidade de matriz e atrai aqueles que querem e vibram nessa frequência. Afinal toda matéria é energia, e toda energia vibra em determinada frequência.

A teia transpessoal

A matriz à qual me refiro poderia ser chamada de inconsciente coletivo, segundo Carl Jung, conceito que afirma que num certo nível e de uma certa forma estamos todos ligados. Não só Jung, o pai da psicologia analítica, percebeu isso: a maior parte das cosmologias de povos originários tem na sua visão de mundo esse espaço no qual todos somos um, conectados a tudo o que há. Na cosmologia iorubá, por exemplo, estamos todos conectados pelo Ori, o centro de força que existe em cada um e que conversa com o todo. Estamos conectados nessa teia de vida e ela troca informações. É como o conceito de nuvem da computação, ali tudo que pensamos e sentimos fica armazenado numa nuvem que não vemos, mas que permeia e influencia a todos. Assim, quando jogamos um pensamento para a nuvem, para o Universo, ele adentra no campo do inconsciente coletivo e se torna disponível para que todos possam acessá-lo, podendo eventualmente criar um novo padrão.

Isso explica como algumas descobertas da humanidade acontecem em locais diferentes, mas com resultados semelhantes, sem que as pessoas que fizeram as descobertas similares jamais tivessem tido contato entre si. Isso remonta ao tempo das pirâmides, por exemplo. Civilizações isoladas, numa era muito anterior ao que temos hoje como tecnologia, criaram pirâmides de formatos e complexidades semelhantes, algo que até hoje nossa ciência não consegue explicar. Talvez porque, de alguma forma, incas, maias e egípcios tenham acionado a informação numa mesma nuvem, ou no que o biólogo inglês Rupert Sheldrake define como campo morfogenético. O campo morfogenético seria, segundo ele, essa dimensão em que informações e pensamentos se expandem e se tornam contagiosos; ou seja, quando uma coisa acontece em determinado lugar, ela acontece em diversos outros ao mesmo tempo, numa "ressonância mórfica", como ele define o fenômeno.

Como biólogo, Sheldrake recorre a um dos seus exemplos favoritos para explicar como isso ocorre. Ele conta que até pouco tempo substâncias como turanose e xilitol tinham a forma líquida, até que de repente começaram a cristalizar no mundo todo. "Químicos às vezes passam anos tentando gerar formas cristalinas de uma substância; e a partir do momento em que conseguem uma cristalização, o processo se torna fácil, como se a substância tivesse aprendido a se cristalizar", escreveu ele, citado por Charles Eisenstein em seu livro *O mundo mais bonito que nossos corações sabem ser possível*. Eisenstein vai além e defende que a ressonância mórfica explica como um padrão comportamental desenvolvido por uma pessoa pode impactar diretamente milhões de outras, mesmo que uma não tenha ficado sabendo conscientemente da outra. Eisenstein cita ainda o exemplo de como uma cura profunda vivenciada por um ser humano pode ajudar milhões de outros a se curarem. E aqui ele não se refere a curas físicas, mas a curas emocionais, como as relativas a um abuso sofrido. É como se o padrão de cura fosse disponibilizado a todos depois que uma pessoa o tivesse desbloqueado.

Esse é um exemplo da lente da ciência pós-moderna, aquela que não mais divide o todo das partes, e sim busca compreender o funcionamento do mundo através da lente das relações, não mais da separação. É como se estivéssemos entrando naquele momento de atualização do sistema operacional humano, por isso a ciência está revisando seus postulados, os neodarwinistas estudando a Teoria de Gaia. Está cada vez mais claro que essa lente da separação não serve mais. E, mais profundamente, começamos a repensar o objetivo da ciência e a aceitar suas limitações. Sim, não conseguimos e não conseguiremos provar muito do que desejamos com a lente antiga que também impactou a ciência, ou que talvez tenha sido justamente fomentada por ela, não importa. O que importa é que a era é outra. Estamos entrando na era de Aquário, que, ao contrário da de Peixes, que deixamos para trás e se baseava no individual, é a do coletivo. Dessa forma, a lente do mundo vai nos permitir ver as coisas a partir da visão holística, do todo, holográfica e coletiva. Para que consigamos materializar a Grande Virada, nossa lente para ver o mundo deve ser outra, e nossos sonhos, baseados na visão de um mundo com mais vida. Será cada vez mais comum ver cientistas como Antonio Nobre citarem o amor incondicional como a força motriz do funcionamento de Gaia. E isso é muito (r)evolucionário!

Assim como a ideia do abolicionismo se espalhou pelo mundo num período de tempo relativamente curto, novas ideias de regeneração também estão se espalhando neste momento. A egrégora, essa espécie de "entidade" criada a partir de pensamentos e emoções coletivas, desse campo mórfico está se fortalecendo. E de maneira invisível, mas extremamente poderosa, está influenciando a forma de viver de milhões de pessoas neste exato momento. Assim como a escravidão, outrora amplamente aceita e até negociada na bolsa de valores de Amsterdam, hoje é inadmissível, toda e qualquer forma de vida que não seja em harmonia real com a natureza em pouco tempo será também inadmissível. E teremos mais um salto de consciência que nos colocará num novo patamar, aquilo que podemos chamar de evolução. Só que agora não mais uma evolução parcial ou tecnológica, mas sim uma integral e integrativa, que parte da premissa de que vida gera vida e de que vivemos num sistema complexo e inteligente chamado Gaia.

Que tal um outro sonho?

Quando sonhamos coletivamente, criamos coletivamente uma outra história e colocamos nossa energia, nossa imaginação e nossas atitudes na direção de tornar real aquele sonho, fortalecendo assim o campo mórfico na direção da materialização desse sonho. Mas o que temos alimentado por aí como futuro possível da humanidade é um futuro aterrorizante. As previsões das Nações Unidas e da comunidade científica internacional do caos não podem ser a única saída para a raça humana. Nós podemos mais e somos bem melhores do que isso.

E para tanto talvez tenhamos que sair dos futuros possíveis para os desejáveis, como coloca Lala Deheinzelin em seu livro e também movimento, que desde 2008 incentiva e dissemina a criação de futuros desejáveis mundo afora.[17] Se restringirmos nosso potencial imagi-

---

17 O livro se chama *Desejável mundo novo*, e o movimento, Crie Futuros.

nativo ao que vemos como previsões, só vamos colocar mais energia em realizar o que de fato não é melhor para nós e para os outros seres que habitam este planeta conosco, já que elas são as piores possíveis, pois se baseiam num modelo de mundo que existe hoje. Que tal deixarmos de lado o que vemos na mídia, o que lemos nas pesquisas, como restrição? Que tal olharmos para isso para sabermos o que não queremos, e a partir daí irmos além? Não queremos um mundo consertado, queremos o melhor mundo. O futuro não aconteceu ainda, e ele começa com o que fazemos hoje. E o que fazemos hoje é resultado do que imaginamos ontem.

Aqui eu torno a citar Yuval Harari, que em seu livro *21 lições para o século 21* retrata suas preocupações sobre nosso futuro. De fato, elas são muito bem fundamentadas no estudo de projeções baseadas em modelos que seguem o curso da humanidade como ela se desenha. Mas nesse curso podemos ter surpresas positivas. Lala cita em seu livro um exemplo interessante: segundo ela, às vezes gastamos tempo demais prevendo formas de solucionar problemas que com o passar do tempo não existirão mais. Ela conta que em Londres, no final do século XIX, quando o meio de transporte principal eram charretes e cavalos, urbanistas quebravam a cabeça para desenvolver fraldas para eles, já que as ruas estavam infestadas de bosta, e com a cidade crescendo imaginavam que teriam um problemão, com mais e mais cavalos circulando. O que não imaginavam é que trinta anos depois os carros surgiriam, e em pouco tempo a maior parte dos cavalos teria sido substituída por essas máquinas. Ou seja, nem sempre aquilo que parece ser o único futuro possível de fato o é. E por isso não posso dar como certo o futuro desenhado por Yuval. Não posso colocar a minha energia no campo mórfico para materializar no futuro o homem como o ser que será dominado por máquinas e computadores, mesmo que com essa narrativa ele tenha vendido mais alguns milhões de livros. Será que queremos tanto acreditar num mundo em que somos dominados, em que essa cultura continua a imperar, ou será que faltam outras histórias para nos inspirarmos? Acho que estão faltando boas histórias, ou talvez elas não estejam chegando na grande mídia, viciada em narrativas de medo, ódio e separação, pois são as que vendem, e elas vendem porque só conseguimos pensar assim ou só con-

137 HOMO INTEGRALIS

seguimos pensar assim porque fomos doutrinados há alguns séculos a pensar assim?

Prefiro ficar com a segunda hipótese e convidar você a começar a observar o que o tem alimentado emocionalmente e nos seus pensamentos. Você tem reproduzido histórias de ódio e separação ou histórias de parceria e amor? Você tem contado para os amigos sobre o assalto que ficou sabendo que aconteceu ou sobre aquele amigo que criou um projeto superbacana para reflorestar seu bairro e cuidar dos jardins? Você tem cancelado pessoas ou proposto diálogos construtivos? O que nós reproduzimos ajuda a criar o tal do imaginário coletivo, o campo mórfico, e assim direciona nossas ações. Indo além, aquilo que pensamos e sentimos atrai mais daquilo que pensamos e sentimos, e, mesmo que pareça difícil de entender, assim é. Para os céticos de plantão, até a física quântica já comprovou. E, só pelo prazer que podemos ter, que tal começarmos a criar nosso caderno do sonho coletivo?

A *Dragon Dreaming*, por exemplo, já tirou do papel milhares de projetos baseados no tripé tão fundamental para a criação de uma nova cultura, pois mudou a pergunta geradora e colocou na equação aquilo que o capitalismo esqueceu: isso vai ser bom para todos? Inclusive para o planeta e seus ecossistemas? Será que isso gera mais ou menos vida?

O Guerreiros Sem Armas já impactou mais de novecentas comunidades, mudando suas perspectivas. Talvez você ainda não conheça mais projetos como esses porque eles ainda não são o lugar-comum, mas não é porque você não conhece que a revolução não esteja acontecendo. E assim começamos a trocar os pesadelos que nos contaram até agora por sonhos com finais felizes. Pela imaginação do MELHOR mundo, não mais de um mundo mais bem consertado. E se a realidade começa no sonho...

A REVOLUÇÃO DOS BALDINHOS

Era uma vez uma comunidade carente, mais popularmente conhecida como favela. Essa comunidade era desprovida de quase todos os serviços básicos presentes em bairros de luxo, ou de classe média mesmo, como saneamento básico, água potável e um serviço de gestão de resíduos, leia-se aquele bom e velho sistema de coleta do lixo. Por isso a maioria dos moradores criava suas formas de destinar o lixo e ia amontoando a céu aberto o que não tinha mais uso. Eis que essa comunidade foi infestada por ratos e duas pessoas morreram por terem contraído leptospirose. Até aí parece mais uma história que acontece nas centenas de favelas e comunidades pobres Brasil afora. Só que o caso da comunidade de Monte Cristo, em Florianópolis, tem um desfecho diferente – e inspirador. Diante do problema, os moradores conversaram com um médico que atendia a comunidade, que explicou que não bastava matar os ratos, a infestação só terminaria se a fonte de comida deles acabasse. Ou seja, algo teria que ser feito em relação àquele lixo todo espalhado a céu aberto, que era um banquete para os roedores. E a ideia veio como uma revolução, já que cuidou muito mais do que só do gerenciamento dos resíduos orgânicos. Batizada de Revolução dos Baldinhos, a solução nasceu do desenvolvimento, pelos moradores, de um sistema de coleta e compostagem dos resíduos orgânicos, capitaneado pelo engenheiro agrônomo Marcos José de Abreu, o Marquito. Com a ajuda da ONG Cepagro, eles desenvolveram um método de armazenamento dos resíduos orgânicos das famílias em baldes tampados, que eram coletados manualmente, num carrinho de ferro, e levados a um local onde a mágica – a compostagem – acontecia.

O desafio inicial, como em todos os projetos que envolvem pessoas, é justamente convencê-las a fazer algo diferente do que já costumam fazer, e por isso a revolução foi rolando aos poucos. Para isso, duas moradoras da comunidade toparam o desafio de conversar com as pessoas na casa de cada uma e explicar os benefícios da coleta seletiva. No começo eram cinco famílias. Hoje, mais de dez anos depois, são centenas delas que depositam seus resíduos nos mais de 38 pontos de coleta espalhados pelo bairro de Chico Mendes. Estima-se que a compostagem já tenha tratado mais de 1.200 toneladas de resíduos orgânicos e contribuiu para a produção de alimentos saudáveis, beneficiando as mais de 1.600 pessoas envolvidas diretamente no projeto, que ganhou diversos prêmios, entre eles o "Outstanding Practices in Agroecology 2019", organizado pelo World Future Council (WFC), que premiou quinze iniciativas no mundo. Isso porque, além de coletar o resíduo e fazer a compostagem, é feito o plantio de ervas e hortaliças no quintal da sede, que são em parte comercializadas para bancar os custos operacionais. O restante é distribuído entre os participantes.

Só que esse é um projeto que vai muito além de apenas uma solução de gestão de resíduos e melhoria das condições de saúde pública. Ele exemplifica como a criatividade e a união de uma comunidade podem regenerar muito mais que somente a saúde ou uma infestação de ratos. Marquito diz que "A revolução não foi resultado de nenhuma mente brilhante, mas de um esforço que reuniu muita gente e contou com o conhecimento de cada um".

A revolução resgatou ainda a relação de muitos com a terra, como é o caso de Isaura Carmelina Loss, uma senhora na casa dos setenta anos, que vive lá há trinta. Ela foi uma das entusiastas, que viu a diferença de limpeza no seu entorno e convenceu as vizinhas a separarem também seus resíduos. Hoje, com o adubo que recebe da compostagem do que antes era lixo, ela voltou a plantar, hábito que havia perdido quando deixou o interior do Rio Grande do Sul. "Gosto da natureza. Agora tenho plantas em casa."

E não para por aí: a tecnologia social da Revolução dos Baldinhos está sendo usada como política pública em alguns conjuntos habitacionais do Minha Casa Minha Vida em São Paulo.

O que mais me toca nesse projeto, no entanto, é o senso de comunidade unida, capaz de, pelos próprios meios, se regenerar. Como disse a coordenadora do projeto, Cintia Aldaci, ao site Believe Earth, a Revolução também aumentou a autoestima dos moradores: "As pessoas começam a perceber que têm força, que são empoderadas, que é possível fazer alguma coisa".[18]

---

18 "A Revolução dos Baldinhos". Disponível em: <https://bit.ly/M1LBaldinho>.

JUNTOS SOMOS IMBATÍVEIS

As máquinas pararam, e numa grande pausa coletiva alguns de nós temos tempo e espaço para pensar o que queremos daqui para a frente. Mesmo para quem não pôde parar, algo mudou, ou muito mudou. Está mudando, eu diria, pois escrevo este livro sem que a pandemia tenha acabado.

Para muitos, foi/está sendo um tempo difícil. Para a sociedade planetária, uma crise. Mas, como a palavra define, uma oportunidade, já que em sua etimologia crise se refere à capacidade de discernir escolhas num cenário de profundas mudanças. Eu poderia citar as péssimas escolhas feitas até aqui, realizadas com nosso olhar ainda viciado na *farinha pouca, meu pirão primeiro*, mas também vi uma onda de novos comportamentos surgir em meio a isso tudo. Como já mencionei antes, muitos redescobriram os conceitos de solidariedade e cooperação. Passamos a valorizar, mesmo que temporariamente, aquilo que não valorizávamos antes, como o prazer de caminhar num bosque, ver o pôr do sol, dar um mergulho no mar, estar na natureza, de tão imersos que estávamos no meio de tanta informação, de tanta mensagem direta ou subliminar de compre batom, compre batom, seu filho merece batom! E biscoito, e roupas, e iPads, e viagens, e produtos de beleza, e a fórmula da juventude eterna, e o carro que traz aventura para sua vida, e o último modelo de celular com cinco câmeras frontais para você fazer aquelas fotos lindas que vai tirar e nunca vai revelar e, com grande probabilidade, nem mais olhar. Sim, houve um aumento de consumo de algumas coisas, e vimos imagens tristes de filas na porta de lojas como a Zara quando alguns países abriram o comércio pós-quarentena. Compreensível até, já que, num mundo de consumptors, justamente o ato de consumir é o que me torna quem sou. E, num momento de tanta mudança e tantas incertezas, o que as pessoas mais desejam é se agarrar a alguma sensação de estabilidade, de pertencimento, se lembrar, mesmo que por instantes, do que era a vida pré-corona. No entanto, a pausa fez muitos repensarem valores, e, ouso dizer, redescobrimos o coletivo. E a importância dele.

Mas e se eu contar que, mais que a importância do coletivo para atravessar tempos desafiadores, é justamente dele que vai nascer a nova forma de viver na Terra? Nunca antes tivemos tanto poder, e nunca antes foi tão fácil usar esse poder.

O novo coronavírus jogou luz sobre muitas sombras de nós mesmos e do nosso sistema, tirou de debaixo do tapete aquela sujeira que não cabia mais ali. E agora vem a pergunta que não quer calar:

Que nova realidade queremos desenhar? E como fazemos isso?

O ser humano é, por natureza, um ser coletivo. Vivemos em coletivos organizados. E nessa coletividade, ao longo da história, fomos criando abismos de diferenças. De renda, de formas de viver, de acesso, de educação. Ao mesmo tempo que era necessário controlar o contingente cada vez maior de pessoas. Religião, Estados, empresas. Todos baseados numa fórmula daquilo a que vou me referir como o velho poder. Aquele centralizado num indivíduo, na figura de um indivíduo, ou na figura de uma instituição. Poder centralizado e de cima para baixo. Poder para controle social. Estruturas oriundas de um mesmo modelo mental da separação que gerou tantas outras mazelas ao longo dos séculos. Na contramão, grandes líderes, ao longo da história, mobilizaram multidões. Costumo falar que Gandhi era um indivíduo. Luther King idem. Hitler também – este não foi muito na contramão, mas, ah, como mobilizou. Os movimentos que eles coordenaram, influenciaram ou motivaram, porém, se tornaram poderosos graças à massa de seguidores, para usar um termo atual, que esses líderes conseguiram mobilizar. O poder está no coletivo! Se Luther King não tivesse conseguido reunir em seu discurso emblemático 250 mil pessoas aos pés do Lincoln Memorial, talvez os avanços nos direitos civis estadunidenses não teriam acontecido. Sim, por isso é que muitas das instituições como as conhecemos criam mecanismos para manter o poder como ele está hoje, e da forma como ele está. Para que as pessoas não entendam esse poder que reside quando indivíduos indignados se mobilizam. Isso muda tudo!

Se contextualizarmos nosso momento histórico, temos de um lado, mundo afora, instituições governamentais corruptas e siste-

146 FE CORTEZ

mas políticos ruindo, temos megacorporações globalizadas querendo manter o *business as usual* – em inglês mesmo, porque é principalmente dos Estados Unidos que vem essa visão de *fazer negócios como sempre fizemos*, ou reproduzir formatos ganha-perde –, que equivale a se perpetuarem no poder eternamente, e pessoas buscando se identificar com algo que faça sentido nas suas vidas, mesmo que isso signifique, na era consumptor, comprar. E por essa necessidade de termos identificação com algo que nos pareça real vimos nos últimos anos uma crescente absurda dos chamados influenciadores digitais.

Alguns influenciam mais do mesmo, mais consumismo, mais escravidão de tendências e mitos da beleza, mais corpos "perfeitos" inatingíveis para a maioria da população. E alguns de fato influenciam com mudanças que vão além do pessoal, para o que podemos chamar de transpessoal, ou de coletivo. São ativistas, na sua maioria, que hoje usam as mesmas redes sociais que ajudam a nos manter consumptors para disseminarem comportamentos como questionar a opressão patriarcal e capitalista, deixar de consumir aquilo de que não precisamos, parar para refletir sobre a lógica, destrutiva, do sistema. E muito mais do que isso.

Mas o ponto aqui é que nunca antes estivemos tão conectados como hoje. A internet e a tecnologia criaram uma forma de unir pessoas como nunca houve na história da humanidade. Isso traz ainda muitas coisas ruins, como a polarização, a alienação de tanta gente, *fake news* que definem até eleições. Contudo é apenas uma tecnologia, a forma como usamos depende da nossa lente, dos nossos valores, da nossa ética. Nós, em evolução, estamos começando a perceber o poder que há ali. A decisão de usar para o bem ou para o mal está nas nossas mãos. Mas uma coisa não podemos negar: ela facilitou bastante a circulação de informação, deu voz a quem estava antes fora da mídia e possibilita que a sociedade civil se organize de maneiras nunca antes vistas. E isso vem *de* encontro à forma como as instituições criaram seus *modus operandi*, justamente para manter as pessoas afastadas das tomadas de decisão. Como um choque, temos agora de um lado o velho poder se agarrando às colinas estruturantes para não perder seu lugar e de outro multidões fluidas, se organizando voluntária e coletivamente para meter a colher no angu de geral. Afinal, o que está em jogo é a vida do coletivo, que cada vez mais desperta para essa percepção de que, diferentemente do que acontece na monarquia, devemos, sim, participar. E a nossa participação muda tudo.

O coletivo junto cria até leis

No Menos 1 Lixo temos um exemplo bem emblemático de como a rede unida é poderosa. Desde sua fundação, o movimento nasceu para, entre outras coisas, relembrar às pessoas que fazemos escolhas todos os dias e que nelas reside um grande poder. Bem como uma enorme responsabilidade, já que o que eu faço aqui afeta o planeta inteiro. Nós existimos para devolver para os cidadãos seu bastão de poder através da informação, para que mais pessoas parem. Repensem. Possam fazer melhores escolhas. E nossa base é grande, somos hoje o movimento referência em divulgação e promoção de práticas sustentáveis e educação ambiental, com um dos maiores engajamentos no Brasil.

E foi isso que aconteceu em 2018. O Menos 1 Lixo conseguiu mobilizar milhares de assinaturas para, junto com a plataforma Meu Rio, pressionar o então prefeito da cidade do Rio de Janeiro, Marcelo Crivella, a sancionar a Lei do Canudo, como ficou conhecida. Uma lei aprovada para proibir na cidade a venda e a comercialização de canudos de plástico, que não são biodegradáveis. Em tempo recorde. Em um mês, a lei havia sido votada e sancionada. O Meu Rio é um excelente exemplo de como pessoas mobilizadas mudam cidades. Ele faz parte da Nossas, uma rede de ativismo que defende a democracia e faz pressão pública por um país mais justo e solidário, que em todas as cidades em que está presente acompanha o que está para ser votado e faz pressão no legislativo, organiza a sociedade civil para assinar petições, se mobilizar, e assim consegue importantes vitórias que beneficiam o todo. Olha só que maravilha, fazer com que aqueles eleitos para legislarem pelo bem-estar das comunidades de fato o façam.

A Lei do Canudo é uma vitória muito significativa para a tal teia da vida. Isso porque canudos e guimbas de cigarro são os itens mais

148 FE CORTEZ

encontrados, em números absolutos, nas limpezas de praia mundo afora, e por conta disso a fundação americana Lonely Whale havia lançado uma campanha internacional, em parceria com a ONU Meio Ambiente, chamada *Stop Sucking* (em tradução livre, Pare de chupar, ou de encher o saco, já que a expressão significa as duas coisas em inglês), com esportistas e atores americanos bem conhecidos, como Adrien Grenier, usando o poder de sua imagem e influência para mobilizar a população a parar de usar os canudinhos. Sabemos que eles não são o principal vilão em volume nem em quantidade distribuída por hora no mundo – as sacolinhas ainda ganham, numa taxa de 1 milhão por minuto. Mas eles são muito usados, eram até então, e seriam um bom gancho para começar a chamar atenção para o assunto do plástico descartável. Ainda mais depois do famoso vídeo de uma tartaruga sofrendo enquanto uma equipe de resgate retirava de seu nariz sangrando um fatídico canudinho. Eis que, numa feliz sincronicidade do destino, capitaneamos, junto com o ator e ativista Sérgio Marone, uma versão da campanha *Stop Sucking* que viralizou. Nela, celebridades brasileiras como Mateus Solano, Fernanda Paes Leme, Maitê Proença e outras pediam para a população Parar de Chupar. Logo depois a plataforma Meu Rio entrou em contato e conseguimos mobilizar tanta gente que o prefeito assinou o veto. E não parou por aí: encerramos 2020 com pelo menos onze estados e o Distrito Federal com proibição similar e um movimento gigante de conscientização sobre o plástico em curso no país. Isso é o novo poder. Aquele que usa influência e redes sociais para promover novas formas de viver em sociedade. Tenho muito orgulho do papel fundamental do Menos 1 Lixo em divulgar e mobilizar cidadãos para essa aprovação no Rio de Janeiro. E de termos sido convidados pela administração da ilha de Fernando de Noronha a criar uma campanha de educação para implementar o decreto Noronha Plástico Zero, promulgado em abril de 2019, que proíbe a venda, a distribuição, o uso e a comercialização de vários "inhos", como costumo brincar, e que implementamos em parceria com a Iônica (agência de inovação socioecológica para organizações): se termina com inho, é de plástico e é descartável, diga NÃO. Como copinho, talherzinho, saquinho, canudinho, agora proibidos na ilha.

149 *HOMO INTEGRALIS*

Essa é uma história que gosto muito de contar para mostrar o poder do coletivo. Porque quem se beneficia com canudos de plástico é apenas uma meia dúzia de produtores de canudos, já que até para os produtores da matéria-prima eles representam uma parcela muito pequena do faturamento. Canudo de plástico é o item mais achado em limpezas de praias pelo mundo. E existem substitutos ótimos, como os de papel ou até a nossa boca, não é mesmo? Essa é uma história sobre esse novo poder que estamos começando a entender agora, cada vez mais com as redes sociais, que, se bem usadas, podem de fato causar uma grande evolução no sistema. Mas é também uma história sobre uma nova ética que estamos vendo aflorar, aquela que tira o ser humano e seu conforto ou necessidade imediata do centro e começa a colocar a teia da vida no seu lugar, uma história sobre a interdependência e sobre o *Homo integralis*. É o que alguns chamam de transição do *ego* para o *eco*. É muito mais bonito, mais efetivo e mais esperto.

Mas você não precisa ser famosa(o) para influenciar

E vou além, porque existem milhares de exemplos de outras pessoas que, sensibilizadas por Gaia e seus seres, por suas dores, por aquilo que faz seu coração apertar, conseguiram mobilizar comunidades e até países a criarem juntos uma outra narrativa e uma outra história. Uma dessas pessoas inspiradoras é um indiano responsável por aquela que é considerada pela ONU a maior limpeza de praia do mundo. Ela acontece na Índia – um dos países mais sujos do planeta, onde a gestão de resíduos não dá conta da população e da mudança de hábitos de consumo que acometeram os consumptors nas últimas décadas.

Pois bem, lá vive Afroz Shah, um advogado que cresceu em frente à praia de Versova, em Mumbai. Quando pequeno ele nadava naquela praia, caminhava nas suas areias e desfrutava em harmonia daquele ecossistema. Com o passar do tempo, ela foi simplesmente transformada no que podemos chamar de um grande lixão a céu aberto. A praia estava literalmente coberta de lixo, tanto lixo que não dava mais para ver a areia. Um dia, olhando da sua janela, esse homem, apesar de ser advogado e normalmente decidir assuntos em tribunais, levantou a bunda do sofá literalmente, desceu na praia e começou a limpá-la. Com seu vizinho, Harbansh Mathur, de 84 anos, tirou um saco, dois, três, vários sacos de lixo. Fez isso um primeiro fim de semana, depois dois, três. Até o oitavo, ninguém havia aparecido. No nono, dois homens perguntaram se podiam se juntar a ele. Nesse momento, ele conta que soube que teria sucesso. Na data em que escrevo estas linhas, já se passaram mais de 225 finais de semana. Hoje a praia está completamente limpa, tão limpa que voltou a ser berçário de tartarugas. E ele segue limpando. A praia e a comunidade que fica do lado.

Afroz Shah é um exemplo desse novo poder. Do poder de um indivíduo sensibilizado que engajou milhares de pessoas, mais de 70 mil adultos e 60 mil crianças, a limparem a praia e a cidade com ele. Tive a oportunidade de assistir a uma fala sua emocionante, na abertura do Ocean Summit da ONU em San Diego em 2017. Para ele, cada final de semana limpando a praia é um encontro de amor com o oceano (*date with the ocean*, em inglês). Na ocasião, Shah afirmou que, apesar de as leis existirem, a sujeira estava lá. Contou que poderia ter ido para os tribunais, mas, exatamente por ser advogado, sabia que aquilo não resultaria em quase nada. Por isso levantou a bunda e foi ele mesmo fazer. Ele hoje é ativista ambiental. Talvez sempre tivesse sido e uma hora despertou. Quando o entrevistei para minha série Mares Limpos (assista lá no YouTube,[19] que tem ele e mais um monte de gente superinteressante que já está fazendo diferente), perguntei: Por que você faz isso? E ele me respondeu: Por amor. Não tem poder maior que o amor.

Eu poderia citar aqui Greta Thunberg, a menina sueca responsável por um dos discursos mais sinceros e acalorados da história do Fórum Econômico Mundial em Davos, onde ela se dirigiu assim para os líderes mundiais:

> Como vocês ousam? Pessoas estão morrendo. Estamos à beira de uma extinção em massa e tudo o que vocês fazem é falar sobre dinheiro e contos de fadas de crescimento econômico eterno? Como ousam?... Vocês dizem que entendem a situação. Mas eu me recuso a acreditar. Porque, se vocês entendessem e mesmo assim falham

---

19 Disponível em: <https://bit.ly/M1LMaresLimpos10>.

ao agir, então vocês seriam pessoas más. E nisso eu me recuso a acreditar. Vocês roubaram meus sonhos e minha infância. Vocês estão falhando com a gente. As pessoas jovens estão começando a ver sua traição. Aqui e agora é onde desenhamos a linha (abaixo da qual devemos ficar em emissões de CO_2). O mundo está acordando, e a mudança está vindo, gostem ou não.

Greta é considerada um ícone no ativismo ambiental, mas, de novo, ela não está sozinha – apesar de ter começado assim, matando aula para protestar diante do parlamento e de seu país todas as sextas-feiras. Ela já sabia que os prognósticos eram os piores possíveis, e, como jovem, tinha consciência de que as decisões tomadas hoje afetam diretamente seu futuro. Ou a falta dele. Assim nasceu o Fridays for Future (Sextas para o Futuro), movimento que ganhou o mundo e inverteu a ordem do ativismo: agora são crianças que estão nas ruas exigindo mudanças nas políticas de combate às emergências climáticas. Já está acontecendo! Já é real. E já obteve mais do que apenas espaço na mídia ou tuítes aborrecidos e debochados de Donald Trump. Conseguiu influenciar a votação em representantes do Partido Verde na Europa.

Posso ainda citar o Marquito, responsável pela coordenação da Revolução dos Baldinhos, ou o Guerreiros Sem Armas. Por trás de uma grande mobilização, normalmente existe uma pessoa que teve a ideia ou um pequeno grupo-chave de onde ela surgiu. Sempre foi assim. Mas a diferença agora é que com as redes sociais ficou mais fácil achar quem pensa como você e com isso mobilizar grandes grupos em prol do coletivo.

Sua carteira, o novo voto

A Colgate lançou em 2019 uma escova de dentes de bambu, com embalagem de papel reciclado. Também em 2019, a Unilever, uma das três maiores empresas de bens de consumo do mundo, colocou no mercado uma marca de produtos de beleza veganos, como xampus, condicionadores e hidratantes, e ainda embalados em plástico, mas pelo menos ele era 100% reciclado pós-consumo. (Em 2018, segundo um relatório da ONG WWF, reciclamos no Brasil apenas 1,28% do plástico consumido. Plástico reciclado pós-consumo é aquele reciclado após o uso, após o produto ter virado resíduo e ter ido para a coleta seletiva. Porque, sim, o plástico reciclado pode ser reciclado a partir de restos da indústria, assim ele é reciclado sem ter sido de fato usado pelos consumidores.)[20] A mesma Unilever comprou recentemente no Brasil a Mãe Terra, uma empresa B de snacks orgânicos, após ter adquirido uma outra empresa B, a Ben & Jerry's (certificada fora do Brasil). Esse é um movimento que reflete a adaptação das grandes empresas a uma nova lógica de produção e consumo. Empresas B, com a certificação do chamado Sistema B, são aquelas que visam um modelo de negócio baseado no desenvolvimento social e ambiental, equilibrando lucro, propósito e impacto social, atentas ao modo como suas decisões impactam seus colaboradores, clientes, fornecedores, comunidade e meio ambiente. São empresas, como na definição do sistema, que não querem ser as melhores DO mundo, e sim as melhores PARA o mundo. Organizações que usam o poder dos negócios para enfrentar os maiores desafios da sociedade.

Empresas com a certificação do Sistema B, como o Menos 1 Lixo e as citadas acima, são empresas que têm uma lógica de funcionamento diferente. Elas não se preocupam apenas com o lucro, e sim com todos os *stakeholders* envolvidos na cadeia. Para obter a pontuação necessária para a certificação, uma série de critérios é levada em consideração. Mudar gigantes como Unilever é uma tarefa complexa, mas o fato de essas organizações estarem comprando empresas B mostra que elas já perceberam que a transição para modelos verdadeiramente sustentáveis é inevitável. E que ter dentro de casa modelos de cultura organizacional disruptivos é uma forma de provocar a transformação cultural tão necessária para essa transição.

E ela se confirma por outros dados. Em 2017, o selo Fairtrade bateu um recorde, movimentando mais de US$9 bilhões. Isso representou um crescimento de 8% em relação a 2016 na venda de produtos certificados atestando o comércio justo. Esse dinheiro foi pago diretamente a mais de 1,6 milhão de agricultores e trabalhadores em 75

---

20 Dados disponíveis em: <https://bit.ly/M1LRanking>.

países, que vendem o que produzem por um valor mais alto que o de mercado e assim conseguem uma renda mais justa. Mas não é só isso. Esses produtos também contribuem para mitigar efeitos de mudanças climáticas, trazer maior igualdade de gênero para as lavouras, distribuição de renda e inclusão de trabalhadores jovens, numa idade em que o índice de desemprego aumenta no mundo. O Fairtrade trabalha em conjunto com governos para contribuir para atingir os Objetivos de Desenvolvimento Sustentável da ONU. E, sim, eles são mais caros.

Apesar disso, nesse mesmo ano em que as vendas do cacau certificado cresceram 33%, as de banana 51% e as de café 24,5%, o mercado geral viu uma queda de um dólar no preço da libra de café pela primeira vez em doze anos.

Em 2019, a Coca-Cola relançou sua embalagem retornável em todo o mundo. Pela primeira vez no Brasil, a campanha de lançamento que tinha por foco engajar o consumidor em retornar aos pontos de venda com as embalagens compradas teve um orçamento maior do que a campanha de Natal. Apesar de a garrafa PET ter um número máximo de vezes que pode ser reutilizada e reciclada, e do fato de reciclarmos apenas cerca de 50% das embalagens PET no país, essa alternativa que pretende gerar menos resíduos é muito emblemática para uma empresa que mudou a cor do Papai Noel no mundo! Desde então, a Coca-Cola afirma que parte do bônus dos gestores está agora atrelada à redução do lixo gerado. De acordo com pesquisas do movimento *Break Free From Plastic*, a empresa foi a maior poluidora de lixo plástico do mundo pelo segundo ano consecutivo em 2019. Segundo a publicação *Atlas do Plástico*, produzida pela Fundação Heinrich Böll, em 2020 foram 88 trilhões de garrafas PET cuspidas pela empresa no planeta. Parece que sua água, suja, está batendo na bunda, já que na Inglaterra eles foram ainda mais ousados e fizeram uma campanha de pontos de ônibus com seguinte frase: *Não compre Coca-Cola se você não for nos ajudar a reciclar depois.*[21]

O que está por trás do crescimento do mercado de orgânicos, do aumento do número e do faturamento de empresas B, da compra dessas empresas pelas gigantes dos bens de consumo como a Unilever, do

---

21 A imagem da campanha está disponível em: <https://bit.ly/2Xytgpt>.

recorde batido nos produtos certificados Fairtrade e no relançamento da embalagem da Coca-Cola retornável? As nossas escolhas de consumo! A clareza de que se não mudarem não haverá mais mercado para poluidoras, para modelos de negócio ganha-perde, para o tal *business as usual*. Até porque esses movimentos aconteceram antes de a agenda ESG – sigla do inglês para Environmental, Social and Governance, ou Ambiental, Social e Governança – ganhar força na discussão mundial e no mercado financeiro.

O poder da carteira

Costumo dizer que hoje a nossa atuação política no mundo tem muitas vezes mais relevância no uso da nossa carteira do que na escolha dos representantes que nos governam. E é bem fácil ver essa relação:

Se pegarmos o recorte do Brasil, o voto é mandatório. Mas a educação política é quase nula. Não somos ensinados sobre isso na escola, não discutimos sobre isso tanto quanto deveríamos (sem polarização ou discursos de ódio e sim com propostas), e em alguns lugares, como o Rio de Janeiro, o que se vê é a milícia controlando votações e elegendo representantes nas Câmaras. Votamos num político, provavelmente homem, provavelmente mais velho – porque, sim, homens ainda ocupam a maioria absoluta dos cargos nos três poderes –, sem saber direito o que ele faz e o que fez, porque recebemos o santinho, porque ele falou três segundos na tevê, porque um amigo disse que ele é bacana. Ou por conta das *fake news*, que, dizem, elegeram até presidentes, que coisa, né? Ou porque ele foi na nossa comunidade e prometeu ser um novo tipo de super-herói e resolver todos os problemas dessa comunidade num mandato de quatro anos, não disse muito bem como, mas disse que ia fazer! E nós acreditamos, afinal a esperança é a última que morre, e temos que dar um voto de confiança para a pessoa. Aí, nós votamos nesse sujeito. Temos que votar em alguém mesmo, porque no Brasil o voto ainda é obrigatório e temos que eleger alguém. Muitas vezes em troca de uma cesta básica ou dentadura. Ou pior, pela promessa do messias salvador.

Aí esse homem se senta no poder e aparentemente esquece por que está lá. Ou melhor, esquece que seus chefes somos nós, o povo, que o elegeu, que paga com os seus impostos o salário dessa pessoa e do seu séquito de assessores. Só se lembra de quem financiou sua campanha. No caso do Senado, provavelmente financiadores da bancada BBB – como é conhecido o conjunto de parlamentares que fazem parte das bancadas ruralista (boi), evangélica (bíblia) e armamentista (bala). E dessa forma homens eleitos para defender e representar a população acabam defendendo e representando esses três grupos. Claro que tem uma minoria de políticos que entram no poder de fato para fazer alguma mudança e defender aqueles que os elegeram, mas digamos que eles ainda são, assim, exceção à regra.

Se pegamos o recorte internacional, em países onde as pessoas não são obrigadas a votar a participação na eleição de representantes vem caindo vertiginosamente. No TED sobre a nossa responsabilidade de cuidar das nossas cidades, a ativista e idealizadora da plataforma Meu Rio, Alessandra Ourofino, apresenta os dados dessa tendência. Depois de um pico nas votações nos anos 1980, o engajamento político vem sofrendo uma grande queda. Na França, as eleições municipais de 2014 bateram um recorde de abstenção de 40% da população. Nos Estados Unidos, em algumas cidades a abstenção nas votações municipais em 2014 chegou a alarmantes 95%. Não, você não leu errado: para deixar mais claro, a cidade de Los Angeles, cuja população está na casa dos 4 milhões, elegeu seu prefeito com pouco mais de 200 mil votos, o que classificou as eleições daquele ano como o recorde de abstenção dos últimos cem anos. Ainda em 2014, Nova York apresentou comparecimento de apenas 32,5% de eleitores nas urnas. Isso mostra quanto as pessoas estão descrentes do resultado efetivo de sua participação eleitoral.

Por outro lado, o *Homo consumptor* consome o dia inteiro, e esse consumo movimenta a economia e faz a roda do capitalismo girar. E, com ela, a roda da política e do poder. Hoje são tantas as possibilidades de consumo que nosso precioso dinheiro é disputadíssimo entre as gigantes multinacionais, as médias, as pequenas ou qualquer tipo de empresas que vendem bens ou serviços. E, como a disputa é árdua, o consumidor é rei. É ele – na verdade *ela*, já que mais de 80% das decisões de compra no Brasil, por exemplo, são tomadas por mulheres – que decide quais empresas vão prosperar e quais empresas vão falir. Que tipo de produção é aceitável e que tipo é condenável. Todas essas evoluções e mudanças nas indústrias citadas são resultado do uso, consciente ou não, do poder da carteira. Somos vistos pelos olhos do capitalismo como consumidores, e mesmo num mundo em transição ainda somos *Homo consumptor*. São essas megacorporações, ou nem tão mega assim, que influenciam os governos a tomarem certas decisões, aprovarem certas leis ou criarem regras junto aos órgãos de vigilância sanitária para, por exemplo, tornar o mundo um grande depósito de sachês individuais pós-consumo, aqueles de sal, ketchup, azeite, pimenta, açúcar e mais uma infinidade de produtos. Parece que aquele açucareiro antigo que ainda vemos em filmes vintage é mortal, mas não tanto quanto os agrotóxicos no Brasil. Curioso que o governo federal e a Agência Nacional de Vigilância Sanitária (Anvisa) tenham liberado, em dois anos de governo do presidente Jair Bolsonaro, 967 novos agrotóxicos no Brasil, dos quais 251 substâncias foram consideradas altamente perigosas e tóxicas para o meio ambiente. Mais curioso é que, com esse infeliz recorde de liberação em dez anos, a Anvisa ainda exija que aquilo que antigamente ficava na mesa de restaurantes e bares – saleiro, pimenteira, galheteiro – seja substituído por embalagens individuais, de plástico, com uma taxa de reciclagem zero. Faz bastante sentido! Para as indústrias do plástico, do veneno e dos alimentos, que fizeram esse combo e espertamente aumentaram em bilhões seus faturamentos.

O novo voto

Mas, quando nós, esses mesmos consumptors, resolvemos usar nosso poder do voto, ops, carteira, para mudar o mercado, a mudança acontece. E todos os exemplos citados acima mostram claramente isso. A Unilever percebeu que o mercado vegano e de cosméticos naturais no mundo estava em franco crescimento e, claro, ela não queria ficar fora dessa. Viu que provavelmente seu carro-chefe no segmento de cabelos ia perder alguns pontos no *share* de mercado (esse é talvez o termo mais usado depois de lucro dentro das grandes empresas e significa o tamanho do bolo que cada uma tem num determinado segmento, é o percentual daquele mercado que aquele produto ou marca detém). Aí decidiu lançar uma marca vegana, sem testes em animais, com a maioria dos componentes vinda de fontes naturais e em embalagens de plástico reciclado pós-consumo. Foi um tudão daquilo que as consumidoras pareciam estar buscando e já achando em marcas menores: produtos naturais sem os químicos amplamente utilizados pela indústria da beleza e associados a diversas doenças, como câncer, sem testes em animais, com um "novo" conceito de embalagem – pois, mesmo sendo feita de PET reciclado pós-consumo, essa embalagem tem um limite de uso, já que o PET não pode ser eternamente reciclado por questões físicas da matéria-prima –, e com (alguns) componentes *fair trade*. Ainda tem um nível alto de perfume, que é um dos ingredientes de cosméticos e produtos de limpeza considerados alergênicos, mas já é uma grande evolução, pensando que hoje diversas áreas do Brasil que não tinham opções menos tóxicas nas farmácias já têm. E assim a maneira tradicional de produzir e fazer negócios vai lentamente migrando para aquela que o nível de consciência do mercado consumidor está disposto a aceitar. É um modelo ideal? Não. Ainda concentra renda e poder? Sim. Mas já oferece opções melhores para o consumidor? Sim.

Usar nosso dinheiro como forma de construir o mundo que queremos ver florescer é uma revolução. Até bem pouco tempo acreditávamos, pelo que a mídia nos contava, que as grandes corporações eram senhoras absolutas e que não tínhamos opções senão comprar delas. Mas essas empresas funcionam numa lógica de economia linear – extração da matéria-prima da natureza, transformação disso em produto, venda e "não me responsabilizo pelo que acontece depois" – e de concentração de renda. Com o aumento do nível de informação e de consciência, as pessoas passaram a questionar se essa era mesmo a única fonte da qual poderiam comprar aquilo de que precisam e que querem para viver. E até mesmo o que é que cada um considera importante para viver. Começaram então a se dar conta de que podiam usar esse superpoder, de *Homo consumptor*, para mudar o mundo. E para distribuir renda. E inclusive para consumir sem gastar dinheiro, porque ele não é o único recurso para termos acesso àquilo de que precisamos quando precisamos. As economias colaborativas, a economia da dádiva, apresentam essa versão atualizada do que sempre aconteceu em coletivos que são de fato comunidades: trocas, empréstimos e uso máximo de ferramentas e recursos. Essas novas formas de consumo começaram ou voltaram a ser consideradas. Na crise do novo coronavírus vimos o assunto de pequenos produtores virar até uma figurinha e destaque do Instagram. Comprar localmente, de pequenos produtores, é dessas microrrevoluções que mudam tudo. E, juntando essas com outras formas de consumo de que vou falar mais adiante, podemos, sim, cocriar uma nova realidade.

O poder da carteira é tipo a água num jardim. Vão nascer as plantas que receberem água, e aquelas que a jardineira se esquecer de regar não vão prosperar. Ajuda sempre se tirarmos uma espécie que está matando as outras, roubando seus nutrientes, mas só os olhos e as mãos do jardineiro serão capazes de dar para o jardim a cara que ele quer. Pode ser um jardim que além de lindo é comestível, feito inteiramente de PANCs, as plantas alimentícias não convencionais, ou pode ser um jardim de plantas que só crescem com muita água, muito adubo, muita correção de solo, aquelas que não são nativas daquele lugar. É bem como o que nós fazemos com o dinheiro: plantamos hoje o mundo que queremos ver florescer amanhã. Isso pode ser uma escolha! E está nas nossas mãos. Então, se estamos reclamando de como as coisas estão agora, que tal fazer o exercício de entender onde colocamos nossa energia preciosa, transformada em dinheiro, nos últimos meses, talvez anos? Ah, e isso combinado ao voto consciente, estudado, não polarizado, não baseado em correntes de zap que o tiozão enviou pode ser altamente revolucionário!

O poder da carteira é um dos alicerces de mudança nas regras do jogo. Mas não é, e nem deve ser, a única forma de ativismo das pessoas. Afinal, ele ajuda, mas, como eu disse, não resolve todas as questões. Existe um ponto central e crucial que deu errado no capitalismo e sobre o qual já falei, que é a desigualdade social. E para tratarmos dessa questão é preciso mais do que apenas boas escolhas de consumo. É preciso uma atitude cidadã de responsabilidade cívica. Isto é, entender que não basta só ser consumptor neste momento; é preciso votar melhor e pressionar, usar a voz do coletivo para mudar as bases do sistema. Nunca foi tão necessária a organização de movimentos da sociedade civil. Nunca se fez tão urgente a necessidade de ir para a rua, usar aquelas mídias sociais para protestar, não se calar diante de tamanha violação ambiental e social que vivemos. A revolução virá da nossa percepção de que somos e devemos ser agentes de mudança, usar nossa força e nosso poder para juntos mudarmos o sistema. De nada adianta comprar melhor quando aceitamos que o governo passe a boiada e destrua a floresta mais importante do mundo.

Power to the people (poder para as pessoas) nunca foi tão fundamental.

De vítimas a protagonistas

Para terminar este capítulo, gostaria de oferecer uma perspectiva que sinto ser chave para mudarmos a lente. Fundamentalmente, o que vejo por trás dos exemplos citados até aqui e dessa percepção sobre o novo poder é uma mudança de posicionamento das pessoas, passando de vítimas de um sistema a protagonistas dessa mudança. A construção das crenças da vitimização serve a um sistema que quer manter pessoas controladas, logo as coloca em posição de vítimas que não podem contra seu agressor, o próprio sistema. Para certos grupos da sociedade infelizmente não há escolhas possíveis ou melhores, pela simples ausência de oportunidades. Temos muito a avançar em questões estruturais, incluindo a desigualdade de oportunidades ligadas a classe, gênero ou raça. Mas isso está mudando. E é também por isso que pessoas que têm oportunidades e voz na sociedade devem usar esses ativos para provocar a mudança e representar inclusive quem não tem esse poder.

Aos poucos vamos entendendo e vendo na prática que essas amarras são na maior parte das vezes uma construção histórica, política e cultural, que nos leva ao paternalismo e à crença cega num messias, num chefe, num comando (em geral masculino) que nos aponte o caminho para resolver os problemas da cidade, do estado, do país. Dá mais trabalho pensar na responsabilização de cada pessoa e grupo da sociedade sobre suas escolhas – incluindo quem colocamos no poder, onde compramos nosso alimento, o que servimos à mesa e o que escolhemos para nossas vidas. Mas é sempre importante lembrar que essa autorresponsabilidade é também proporcional ao nível de oportunidade de cada um nesse sistema. Afinal, quanto mais poder (político e econômico) alguém possui, mais responsabilidades precisa ter.

Porém o fato é que é mais fácil nessa lógica terceirizar responsabilidades e escolher messias salvadores ou permanecer na posição de quem está de mãos atadas. E os sistemas político e econômico são bem amarrados para que as pessoas pensem que de fato não têm tempo para se envolver em questões como o bem-estar de suas próprias vidas. Como se não houvesse saída. Nesse caso, me parece que estamos mais na posição do enforcado do tarô: ele pensa que está com as mãos amarradas atrás das costas, de cabeça para baixo, mas na real está é apenas com as mãos para trás e vendo o mundo ao contrário. Talvez essa imagem, esse arquétipo, fale mais do que qualquer outra palavra que eu possa colocar aqui.

Assim como o Menos 1 Lixo, outros influenciadores, ONGs e negócios de impacto se mobilizam cada vez mais para criar coletivamente um mundo onde haja mais vida e onde a regeneração de pessoas e biomas floresça. Em comum, acreditamos em empoderar os cidadãos para que eles se vejam e sejam protagonistas nessa mudança, o que não significa que estamos dando o poder para o outro: o poder sempre esteve dentro de cada um; trata-se de empoderar lembrando que somos mais do que o sistema opressor nos fez crer. Quando percebemos nosso poder de mudar a forma como as grandes empresas fazem negócios no mundo, quando vemos nossa voz forçando a aprovação de leis que são a favor da vida e não do mercado, quando vemos uma gigante como a Forever 21 declarar falência em 2019 entre outros motivos porque as pessoas estão questionando essa lógica do *fast fashion* baratinho, querendo saber quanto os trabalhadores ganham pela mão de obra de costura e comprando mais roupas usadas, trocando e alugando, fica claro que nessa nova consciência do mundo o poder de transformação não virá de quem está no poder, mas sim do coletivo e de cidadãos empoderados que entenderam que são a peça fundamental dessa engrenagem. Então somos nós que devemos cobrar novas leis, novas formas de produção.

Se desde 1888 no Brasil a escravidão é proibida por lei, por que não obrigamos empresas que usam trabalho infantil e análogo à escravidão a abolirem essas práticas de uma vez por todas simplesmente parando de comprar delas? Por que não diminuímos o consumo de carne, ao mesmo tempo que cobramos de empresas como a JBS que em vez de pagar uma multa de 25 milhões,[22] como foi feito em setembro de 2019, ela se comprometa a não comprar mais gado de fazendeiros que desmatam? Se resolvermos boicotar qualquer empresa com cujas práticas não concordamos, garanto que no dia seguinte a reunião do conselho será sobre como produzir de forma diferente. Quando nos dermos conta de verdade do superpoder que temos nas mãos, vamos encurtar o tempo até regenerarmos a maneira como vivemos no planeta. E nesse caso o super-herói não será só mais um, muito menos político, mas sim um coletivo de humanos que despertaram e decidiram usar o poder que detêm dentro desse sistema: seu voto, sua voz e sua carteira. E você pode começar já!

São Francisco, uma cidade lixo zero

É preciso ter uma visão de mundo diferente para abraçar a inovação. Não me surpreende que a cidade sinônimo de contracultura nos Estados Unidos e no mundo seja também a pioneira num modelo de gestão de resíduos que olha para o lixo com uma nova lente. Então deixa eu contar uma história sobre a qual me perguntam sempre, que aconteceu em São Francisco, Califórnia, e eu acho bem inspiradora.

Em 2018 eu rodei, em parceria com a ONU Meio Ambiente, uma websérie chamada *Mares Limpos*, que tem o mesmo nome da campanha global da ONU lançada com o objetivo de chamar atenção para a poluição plástica nos oceanos. Isso porque, se não mudarmos a forma como consumimos plástico e descartáveis, teremos mais plástico do que peixes em 2050. E isso é muito grave! Fui nomeada Defensora Mares Limpos em 2017 e a partir daí decidi que queria contar essa histó-

---

22 Ver informações em: <https://bit.ly/M1LJBS>.

ria e investigar o que estava acontecendo entrevistando diversos cientistas, ativistas e agentes de transformação. O resultado foi essa série de oito episódios e muitos extras, disponível no YouTube do Menos 1 Lixo[23] e que já citei quando falei do Afroz Shah e sua limpeza de praia na Índia. Pois bem, a proposta era investigar o que está acontecendo com nossos oceanos, quais as causas e como podemos reverter o problema da poluição plástica que acaba neles. Como diz o ditado: todo rio acaba no mar. E como o lixo acaba no rio...

Um dos casos inspiradores que filmei foi a política de gestão de resíduos da cidade de São Francisco, que você pode assistir no YouTube.[24] São Francisco tem uma das taxas mais altas de desvio de aterro sanitário (ou seja, reinserção do que seria lixo para a cadeia produtiva) do mundo, em torno de 80%. Apenas aquilo que hoje a tecnologia disponível ou o alto custo não permitem que passe por reciclagem ou reinserção no sistema é de fato enviado para aterros sanitários, ou seja, o rejeito. Na prática: absorvente e fralda descartável, alguns tipos de plásticos como o plástico filme, perfex, embalagens multimateriais tipo de Doritos, entre outros. Quase todo o restante é destinado à reciclagem e compostagem. Apenas a título de explicação mais detalhada, reciclagem é o processo no qual materiais não naturais são reinseridos na cadeia produtiva, e a compostagem, o processo em que os materiais naturais como comida são transformados em terra e adubo.

Tudo começou lá nos anos 1990, quando a cidade iniciou um estudo para entender como poderia diminuir a quantidade de resíduo enviada para os aterros sanitários. Descobriu-se na época que a maior parte do resíduo domiciliar e comercial era composta de restos de comida, o chamado resíduo orgânico. Ficou claro, a partir do estudo, que a primeira tarefa deveria ser então desviar o resíduo compostável dos aterros, o que começou a ser feito em 1996, com a coleta do mercado de distribuição de alimentos local, tipo um Ceasa ou Cadeg no Brasil. Dois meses depois, a Recology, empresa responsável pela gestão de resíduos por lá, passou a coletar restos de comida de grandes hotéis. Em 2001 e 2002 foi implementado um programa de separação

---

23 Disponível em: <https://bit.ly/M1LYoutube>.
24 Disponível em: <https://bit.ly/M1LMaresLimpos03>.

163 HOMO INTEGRALIS

voluntária para algumas residências, até que em 2009 passou a ser lei a separação em domicílios e estabelecimentos comerciais. De lá para cá, já foram mais de 2 milhões de toneladas de restos de alimentos e tecidos orgânicos compostados, e São Francisco é referência no caminho de uma cidade lixo zero, ou seja, conceito de cidade que envia para aterro sanitário ou incineração o mínimo de resíduos possível, uns dizem 10%, outros, 20%. Apesar de não haver um consenso sobre a taxa específica, o Movimento Lixo Zero diz respeito a uma nova ética e um novo design acerca de processos produtivos, consumo, produtos e descarte. Já é uma nova lente. E também meta. O conceito começou em indústrias, onde é possível, através de redesign e de processos modificados, não enviar nada para aterro sanitário, dando um novo destino a tudo que sairia da fábrica como lixo.

Voltando a São Francisco, a cidade processa como compostagem cerca de 90% do resíduo orgânico produzido, que então vira adubo para as plantações do entorno, na Califórnia. O fato de o resíduo orgânico ser submetido a compostagem tem inúmeros benefícios. O primeiro deles é que grande parte do resíduo domiciliar gerado no mundo é orgânico, então evitar que ele vá para aterros é uma estratégia que aumenta o tempo de vida útil dos próprios aterros, e justamente por esse motivo é que o projeto foi iniciado. Pense comigo: um aterro é um grande buraco que recebe tratamento para não vazar chorume ou outros líquidos tóxicos para o lençol freático e para o solo e que tem um controle diário de cobertura do lixo para que não haja contaminação e proliferação de bichos. Mas, quanto mais você enche um aterro, menos vida útil ele tem. E, depois que ele é encerrado, mesmo quando coberto, não se pode construir nada ali, o terreno passa por uma acomodação, é um processo bem complexo. O entorno de um aterro também é uma área em que não pode haver plantação, pois o ar muitas vezes está contaminado, assim como o solo e o lençol freático. Quando esgota sua capacidade, outro aterro tem que ser construído, o que requer grana e espaço. Assim, a gente deveria querer ter o mínimo deles no planeta, né?

Pensando dessa forma, a regra número um para aumentar o tempo de vida no aterro seria desviar o resíduo dele, dar outro fim para que o pós-consumo não vire lixo. A parte orgânica do lixo é a mais fácil de resolver, porque a natureza vem, há bilhões de anos, evoluindo essa tecnologia de compostagem e transformação daquilo que morre em matéria orgânica. O segundo benefício é evitar a formação de gás metano, um gás de efeito estufa cerca de vinte vezes mais danoso que o gás carbônico quando na atmosfera. O gás metano é o subproduto do resíduo orgânico quando este é enterrado e não há oxigenação. Assim, quando enterrado num aterro, o impacto ambiental do resíduo orgânico é muito maior do que se ele passar por compostagem. Aterros precisam fazer o controle desse gás, que hoje é usado para queima e transformação em energia, mas mesmo esse processo não é o ideal, pois o material compostável deveria ser destinado à compostagem, esta de fato circular e muito mais inteligente para a preservação de recursos. Por último e talvez o mais importante, o material orgânico, depois da compostagem, produz um substrato rico para adubar o solo. E uma das grandes chaves para fixar carbono no solo é ter solos ricos em microrganismos. Então a compostagem lida com diversas questões ao mesmo tempo, e é lindo de ver que cerca de sessenta dias depois de chegar no pátio o que era lixo vira uma terra preta maravilhosa!

No caso de São Francisco, a compostagem ganha ainda mais uma vantagem. Essa terra preta é vendida às plantações e vinhedos do entorno, e, por ser uma região muito seca, com desertos inclusive, a Califórnia se beneficia bem mais desse tipo de adubo do que do químico, porque usar terra como adubo retém mais água, torna o clima menos seco e as plantas crescem mais. Estudos realizados por lá deixaram claro que fazendas que usam composto orgânico em vez de químico produzem cerca de 30% mais em épocas de seca. Esse uso ainda fixa mais carbono no solo, coisa que o adubo químico não faz. E não para por aí: só a separação na fonte (em casa, nos estabelecimentos comerciais) do resíduo úmido (sem sacolinhas, claro) do seco já garante uma pureza muito maior nos resíduos secos, o que faz com que eles sejam mais bem remunerados quando vendidos para reciclagem. O que não é orgânico nem reciclável, o rejeito, vai para o aterro. Mas numa quantidade mínima, ou seja, o aterro tem um tempo de vida útil maior. E isso representa ainda menos custo para o cidadão a médio e longo prazos.

E como isso funciona na prática? Por lá todos pagam uma taxa de limpeza urbana, e, antes que você pense se isso é uma boa ou uma má ideia, informo que você provavelmente já paga essa taxa. Só que aqui no Brasil ela está embutida de forma esquizofrênica no IPTU, sem que a gente saiba disso nem possa cobrar a melhor forma de uso dela. Em São Francisco, essa taxa de limpeza urbana é cobrada de maneira distinta para domicílios e empreendimentos comerciais. Cada um ganha três latões (tipo aqueles que vemos nas cidades e que se encaixam nos caminhões de lixo), um para cada tipo de resíduo. A marrom é para o orgânico, para onde o material vai direto, sem saquinhos. A azul, para o reciclável: idem, saco para quê, minha gente? E a preta, para o rejeito. Curioso que o latão do rejeito, por fora, tem o mesmo tamanho dos outros, para encaixar nos caminhões da mesma maneira, mas por dentro ele tem cerca de metade da área possível de ser usada. Assim, o cidadão tem um limite de geração de cada tipo de resíduo, e a taxa de limpeza é proporcional a isso, o que leva a uma mudança sistêmica na forma de operar daquela cidade, e eu explico. Quando foi implementada essa maneira de gerir os resíduos, ninguém queria pagar mais na taxa do lixo, então era comum, como é até hoje, ver pessoas desembalando caixas em supermercado e levando apenas seus conteúdos para casa. A caixa passava a ser responsabilidade do mercado. Os supermercados, por sua vez, não queriam pagar mais caro e começavam a devolver as embalagens para os fabricantes. O resultado é que os fabricantes começaram a repensar suas embalagens, já que essa conta ninguém quer pagar. E implementaram na cidade toda um sistema de vendas a granel que já diminui na fonte grande parte da geração de resíduos de embalagem. Assim é bem comum você ver as pessoas entrarem nos mercados com seus potes e saquinhos. Lá dá para comprar a granel todos os produtos de limpeza, de higiene, bebidas como vinho, azeites, conservas, chás, temperos e o que mais você imaginar. Esqueceu seu pote? Dá para comprar no mercado, ou usar saquinhos de papel para embalar. De papel, porque de plástico geraria mais um rejeito. Estabelecimentos comerciais também operam de forma diferente. Diversas cafeterias da cidade, por exemplo, oferecem desconto para quem leva seu próprio copo ou caneca, ou então servem para viagem em embalagens que parecem plástico, mas são PLA, um tipo

166 FE CORTEZ

de resina que é biodegradável nas compostagens industriais da cidade. Não é o plástico verde que vemos circular por aqui; este é apenas feito de matéria-prima renovável, mas se comporta exatamente igual ao outro plástico, matando as tartarugas e virando microplásticos da mesma forma! Mais uma *fake news* ambiental...

Mas, voltando a São Francisco, eu visitei a usina de separação de resíduos deles, a Recology. E ela também funciona de forma surpreendente e regenerativa, já que é uma cooperativa. Sim, o sistema de limpeza urbana referência no planeta, visitado por representantes de mais de 130 países, é uma cooperativa de cerca de 160 famílias, ou seja, os funcionários são os donos do negócio. E eu me senti de fato naquele clichê brega de país de "primeiro mundo": eu parecia criança em parque de diversão, porque já visitei muitos centros de separação e triagem, até lixões no Brasil, e a realidade por lá é tão diferente que fiquei maravilhada. O processo é quase todo automatizado, em maquinário superpotente que veio da Alemanha. Esse maquinário, considerado o mais eficiente do mundo, faz grande parte da separação dos resíduos de maneira automática, fechando um processo que começa na separação da fonte. Só para você ter uma ideia, quando mudou as regras de compra de resíduos de países estrangeiros, a China determinou que não receberia uma série de plásticos com reciclagem zero e outros materiais, e que também não receberia mais materiais contaminados, ou seja, sujos de restos de comida. Muitos países e cidades passaram a não poder mais exportar os seus resíduos para lá, porque eles não eram limpos o suficiente. Mas o fato de São Francisco ter uma cultura de separação na fonte, cidadãos engajados e educados e esse maquinário potente de triagem fez com que as novas regras quase não impactassem na taxa de reciclagem do que vai nas latas azuis: são cerca de incríveis 80%. Só para uma medida de comparação, o Brasil recicla apenas 3% de todo o resíduo gerado por aqui. Dá para entender a triste diferença? E o mais belo é que é uma cooperativa, só que com tecnologia que aumenta a eficiência, ao mesmo tempo que diminui drasticamente o risco dos trabalhadores. Os cooperados têm um orgulho danado do que fazem e um reconhecimento enorme por parte da população. A Recology é tão bacana que tem projetos de educação ambiental e recebe grupos de voluntários e visitantes, crianças e escolas

167 HOMO INTEGRALIS

e tem ainda um programa de residência artística que recebe artistas do mundo todo para criarem obras de arte a partir de resíduos.

De fato, São Francisco está um passo à frente inclusive nos Estados Unidos. Nova York anunciou um plano de aumento da compostagem na cidade, inspirada na metodologia deles. Eu fiquei tão encantada que fui conversar com o responsável pela "secretaria" de redução e gestão de resíduos da prefeitura de São Francisco – sim, a área começa com a palavra redução, claro, esse é o "R" que faz mais sentido hoje no planeta! – e perguntei: como isso é possível? Ele me respondeu: graças ao envolvimento da população e do senso de comunidade que existe aqui. Foi a população que solicitou anos atrás uma gestão de resíduos diferente e eficiente, e paga feliz por isso, porque vê na prática a melhora na saúde, na qualidade da água, na diminuição da transmissão de doenças e em tudo mais que o lixo gera de negativo. E ele seguiu: "Aqui temos uma população que entende seu papel e responsabilidade civil e cobra o poder público como nenhuma outra no mundo. Faz sua parte, e assim conseguimos ter um modelo que é exemplo para tantas outras cidades".

A simples mudança na gestão de resíduos da cidade transformou tudo: as relações, a forma de comprar, a matéria-prima do que se compra, a forma de descartar. Mas principalmente a consciência do que é ser um cidadão que pensa no coletivo. E que esse coletivo, quando unido e empoderado, muda o mundo!

REGENERAÇÃO

Sustentabilidade não basta. Precisamos criar culturas regenerativas.

De uns três anos para cá, dentro da minha bolha, tenho ouvido constantemente a palavra REGENERAÇÃO. Estou tomando um café com um amigo: regeneração. Abro um site de pesquisa: regeneração. Ouço aquele podcast gringo: regeneração. Vou para um podcast nacional maravilhoso, ela está ali. Às vezes sinto que quando eu abrir a gaveta de calcinhas a regeneração vai pular na minha frente, feliz que só ela, porque tem cada vez mais espaço na sociedade e nos sonhos daqueles "muda mundo" que vão na frente, abrindo caminho para o bloco, ou para a regeneração passar. Brincadeiras à parte, esse conceito se firma com cada vez mais robustez, como o norte da bússola para quem está colocando a mão na massa para cocriar o Novo Mundo, a Grande Mudança de que fala Joanna Macy, a Sociedade do Interser, do Charles Eisenstein, ou ainda a tão esperada Nova Era das tradições espirituais e esotéricas. Na minha visão, essa Nova História para a humanidade.

Não importa o nome que você queira dar para esse movimento, ou até não dar nome algum, mas já podemos comemorar porque ele já está acontecendo e trazendo consigo essa virada de paradigma de que precisamos, de uma nova forma de viver na Terra, porém, mais do que isso, uma nova forma de se ver como parte integrante de Gaia, esse sistema vivo que só é possível com o equilíbrio. Regeneração vem em contraponto a degeneração, que é hoje o norte da cultura global da qual fazemos parte. E ela começa com a tal virada de chave na lente com que enxergamos o mundo e nos enxergamos nele. Sim, tenho repetido bastante esse conceito até aqui, porque para mim ele é o cerne da questão.

O que nos define como consumptors é o nosso papel cultural, aquele de ao mesmo tempo força de trabalho e consumidor dessa cultura que é degenerativa. Somos povo de mercadoria, expressão usada pelo xamã Davi Kopenawa para nos definir. Degeneração está para a cultura dos consumptors assim como regeneração está para a do *Homo integralis*. E ela será primeiramente uma construção cultural. A mudança primordial dessa lente é que ela nos coloca não mais como centro do mundo, mas como parte dele. Parte integrante da teia da vida, e, como tal, cuidando dessa teia para que a vida possa se fazer presente. Para todos os seres que dividem esta casa com a gente. A proposta é que comecemos em nós mesmos, no nível do indivíduo e na forma como nos relacionamos conosco e com a natureza. Com a nossa natureza também. Trata-se de criar as bases, na prática, daquele mundo mais bonito que nossos corações sabem ser possível. É chegado o momento de embaralhar as cartas e dar de novo, ainda sem saber todas as novas regras, mas uma coisa é certa: no novo jogo que vamos jogar, não há apenas um(a) vencedor(a). O objetivo final das culturas regenerativas é o ganha-ganha-ganha. São três ganhas mesmo: a natureza, os negócios, as pessoas.

Estamos falando de uma grande mudança de lente através da qual vemos o mundo e nos vemos nele, que vai impactar aquilo que percebemos como realidade no planeta. E é justamente aqui, com essa mudança, que começa de fato uma possibilidade de uma outra história para a humanidade. Apesar de ser a palavra de ordem dos movimentos mais inovadores que conheço, esse conceito ainda tem pouco material teórico – digamos que seu estudo é recente. Portanto, muito do que apresentarei neste capítulo foi inspirado pelo livro *Design de culturas regenerativas*, de Daniel Wahl, e costurado com conceitos de outros autores, casos mundo afora e experiências práticas do meu repertório. Daniel Wahl é um desses pensadores da Nova História, assim como Charles Eisenstein. Ele estuda a natureza e os sistemas ecológicos há mais de vinte anos e é educador, consultor e ativista. Com PhD em design natural pela Universidade de Dundee, é membro do International Futures Forum. Gosto do título do livro porque ele foca essa construção de futuro na palavra "culturas". Assim como ele, acredito que é a mudança cultural que vai refletir na econômica e nos modelos das relações. E, de novo, ela começa no nível do indivíduo, mas, nesse caso, focando no coletivo. É quase uma inversão: não mais o venha a nós o vosso reino, mas estamos aqui todos para servir à vida. O indivíduo é importante, mas sua liberdade de ação deveria, como diz o ditado, acabar quando aquilo que faz prejudica o outro. O outro nas culturas regenerativas não é mais nosso inimigo, ele é na verdade

172 FE CORTEZ

nosso parceiro. Mesmo quando pensa diferente de nós, mas sobre isso falarei mais para a frente.

Sustentabilidade não basta, temos que regenerar

Para começar, um importante conceito a ser repensado é justamente o da sustentabilidade. Sim, esse é um assunto que pode causar um certo desconforto em você que me lê, até porque ele vem sendo debatido há tempos e mesmo assim só agora pessoas e empresas parecem estar começando a tomar ações práticas nesse sentido. Mas eu gostaria de propor esse repensar por alguns motivos, que falarei na sequência. O primeiro deles é que esse termo está desgastado. Ele foi tão mal--usado que ficou esvaziado. Note que esvaziar de significado algo que nasce para ter potência é uma grande estratégia do sistema para fazer parecer que aquilo está acontecendo quando na verdade não está. Ou para que um conceito fundamental se torne apenas coadjuvante. É a famosa trollagem. Na prática, a realidade se apresenta um tanto diferente. Você pode estar se perguntando: mas, se todo mundo fala em sustentabilidade como a forma de se atingir um modelo viável, que se mantenha rodando, leia-se a economia gerando riqueza para quem já gerava, por que não podemos seguir com esse conceito, logo agora que as empresas e pessoas estão começando a entender e adotar práticas mais sustentáveis? Justamente porque seu sentido foi esvaziado.

Segundo o físico Fritjof Capra, citado por Daniel Wahl em seu livro, a sustentabilidade é um processo dinâmico de coevolução em vez de um estado estático. "Sustentabilidade é uma propriedade de uma rede inteira de relacionamentos", diz Capra. E infelizmente a forma como adotamos esse conceito no mundo está longe de ser como uma propriedade de uma rede e de relacionamentos, mas sim como um objetivo, como uma área específica, ou como um produto que promete menos dano do que vem sendo feito. De novo nós e o nosso vício em departamentalizar, em separar, em objetificar, em mecanizar tudo.

Na prática o que vemos são práticas mais sustentáveis do que o que fazíamos antes, mas temos um passivo tão grande que não basta sustentar algumas áreas e repensar algumas linhas de produção. É

173 HOMO INTEGRALIS

preciso ir além e regenerar aquilo que esse sistema destruiu. E aplicar uma proposta que possa dar conta do tamanho do desafio. Há quem diga que a sustentabilidade sozinha não tem essa capacidade. Eu concordo. E aqui não estamos falando apenas da dimensão ambiente, Gaia, ou do que ainda chamamos de recursos. Aqui entram também a dimensão econômica e a humana e sua cultura, e principalmente suas relações. Com a diferença de que nessa lente nova não nos vemos mais separados de um todo que existe para nos servir, e sim fazendo parte ativa de uma teia que pode promover mais vida.

O termo "sustentabilidade" surgiu em 1992, quando a ONU incluiu esse conceito como diretriz para o desenvolvimento global na Agenda 21. Esse foi o ano da Conferência Rio-92, importante marco na discussão de modelos de desenvolvimento que gerenciassem e resguardassem os recursos para as gerações futuras. Nesse momento fazia muito sentido pensar num desenvolvimento sustentável, já que os danos eram significativamente menores do que os atuais. Logo depois, foi o sociólogo e escritor britânico John Elkington um dos primeiros a falar em sustentabilidade também nos negócios, no que ficou conhecido como o tripé "Triple Bottom Line", que adicionou às discussões ambientais também a social e a econômica. Nesse tripé, empresas precisariam ser financeiramente viáveis, socialmente justas e ambientalmente responsáveis. Fazia muito sentido pensar em criar práticas, sobretudo dentro de empresas, que viabilizassem formas de produção sustentáveis, já que foi a ação de companhias orientadas pela lente obsoleta da linearidade de extração, produção e descarte que causou a extinção de 60% da população de todos os mamíferos selvagens, aves, peixes e répteis em cinquenta anos, segundo um estudo publicado na revista *Biological Conservation*.[25]

A sustentabilidade aparecia como uma proposta para continuar o crescimento pretendido por todas as empresas e países do mundo, sem mudar o modelo de economia linear, mas teoricamente um crescimento dentro dos limites do planeta. Só que a aplicação desse modelo não respeitou os tais limites intrínsecos a ele. Podemos dizer que

---

25 "Worldwide decline of the entomofauna: A review of its drivers". Estudo de Francisco Sánchez-Bayo e Kris A.G. Wyckhuys. Disponível em: <https://bit.ly/M1LEntomofauna>.

essa agenda não obteve resultados compatíveis com os necessários para preservação dos ecossistemas para as gerações futuras. Não que o conceito original não estivesse imbuído desse objetivo, pelo contrário, mas, quando aplicado, se esvaziou e foi, digamos, acomodado para atender a essa negação de se repensar o modelo, quase como uma forma de tentar amenizar impactos, ao mesmo tempo que se perpetua o *business as usual*. E assim segue até hoje na maior parte das empresas, e isso naquelas que começaram essa caminhada. Muitas ainda nem deram os primeiros passos. Mas o que vimos acontecer é que o conceito da sustentabilidade, que deveria ser transversal a todas as atividades da empresa, à sua própria concepção, virou um departamento. Às vezes nem isso, apenas uma forma de fazer diferente numa linha de produtos, ou uma forma de diminuir a pegada em algum processo. A sustentabilidade deveria ser um norteador de todas as atividades e relações em empresas, tipo o lucro. Ou alguém conhece alguma empresa que tenha um departamento de lucro? Lucro é objetivo que permeia todas as decisões, metas e processos. E não adianta argumentar que existe o departamento de finanças, porque, na prática, departamentos de sustentabilidade não têm a palavra final. Só aí já se percebe quão "centrais" eles são. Mudar matriz energética e afirmar que o produto é sustentável é um *greenwashing*, ou maquiagem verde, porque, se a forma de extrair, produzir e descartar associada àquela matriz for a mesma, não se pode afirmar que há sustentabilidade envolvida.

Se pensarmos como os indígenas norte-americanos da Confederação Iroquesa, em que todas as decisões da tribo devem levar em consideração as próximas sete gerações, veremos que essa conta não fecha e que lá na frente as crianças que ainda não nasceram não terão a mesma qualidade e quantidade de água, de preservação de vida selvagem, e por aí vai. Esse *greenwashing* às vezes se materializa sob um selo verde, pasmem, muitas vezes idealizado pelo próprio departamento de marketing, para parecer que o produto é sustentável – da próxima vez que você for ao mercado repare, no departamento de produtos de limpeza, quantos selinhos em forma de folha ou palavras eco você verá nas embalagens dos produtos. A maior parte está aplicada em produtos que não são sustentáveis. *Greenwashing* pode ser também quando empresas usam de práticas compensatórias exigidas por lei para afirmarem que fazem projetos sustentáveis, tipo mitigação de carbono, plantio de árvores para compensar destruição de áreas inteiras, ou ainda o departamento de sustentabilidade criar um projeto de reservas florestais privadas quando a empresa é uma grande mineradora que não muda a forma como constrói barragens e, quando uma delas se rompe, e elas vão sempre romper, destrói quilômetros de vida dos rios onde deságua, arruinando e afetando com metais tóxicos a sobrevivência de milhares de famílias que moram nas cidades à beira desses rios.

A sustentabilidade virou um departamento muitas vezes especializado em tirar o foco do real problema, que é o nosso modelo de extração, manufatura, comercialização e descarte, o *business as usual*, ou até mascarar os verdadeiros crimes ambientais criando reservas, diminuindo a pegada ambiental, reduzindo o passivo, mas sem peso e sem força para mudar a forma e a lógica por trás de um modelo de economia e de produção que mostra sinais mais que claros de esgotamento. Simplesmente não podemos sustentar um modelo que coloca a Terra no cheque especial a cada ano mais cedo, que produz mais morte do que vida, em nome e a serviço do capital. Se continuarmos fazendo da mesma maneira, teremos mais plástico do que peixes nos oceanos em 2050 e um caos climático que vai aquecer em média a temperatura do planeta em dois ou cinco graus centígrados. É morte certa! Falar de sustentabilidade seria dizer que está tudo bem em sustentar o modelo atual e que o *business as usual* não precisa ser repensado, apenas adaptado com algumas ações como usar energia renovável em vez de combustíveis fósseis. É como dizer que se é normal numa sociedade doente. Se você é normal numa sociedade doente, significa que você é doente.

Um outro aspecto que põe em xeque o direcionamento de nossas ações sob a bandeira da sustentabilidade é que ela é muito genérica. O que significa ser sustentável? Existem inúmeras discussões rolando em torno, por exemplo, da sustentabilidade na indústria da moda, a segunda mais poluente no mundo, dizem. Mas não há parâmetros muito claros quando falamos em mais sustentável, ou apenas sustentável.

Vale ressaltar que a essência desse conceito faz, sim, muito sentido quando alcançarmos um patamar de regeneração que permita que criemos modelos que sustentem para as gerações futuras ambientes que gerem vida. Sendo assim, precisamos agora colocar o pé na aceleração da regeneração, para que possamos chegar no tal processo dinâmico coevolutivo de que fala Capra. E, sim, você ainda vai ver o termo "regeneração" ser mencionado no livro algumas vezes. Quando isso acontecer, tenha em mente que seu uso é para colocar todo mundo na mesma página, porque, apesar de esvaziada, essa palavra remete ao entendimento de que precisamos caminhar rumo a um modelo de mundo que possa, sim, ser sustentável.

Regeneração começa com uma mudança de visão

Modelos regenerativos já estão acontecendo em todas as dimensões da sociedade. É mais fácil enxergar sua lógica analisando a agricultura regenerativa, já que, quando analisamos a agricultura de Ernst Götsch ou assistimos a um documentário como *O Sal da Terra* e vemos a transformação de uma antiga fazenda de gado em Minas Gerais, com solo compactado e considerado estéril, dar lugar a uma floresta, como foi o caso real da propriedade do fotógrafo Sebastião Salgado e do trabalho do Instituto Terra, que ele fundou ao lado da esposa, Lélia Deluiz Wanick Salgado, esse conceito começa a ganhar contornos e imagens associadas que nos permitem começar a compreender melhor do que estamos falando. É o famoso ligar o nome à pessoa. Mas eles estão presentes em diversas dimensões da sociedade. E a base da regeneração está em como olhamos para cada dimensão, em qual lente estamos usando para desenhar a realidade.

As culturas baseadas na lógica da economia linear e da exploração, ou o chamado *business as usual*, estão calcadas numa ideia de separação, que se estende para a percepção de que cultura e natureza são separadas, e segundo Daniel Wahl – a quem já citei pelo livro *Design de culturas regenerativas* – isso "nos predispõe a criar culturas que exploram e degradam os ecossistemas por toda parte. Tais culturas tendem a ter sistemas econômicos focados em torno das noções de escassez e vantagem competitiva, enquanto culturas regenerativas entendem como a vantagem colaborativa pode fomentar fartura compartilhada". Prefiro aumentar o bolo do que seguir na lógica da farinha pouca, meu pirão primeiro. E, como eu, milhares de pessoas no mundo já estão em processos de sonhar, desenhar e materializar culturas regenerativas, assim como o modelo de gestão de resíduos de São Francisco, que pode ser usado como exemplo de modelo regenerativo, visto que muda a lógica vigente de enterrar lixo para recuperação de materiais. Isso já está acontecendo no micro e no macro.

A mudança de lente primordial para uma cultura regenerativa é que ela vê o mundo como de fato uma grande teia, por isso falei tanto sobre esse conceito até aqui. Nessa teia, cada componente tem uma função a desempenhar, e o objetivo final é reconstruir as bases para que essas relações prosperem. É a construção de uma cultura de abundância, como vimos no caso da metodologia dos Guerreiros Sem Armas. E essa é a grande beleza da visão de mundo regenerativa: ela muda a forma como vemos esse sistema e suas relações e coloca cada um de nós, eu, você, sua vizinha, seu amigo, em posição e responsabilidade de cocriar essa maneira de estar no mundo. Ela nos dá o poder de mudança de que falamos no capítulo anterior. Com a nova lente passamos a perceber potência e potencial onde antes não conseguíamos enxergar. Passamos a ver novas possibilidades de formas de viver, se relacionar e construir esse mundo onde desejamos viver. Trata-se de viver, não mais sobreviver.

E como ela faz isso?

Novas consciências para novas culturas

A cultura regenerativa parte da visão de que somos seres interligados pela teia da vida e agentes de mudança nessa teia, mas para isso precisamos dar um salto de evolução na nossa consciência do que somos e de como nos percebemos no mundo. Em outras palavras, consciência significa a nossa percepção sobre a realidade que nos cerca, e quando falamos de dar um salto de consciência nos referimos a essa ampliação do nosso campo de visão e da forma como percebemos a realidade e nos percebemos nela. Esse conceito está presente em diversas tradições espirituais e também numa parte da ciência. A ciência holística aborda esse como um processo importante, bem como a física quântica, um campo da física que faz um estudo profundo da atuação da consciência para a materialização de novas possibilidades. Esse salto precisa acontecer de forma sistêmica e global, mas ele começa no indivíduo.

Quando nos perguntamos se vale a pena olharmos para esse autodesenvolvimento humano em busca de uma evolução de consciência, existe uma razão que para mim dispensa qualquer outra, que é o fato, bem colocado por Daniel Wahl no mesmo livro que já citei, de que, "se conseguirmos dar esse, 'importante salto' na autoconsciência humana, o que temos à nossa frente é a promessa de uma civilização humana verdadeiramente equitativa, regenerativa, colaborativa, justa, pacífica, florescente e próspera em suas diversas expressões culturais e artísticas, ao mesmo tempo que restaura ecossistemas e regenera a resiliência local e globalmente".

Claro que ninguém nasce sabendo, muito menos sobre uma visão de mundo que é diferente daquela amplamente difundida por escolas, mídia, ciência antiga e principalmente pelos que querem garantir seu poder e domínio sobre os outros, leia-se aquele 1% do qual já falamos. Por isso, a jornada regenerativa é uma jornada, é um reaprender a aprender. É uma grande descolonização de nossas mentes, corpos e emoções. Até porque ela abarca essas três dimensões e ainda a espiritual; afinal, somos seres multidimensionais, mesmo que até agora não tenhamos tanta clareza sobre isso. Descolonizar não é tarefa fácil, nem cocriar esse mundo novo. Mas quem está nesse caminho tem como certeza que o que podemos colher são frutos mais doces, mais nutritivos e mais coloridos do que aqueles que temos hoje. E só por isso vale cada gota de suor, lágrima e emoção.

Resiliência é a chave

Volto a citar aqui um trecho importante de Daniel Wahl:

> Uma cultura regenerativa é saudável, resiliente e adaptável; cuida do planeta e da vida com a consciência de que esta é a maneira mais eficaz de criar um futuro próspero para toda a humanidade. O conceito de resiliência está intimamente relacionado à saúde,

descreve a capacidade de recuperar funções vitais básicas e de reação a qualquer tipo de colapso temporário ou crise. Quando almejamos a sustentabilidade a partir de uma perspectiva sistêmica, tentamos sustentar o padrão que conecta e fortalece todo o sistema. A sustentabilidade trata, antes de tudo, de saúde e resiliência sistêmicas em diferentes escalas, desde a local até a regional e a global.[26]

Resiliência é de fato um objetivo e conceito-chave para pensarmos modelos regenerativos, isso porque essa característica, tão presente nos ecossistemas naturais, é princípio básico para a sobrevivência a longo prazo de qualquer sistema. Esse também é um termo relativamente novo no nosso vocabulário em evolução e começou a ser mais falado quando a temática das mudanças climáticas ganhou mais espaço nas discussões mundiais. Existe até uma iniciativa chamada C40 Cities, ou Cidades C40, que busca tornar certas cidades mais resilientes às mudanças climáticas. Isso porque o modelo de cidades como as vemos hoje ainda é reflexo da lente do velho paradigma, uma lente antinatural que faz com que nossas cidades mais pareçam fábricas. Mas na criação desses modelos, que começaram milhares de anos atrás e se aceleraram nos últimos cem, não se imaginava que precisaríamos lidar, por exemplo, com um aumento do nível do mar a ponto de exterminar boa parte da região costeira mundial, nem que a intensidade das chuvas aumentaria assim de uma hora para outra (pelo menos é isso que pensamos muitas vezes, que foi de uma hora para outra), e esse modelo, por não criar condições de resiliência, também tem bem pouca capacidade de se reerguer de crises severas ou de acontecimentos inesperados, como o novo coronavírus, ou cada vez mais presentes, como inundações. E agora temos um grande custo sistêmico por termos evoluído sem colocar esse princípio na prática.

Resiliência é essa capacidade de se reerguer no menor tempo e com os menores impactos possíveis. Resiliência está calcada em mui-

---

26 Esse trecho do livro *Design de culturas regenerativas* também pode ser encontrado no artigo "Sustentabilidade não é suficiente: precisamos de culturas regenerativas". Disponível em: <https://bit.ly/3CulturasRegenerativas>.

tas coisas, em diversas estratégias naturais. No nosso corpo, uma boa imunidade, por exemplo, nos ajuda a ter saúde – que não é a ausência de doenças, e sim a capacidade do organismo de se recuperar delas. Já a imunidade requer diversidade. De anticorpos, de vitaminas, de minerais. Que vêm, por sua vez, da diversidade de alimentos que colocamos para dentro. Diversidade é a palavra de base da resiliência. As florestas tropicais não são devoradas por nuvens de gafanhotos porque têm tanta, mas tanta diversidade de espécies que conseguem combater pragas de uma forma muito mais fácil do que monoculturas, estas com nível de resiliência próximo de zero, já que a diversidade é zero. O nome já diz tudo: mono = um. No desenho de culturas regenerativas a diversidade deve ser a base de todas as dimensões. Inclusive, e talvez centralmente, de indivíduos. Quanto mais diversa uma comunidade, maior seu potencial de inteligência criativa.

De novo aqui sai o conceito de inimigo e separado e entra aquela visão de que o outro é o parceiro. Não preciso concordar com tudo o que ele pensa, mas preciso respeitar seu ponto de vista. Sai a polarização, que também não é resiliente, para entrar a multipluralidade de ideias. Quanto mais ideias na mesa, mais criativa será a solução para qualquer problema. Isso vale para empresas, para reuniões de condomínio e fundamentalmente para cidades e sociedades. O medo do outro deve dar lugar ao prazer de ter ao meu lado um ponto de vista em que nunca havia pensado e que me engrandece, alarga meus horizontes. Diversidade diz respeito a colocar todo mundo na roda da decisão e ter planos B, C, D, E. Quanto mais diversidade de transportes numa cidade, menos poluída e com menos trânsito ela ficará. Quanto mais diversidade de tipos de escola, mais tipos de olhares e desenvolvimento lógico teremos. O centro do Rio de Janeiro à noite é quase uma cena de filme de terror: ruas vazias, e quase se pode ouvir o medo circulando livremente. E por quê? Porque é uma área sem diversidade de tipos de ocupação. Sua lógica foi concentrar apenas prédios e casas comerciais. As moradias ficariam fundamentalmente em outras áreas da cidade. O resultado: um apinhamento de dia, com muito trânsito para chegar lá, e um silêncio quase sepulcral à noite. Isso traz falta de segurança para a livre circulação, medo e pouco aproveitamento do espaço mesmo.

Um centro de cidade apenas com comércio não é eficaz do ponto de vista de uso do espaço, transporte, logística, nada. Quanto mais diversa a ocupação de um bairro, melhor a resolução sistêmica do funcionamento da cidade. Por isso essa velha lógica de separar as classes mais pobres em guetos, subúrbios, é ruim para todos os envolvidos. E precisa ser repensada. Valorizar a diversidade é também uma forma de curar chagas abertas no seio da nossa sociedade no que tange a raças, gêneros, credos e cores. E entender que isso é positivo é uma grande mudança de chave, de descolonização do que atocharam nas nossas cabeças por séculos.

Quando pensamos em novos modelos, a resiliência deve ser base do sistema de produção mundial, ao contrário do que existe hoje. A hipersegmentação de produção e mercados possível na economia globalizada tem muito pouca resiliência quando lidamos com qualquer mudança nos fluxos de matéria-prima e produtos. A economia globalizada depende de insumos que atravessam continentes para a produção de um simples prego, e quando nos vimos em casa, na quarentena, com fronteiras controladas ou até fechadas, fábricas paradas, essa falta de resiliência se deflagrou. Ela foi muito sentida na alimentação, já que alguns países dependem quase exclusivamente da importação de comida de outros países. Quando fecham fronteiras, como fazer? Estamos ainda em meio às consequências de uma pandemia que não tem previsão para ir embora, e, quando for, já sabemos pelas previsões da ciência que outras virão. Se estamos entendendo que o que vem pela frente será no mínimo desafiador, então é urgente que possamos recriar os modelos de vida em sociedade para passarmos pelos desafios com o menor dano sistêmico possível, ou da maneira mais de boa que pudermos. Curioso que resiliência também diz respeito a trazer mais eficiência para os sistemas, mas parece que ainda não descobrimos esse detalhe tão pequeno de nós dois.

A falta de diversidade de formas de pensar serviu até aqui para esse modelo do colonizado e colonizador, do oprimido e opressor. É o que chamei num vídeo no meu canal no YouTube de monocultura de ideias.[27] É justamente essa lógica que queremos mudar. E, para isso,

---

27 Disponível em: <https://bit.ly/MonoculturaIdeias>.

182 FE CORTEZ

devemos beber na fonte daquela que nos ensina tudo: Gaia, a natureza. São bilhões de anos de evolução para entender que só há saúde do sistema se ele apresentar diversidade. Trazendo para nós e ampliando um pouco, só há SAÍDA para o sistema se ele apresentar diversidade.

Tendo isso em vista, que momento mais oportuno para embaralhar e dar as cartas de novo, com base em novas regras e paradigmas, em que um dos objetivos do que vamos cocriar como formas de vida é a tal resiliência, tão fundamental para manutenção da vida em qualquer sistema. E ela se aplica a tudo: afinal não custa lembrar que modelos regenerativos têm a ver com relações. E isso inclui o ser humaninho, os outros seres e a forma como interagem.

Coletivo no centro

Sou porque somos.

Você já deve ter ouvido essa frase, ou talvez lido em algum perfil na internet. Ela é normalmente usada para descrever relações de amor, entre casais, ou entre pais, mães, seus filhos. Mas ela poderia perfeitamente ser usada para descrever a nós, eu, você e o planeta onde estamos, a Terra. Sou porque somos poderia ser visto como um sinônimo do conceito do Interser, do *Homo integralis*.

Interser não existe no dicionário. Ainda. E, como mencionei anteriormente, significa o conceito que somos, existimos de forma emaranhada à teia da vida. Eu só estou aqui hoje escrevendo este livro porque tenho ar para respirar, chuva para fazer a minha comida crescer. A chuva no Brasil vem da Amazônia e de seus rios voadores. A Amazônia só tem ainda tanta terra preservada graças aos indígenas e às comunidades ribeirinhas que cuidam da floresta. Graças às unidades de conservação e terras protegidas. A Amazônia é um grande sistema complexo que se autorregula e permite que a vida aconteça.

Ninguém no planeta hoje sobrevive sozinho, somos seres que sobrevivem em bandos, coletivos. Mas, ampliando essa visão, somos seres que sobrevivem em coletivos que se organizam dentro da teia da vida. Dependemos da chuva para fazer crescer uma árvore, e dela para termos o papel. E com ele poder ler este livro, como citei no belo poema do Thich Nhat Hanh.

Lendo assim, parece bem óbvio e claro, certo? E é! A vida só existe em teia. E para nós, seres humanos, essa teia, micro ou macro, se expande para um conceito de comunidade.

Assim como fica claro que a vida só se dá pela existência de diversos ecossistemas sustentando a vida e vice-versa, nós só existimos em comunidade.

Mesmo se você que me lê morar afastado de um centro urbano, do tamanho que for, não importa, sua vida é sustentada por uma comunidade. Que fornece alimentos, o chip do celular com o qual você se comunica com o mundo, suas roupas. Que fornece relações. Que nutre você de amor. E você também, o tempo todo, troca com essa teia.

Então, na visão de mundo e nos sonhos para cocriarmos essa Nova Era, a comunidade está no centro. E isso vale para seres humanos e para a comunidade de outros seres que sustentam a vida aqui no planeta.

Com a diferença de que não mais olharemos para esses seres como se eles existissem para prestar serviços para nós, e sim como uma grande troca, na qual nós servimos à preservação da vida, e os outros seres também. E, quanto mais essa comunidade florescer, mais próximos estaremos daquela civilização humana verdadeiramente equitativa, regenerativa, colaborativa, justa, pacífica e próspera citada por Daniel Wahl. Isso é diferente de se desenvolver, porque não se trata da velha lógica de abertura de estradas, chegada da tecnologia, criação de postos de trabalho, mas do florescimento da vida em todos os seus aspectos e espectros. Trata-se de florescer, desabrochar, com vida.

Aí você pode estar se perguntando: na teoria é muito bonito, mas como é na prática? Na prática é mais simples do que pensamos. Comece se perguntando quem você é e qual é a sua comunidade. Em que território global você se encontra? Ela tem que atributos? Ela tem que necessidades? Ela fornece que alimentos? Dá para sobreviver comprando tudo da sua comunidade? Ah, não dá para comprar o iPhone novo porque ele é produzido na China.

Mas dá para trocar a compra num grande supermercado pela compra direto do produtor? Dá para assinar uma cesta de CSA – ou Comunidade de Suporte à Agricultura, uma forma de adquirir a comida direto do pequeno produtor? E esse modelo está presente até em grandes centros urbanos, como o Rio de Janeiro. A Bela Gil, que já viveu em diversas cidades, postou noutro dia, em suas redes, que a primeira coisa que faz ao chegar num lugar novo é assinar a CSA que atende àquele lugar. Assim, vamos regenerando relações e formas de existir.

Dá para cocriar com essa comunidade alguma atividade cultural? Dá para voltar a se reunir nas ruas, a ocupar o espaço público? O que dá para fazer?

Dá para sonhar uma comunidade e achar quem tope fazê-la com você? Dá para sonhar junto com quem já é da sua comunidade para que as pessoas se sintam pertencentes? Dá para sonhar embaixo de uma árvore, captar suas mensagens subliminares e aprender com a sua força de enraizamento?

Perceba que entram muitas perguntas porque as respostas não são únicas. Para a criação de uma cultura de regeneração é importante que a gente saiba fazer mais perguntas. Que não tenhamos, necessariamente, a resposta para todas elas, mas que elas sejam as perguntas que vão nortear essa nova tessitura da vida.

Diferentemente de uma cultura global e globalizada, que tenta a todo custo homogeneizar gostos, escolhas e formatos, o desenvolvimento de uma cultura regenerativa começa a partir do micro, do local, da comunidade. E cada comunidade tem sua peculiaridade. O que vale para uma pode não valer para outra. Podemos nos inspirar em boas práticas, mas aqui a regra é: não temos mais regras. Temos bases, um olhar que parte do coletivo em vez do individual e do local em vez do global.

Que oportunidade linda e única para a criatividade aflorar, para o sonho acontecer.

185 HOMO INTEGRALIS

No sonho do mundo novo, a folha está em branco. E como ela será depende de nós! Lembra, não queremos um mundo consertado, queremos o mundo mais maravilhoso que nossos corações sabem ser possível!

Quando os cidadãos de São Francisco solicitam que se repense o modelo de gestão de resíduos da cidade, eles dão um passo para a criação de um sistema regenerativo. Afinal, lixo é hoje o grande subproduto desse modelo de economia global que opera para além dos limites planetários. Soma-se a isso a forma como ele é implementado, regenerando o material orgânico e o solo da Califórnia, e com os funcionários sendo donos da empresa, temos mais camadas de inovação rumo a toda uma maneira inovadora de pensar o sistema das cidades e seus entornos. Quando começo o caso de São Francisco falando que é preciso uma visão de mundo diferente para abraçar a inovação, é sobre essa outra lente que permite um desenho de realidade novo.

Entende o poder que a sociedade civil organizada tem? Ainda mais quando foca no micro, no desenvolvimento da comunidade mais próxima. E é sobre isso que uma cultura regenerativa ergue suas bases: sobre uma nova percepção de nós, humanos, sobre nosso papel aqui no planeta. E ele está para muito além de apenas consumptor. Porque nascemos para ser integralis.

Cultura é o coração de uma comunidade

Como mencionei, talvez a forma mais clara de aplicação desse conceito de regeneração que já está acontecendo seja a agrofloresta. Ela parte de observar e aprender com a natureza e imitar seus sistemas. É um exemplo muito bom de como as relações entre as plantas daquele sistema fornecem exatamente os recursos de que elas precisam para florescer. E mostra que podemos regenerar uma terra arrasada e devolver para ela um verdadeiro ecossistema. Uma bananeira vira adubo e também fonte de umidade para a terra. O café é plantado sombreado por uma árvore mais alta, enquanto uma planta menor e que precisa de menos sol fica por baixo. Tal como acontece numa floresta mesmo. E, ainda por cima, não depende de sementes transgênicas, nem de adubos químicos ou de veneno para proteger de pragas. Os agricultores que estão adotando esse modelo mundo afora veem sua renda aumentar, porque a qualidade do alimento é muito superior e eles não dependem de comprar, a cada plantio, sementes de empresas que as modificam para impedir que seus frutos criem novas sementes. Tem gente, como o agricultor e ativista Ernst Götsch, que planta até água dessa forma!

Mas a visão de regeneração vai muito além da regeneração da terra e dos seus sistemas. Ela parte da regeneração dos valores, do ser humano e das culturas. O Brasil tem um manancial cultural riquíssimo. Somos um país continental com influência de diversos povos, o que gerou em nós um caldo cultural inacreditável. Regenerar culturas tem a ver com descolonizar, valorizar o que é local daquela comunidade, valorizar inclusive e principalmente a diversidade cultural e étnica de uma comunidade. A tal diversidade que deve ser também social e cultural.

A cultura é a expressão de uma forma de vida, e por isso tentam o tempo todo colonizá-la e pasteurizá-la, para que o dominador exerça o controle, influencie as decisões e os modos de viver do outro. O cinema americano e a mídia fazem isso como ninguém. Mas o *American way of life*, assim como os vestidos de mil camadas e espartilhos usados pelas senhoras de elite aqui no Brasil no século XVII, não cabe para o nosso país. Aqui é quente, temos clima tropical. Uma senhora andando com um vestido desses em pleno centro da cidade do Rio de Janeiro no verão era desmaio na certa. E de fato era isso que acontecia. Mas naquela época tínhamos pouca noção do que é ser colonizado. Hoje essa consciência mudou. Então é mais do que hora de nos voltarmos para o que é nosso. O que faz sentido culturalmente no nosso país, na nossa cidade, no nosso bairro ou no que quer que seja que delimitamos como a nossa ou as nossas comunidades. E valorizarmos justamente as diferentes formas de manifestar cultura. E também a arte. A arte salva, porque ela toca no coração sem passar pelo racional que tenta explicar tudo o tempo todo e compartimentar e encaixar numa gaveta com uma etiqueta.

Ver um povo florescer é ver sua cultura ser valorizada. E é por isso que a dimensão do humano e suas expressões são parte integrante e indissociável do design de culturas regenerativas. E, para quem se interessou por esse tema, tem o livro maravilhoso do Daniel Wahl e muitas empresas e organizações já fazendo workshops sobre isso. Inclusive o Menos 1 Lixo. Sim, porque acreditamos fundamentalmente nessa forma de nos colocarmos no mundo para florescer o mundo onde queremos viver.

Mas e a economia?

Claro que a dimensão econômica não poderia ficar de fora de um mundo com a lente regenerativa na tomada de decisões. Mas como seria ou como já é uma economia regenerativa? Talvez essa seja a dimensão mais difícil de ver com clareza, já que nossa referência de economia e de sistema capitalista é tão destrutiva. Mas poderia não ser. Pode ser justamente o oposto disso. Podemos viver num mundo onde a economia sirva de fato para cuidar do lar, como a etimologia da palavra propõe. Por isso eu dedico um capítulo inteiro à resposta dessa pergunta.

"NÓIS PODE"

Era uma tarde fria de sexta-feira, na Serra do Mar, num casarão amarelo no meio de uma floresta. Densa. A setenta quilômetros de Curitiba. Eu tinha sido convidada para integrar o conselho de uma ONG que surgia para transformar em parque e projeto de educação ambiental, que hoje é o Ekôa, uma reserva ambiental privada, de Mata Atlântica, de 238 hectares. Eu estava com mais sete conselheiros também convidados, gente de renome em áreas importantes, como Fabio Rubio Scarano, biólogo, professor da UFRJ, pesquisador, gente sensível e integrante por muito tempo do IPCC, o Painel Intergovernamental do Clima, que se tornou um querido amigo e com quem aprendo muito.

Lá pelo final da tarde, sentados em roda, começamos a ouvir um mineiro, que mineiramente pouco tinha falado até então, mas muito havia observado, ali na dele, com seu chapéu de palha inseparável, prosear usando uma linguagem muito poética e própria, para contar sobre como fez para tirar não sei quantos *mininu* da lavoura de cana, no Vale do Jequitinhonha, e criar com eles uma orquestra que já se apresentou até em Paris. Ele ia falando, e meu coração ia se abrindo; quanto mais eu ouvia, mais me emocionava, mais me encantava com a magia de transformação que cabe em enxergar, olhar para o outro e nele reconhecer potência. E o mineiro seguiu contando como fez para transformar a vida de centenas de famílias, numa região conhecida como o "Vale da Miséria", que nos anos 1970 foi classificada pela Unesco como o terceiro lugar mais pobre do Brasil, mas de uma forma que para mim era nova, porque não tinha na fala dele nenhum traço de pena, de caridade no sentido de ajudar os coitadinhos, de um fazer movido por assistencialismo. Ele faz o que faz por acreditar que todo ser humano é único e todo ser humano tem em si potencial para mudar sua realidade.

Tião Rocha, que se define antropólogo por formação acadêmica, educador popular por opção política, folclorista por necessidade, mineiro por sorte e atleticano por sina, era o orador em questão – e que orador! Depois vim a saber que ele já recebeu diversos prêmios nacionais e internacionais pelo trabalho da sua organização, fundada em 1984 em Curvelo, em Minas Gerais, o Centro Popular de Cultura e Desenvolvimento (CPCD). O papel do CPCD no mundo é gerar aprendizagens de novas formas de fazer, de pensar fora da caixa. É educar numa via de mão dupla, praticando a *ensinagem* e a aprendizagem. Para isso, os educadores são formados justamente nas comunidades em que o CPCD atua, sejam elas no Vale do Jequitinhonha, onde uma série de iniciativas acontece, no Maranhão, na Amazônia ou na Guiné-Bissau, por exemplo. A filosofia é sempre a mesma: chegar numa comunidade, olhar para ela, achar educadores em potencial e, a partir desse grupo, constituir um time. O jogo tem um objetivo muito claro, de ganha-ganha: transformar essa comunidade. Lembra um pouco os Guerreiros Sem Armas no sentido de ver potência e beleza onde muitos só enxergam pobreza e escassez. Para isso o time de Tião foca nos "pontos luminosos da comunidade" e naquilo que a própria comunidade tem a oferecer. Tião é reconhecido internacionalmente pelo resultado desse trabalho, que chama atenção ainda pelas pedagogias por eles desenvolvidas. *Empodimento* é uma delas. O tal do empoderamento na linguagem da roça brasileira.

Não pude conter as lágrimas enquanto me deixava levar pela história de como ele, que era professor universitário em Ouro Preto, largou a cátedra e pediu demissão, porque na universidade era "impossível praticar educação". Como ele diz, há uma diferença entre educação e aprendizagem. O clarão do Tião – porque, como ele mesmo conta, mineiro não tem *insight*, mineiro tem clarão – veio quando decidiu que não queria mais ser professor, queria ser educador. Os amigos falavam que era a mesma coisa, mas para Tião são coisas muito diferentes, já que o professor é aquele que ensina e o educador, aquele que aprende. "Tá na hora de eu sair desse lugar da ensinagem e passar para o lugar da aprendizagem."

Não sei traduzir tudo o que me marcou naquela conversa, mas ela me atravessou. Ele falava e eu sentia como se uma mão estivesse abrindo meu peito, deixando meu coração mais disponível para receber, para curar e talvez para beber um tiquinho que fosse da sua capacidade indescritível de olhar o copo meio cheio. Essa qualidade de ter uma outra lente para as pessoas. Sua extrema sensibilidade em ver potência onde muitos enxergam miséria.

Empodimento é apenas uma das diversas formas encontradas por ele de romper a barreira da *ensinagem* tradicional e criar pontes. Todas "têm como objetivo ensinar e preparar as pessoas para o diálogo, para a valorização de pontos de vista únicos e plurais, a horizontalidade do aprendizado, o empoderamento comunitário, a formação da identidade e da autoestima e o aproveitamento das potencialidades", como definiram Daniela Mendes e Fábio Queiroga, que passaram três semanas em Araçuaí e fizeram um estudo para a FGV sobre o modelo do CPCD naquela cidade do Vale do Jequitinhonha.[28]

O CPCD, que desenvolve projetos de educação popular e desenvolvimento comunitário sustentável, começou suas atividades em Araçuaí. Essa região tinha historicamente Índice de Desenvolvimento Humano (IDH) muito baixo e, como disse Tião, "perdia muito *mininu* pra cana". E pensando em como não perder mais nenhum *mininu* pra cana, já que era comum que os jovens da cidade saíssem para o interior de São Paulo, para trabalhar em lavouras de cana-de-açúcar e poder colocar dinheiro em casa, ele desenvolveu diversas atividades, entre elas Ser Criança e o Coral Meninos de Araçuaí. Com esse coral, que já gravou com Milton Nascimento e se apresentou em Paris, os *mininu* gravaram um álbum, e a comunidade decidiu o que faria com a renda. E o que ela decidiu foi realizar um sonho. Um cinema na cidade. A maior parte de seus habitantes nunca nem saiu de Araçuaí, que dirá ir ao cinema.

Tião e sua equipe se inspiram na pedagogia livre de Paulo Freire, e por isso ele afirma que educação é "algo que só existe no plural e pressupõe troca e aprendizado entre diferentes, o eu e o outro, o eu e os outros, os outros e os outros". Por isso no CPCD a lógica de *empodimento* não é de um empoderando o outro, e sim todos juntos se empoderando nas trocas de aprendizagem. Tião se inspira na Carta da Terra para a criação de seus projetos, uma declaração de princípios éticos fundamentais para a construção de uma sociedade global justa, sustentável e pacífica elaborada pela sociedade civil para chamar à ação governos e pessoas para a construção de um futuro justo, pacífico e sustentável. Para ele, a "diversidade é então nossa maior riqueza, nosso melhor patrimônio. É ela que dá sentido à humanidade, esta parte ínfima do Cosmos, mas fundamental para a vida na Terra, nossa 'Casa-Mãe'". No

---

28 "Centro Popular de Cultura e desenvolvimento, em Araçuaí: O *empodimento* na prática". Daniela Nogueira Mendes e Fábio Bruno Araújo Queiroga. FGV, 2016. Disponível em: <https://bit.ly/M1LEmpoderamento>.

CPCD as pedagogias são baseadas nos pilares apontados pela Unesco como diretrizes globais para a educação no século XXI: aprender a ser, aprender a conviver, aprender a aprender e aprender a fazer. E os nomes das pedagogias por eles inventadas são um capítulo à parte. Tem a da Roda, que promove o aprender a conviver; do Abraço, o aprender a ser; do Brinquedo, o aprender a aprender; e a do Sabão, o aprender a fazer. Formas de trocar saberes criadas a partir, novamente, da observação. Assim, ele e sua equipe atuam nas comunidades sempre buscando maximizar o potencial já existente ali e dar luz ao que aquela comunidade tem de história, saberes e valores. Tião gosta de fazer perguntas em roda e ouvir as respostas, que são poderosos caminhos conjuntos para buscar soluções. E uma das suas provocações constantes em roda é perguntar de quantas maneiras diferentes e inovadoras uma certa coisa pode ser feita. Ele acredita que as respostas estão todas ali, basta saber perguntar e estimular que ela floresça.

De quantas maneiras diferentes e inovadoras eu posso alfabetizar uma criança, ou fortalecer uma comunidade em prol de um projeto, ou diminuir o lixo na cidade? E foi perguntando de quantas maneiras diferentes e inovadoras que se pode ensinar uma criança a escrever que nasceu o Escrivinhando. Essa história eu me lembro de ele contar. Que, ao se sentar em roda com as mães da comunidade, perguntou o que elas sabiam fazer, e no começo, meio tímidas, silenciaram. "Mas vocês num sabem é fazer nada?" "Nóis num sabe, não." "Ah, então se vocês num sabem nada eu vou é me levantar e ir embora." "Ah, nóis sabe fazer biscoito!" "Então é com esse biscoito que nóis vai alfabetizar os *mininu*." Para fazer a massa já se aprende a contar quantos ovos, quantos gramas de farinha, quanto de manteiga. Massa pronta, é hora de colocar no saco de confeiteiro e seguir os desafios propostos: letras, nomes, até frases inteiras saem do forno e com elas a criação do lúdico e do afeto para um real aprendizado. Todos participam, pais, mães, educadores e a criançada. E celebram devorando os saberes e as novas possibilidades que surgem com eles.

Tião usa a roda para trocar esses saberes e promover a educação, num processo coletivo. E essa metodologia, claro, também foi batizada: é o MDI, Maneiras Diferentes e Inovadoras de fazer uma coisa. Segundo Daniela Mendes e Fábio Queiroga, de cujo estudo eu tirei algumas das informações e trechos para apresentar esse caso com mais fundamento do que só as lembranças das minhas conversas com Tião, "o MDI é uma metodologia que busca exercitar a criatividade e a riqueza da criação em conjunto para resolver problemas". Como explica Ana Paula Silva, coordenadora do projeto Ser Criança, o MDI tem como base a provocação, o estímulo e o fazer pensar "fora da caixa", longe dos modelos já prontos e das soluções preestabelecidas, tornando mais fácil encontrar caminhos novos para problemas velhos e permanentes.

A base do olhar é o tal do *empodimento*, um misto de um processo interno pelo qual passam as pessoas, que envolve a construção de uma autoestima e autopercepção, além de um processo externo de agir sobre o meio à sua volta. Ambos os processos são impulsionados intencionalmente a partir das ações desenvolvidas pelo CPCD com a população. Como diz Tião Rocha, o *empodimento* "é algo construído dia a dia com muita conversa de roda, muito aprendizado e uma estratégia de trabalho. (...) É como se as pessoas falassem 'quer dizer que nóis pode? Não sabia que nóis podia'. Esse é o momento em que elas descobrem sua potência e seu poder; é o ponto fundamental da transformação de uma comunidade, porque reflete uma transformação de postura ética".

Sua métrica insere na equação a potência, e é o contrário daquela usada para direcionar políticas públicas e fazer análises de uma comunidade, o famoso IDH, que, segundo ele, "não transformam nada, porque não levam em consideração o 'outro', o que ele sabe, o que ele faz e o que ele quer, porque ele é visto como 'diferente, desigual e carente'. Quando muito são políticas e programas paliativos, temporários, residuais, assistencialistas, compensatórios que não são apropriados pelas pessoas, nem pela comunidade". Por isso, ele criou a sua própria maneira de medir impacto, inserindo um P na sigla, que pode parecer apenas uma letrinha, mas muda tudo. É com base no IPDH – "Índice de Potencial de Desenvolvimento Humano" – que esse mineiro e seu time já impactaram mais de 152 mil pessoas, em projetos espalhados em sete estados brasileiros, quatorze comunidades. O CPDC já construiu 150 banheiros secos, cercou e protegeu 84 nascentes, criou dois projetos de agrofloresta, distribuiu e plantou 73 mil mudas, criou 160 quintais maravilha e formou quatrocentos agentes comunitários até 2018.

195 HOMO INTEGRALIS

O CPCD se dedica à implementação e realização de projetos inovadores, programas integrados e plataformas de transformação social e desenvolvimento sustentável, destinados, preferencialmente, às comunidades e cidades brasileiras com menos de 50 mil habitantes. No Brasil, quase 70% dos municípios têm até 20 mil habitantes, e estão perdendo sua população para centros maiores, com mais desenvolvimento econômico. Por isso se faz fundamental o pensamento estratégico de cidades menores, para evitar o inchaço já insustentável de cidades consideradas de médio e grande portes. Ele pretende se tornar uma referência regional e nacional na construção de Cidades Educativas e na implementação de Cidades Sustentáveis, contribuindo de forma substancial para a consolidação dos princípios éticos, de transparência, justiça e equidade social, valorizando a diversidade cultural brasileira. A sustentabilidade é a base do pensamento de regeneração das cidades, e para isso é preciso contemplar os pilares econômicos, o compromisso ambiental e o respeito ao planeta; valores humanos e culturais; e empoderamento local. Não à toa é na Carta da Terra que ele se enraíza.

Sua forma de regenerar e educar chegou até Moçambique, na África. E entre tantos projetos, que vale a pena entrar no site para conhecer, o Arasempre exemplifica esse pensar a cidade *por* e *para* o cidadão.

Arasempre é apresentada como uma ação coletiva em torno de uma causa. E a causa da gente, nossa bandeira, é fazer de Araçuaí uma cidade melhor para se viver. Mas não só para a gente ou para quem a gente conhece. É, também e principalmente, para os nossos tataranetos. É um presente para o futuro que a gente já começou a embalar, porque já tem resultado acontecendo para todo lado que se olha. E como a gente faz isso? Convergindo tecnologias socioambientais, quer dizer, unindo saberes, fazeres e quereres de muita gente, numa estratégia que soma Acolhimento, Convivência, Apropriação e Oportunidade – AÇÃO.

Tião acredita no poder das relações humanas para a transformação. E é a crença nesse poder a base do pensamento de culturas e comunidades regenerativas. Afinal, "nóis pode" muita coisa juntos!

Nóis pode inventar metodologias, abrir rodas e dar voz às crianças. Nóis pode ensinar os *mininu* a fazerem conta usando o jogo de dama, ou melhor, a *damática*, uma mistura de dama com matemática, inventada para solucionar o problema de um dos alunos, que era fera na dama mas não aprendia a contar de jeito nenhum. Já que ele sabe jogar mas não sabe contar, e se a conta fosse ensinada pelo jogo? Cada pecinha, feita de tampinha de garrafa customizada, recebeu um número ou um símbolo das operações como multiplicação e divisão. Só vale comer a peça do adversário se solucionar a equação proposta na combinação das peças envolvidas na jogada. O tal menino aprendeu tão bem que a metodologia agora é uma das aplicadas no Ser Criança, o guarda-chuva mãe de diversas dessas formas de *ensinagem* e aprendizagem infantil. Rodas, brincadeiras, aulas ao ar livre, mais especificamente uma escola embaixo de um pé de manga, são algumas das iniciativas inovadoras desse projeto.

Quem participa resgata muitas coisas, entre elas a capacidade de sonhar – olha o sonho aí de novo, minha gente! E, juntando sonho e potência, há quem transforme a cidade mais pobre do Brasil num lugar de onde as pessoas não querem mais sair e cujas oportunidades são criadas por elas mesmas. Se isso não é *empodimento*...

NOVAS COMUNIDADES PARA UMA NOVA ERA REGENERATIVA

Já venho falando muito até aqui que um ponto central na regeneração da vida é a maneira como vivemos e que isso é um reflexo da consciência que existe. A forma como criamos esses modelos em que vivemos, nos relacionamos com o outro, com a terra, até com o lar, está diretamente ligada à consciência do grupo em questão. Muita coisa já evoluiu nesta caminhada civilizatória. Quando assistimos às séries dos vikings na Netflix, por exemplo, matar o amiguinho, o traidor, a esposa, até o filho, era parte do cotidiano amplamente aceito naquela sociedade. A honra era limpa com sangue. Os derrotados, escravizados ou assassinados. E no final do dia um brinde e uma celebração. Nesse quesito não há como negar, evoluímos. Assim, a maneira como nos organizamos em bandos reflete essa visão de mundo e as necessidades vigentes de cada época. A configuração dos lares, das praças, das ruas, das comunidades, do viver está sempre diretamente ligada às necessidades centrais da comunidade e aos códigos éticos e morais dessas mesmas comunidades. Ao olharmos para a história, vemos que os bandos, quando passam de coletores e caçadores para agricultores, se estabelecem próximo a rios ou fontes de água doce. Já que não há vida sem água, não poderia haver cidade sem rio. Quando o comércio entre cidades e estados passa a se fortalecer, os grupos passam a se concentrar perto de portos, já que o ir e vir de mercadorias se dava em navios.

Passamos por diversas fases até chegarmos na configuração atual de vivermos em grandes centros urbanos espalhados pelo mundo. De acordo com relatório da ONU de 2018, cerca de 55% da população mundial vive em centros urbanos. E, segundo dados da ONU Habitat de 2019, uma em cada oito pessoas vive em apenas 33 megacidades mundiais, todas elas com mais de 10 milhões de habitantes. Contudo essa forma de moradia, assim como o sistema no qual está inserida, colapsou. Se pensarmos nas grandes metrópoles mundiais, de países ricos e de países pobres, veremos que os mesmos problemas se apresentam, em níveis distintos, mas estão lá: inchaço das cidades, pouca área verde, poluição do ar, trânsito, deficiência no serviço de tratamento de esgoto, bolsões de pobreza, alto custo de moradia, serviços caros, desemprego – isso sem falar naquilo que notamos pouco, a poluição visual e a sonora, entre outras coisas. Sim, essas duas últimas têm impactos gritantes na nossa saúde mental e física. Se você morar num grande centro no Brasil, soma-se a tudo isso a violência, que causa nos seus habitantes um constante estado de alerta, gerando um estresse com o qual o corpo humano não tem capacidade de lidar. O crescimento dos grandes centros urbanos foi se dando. Assim no gerúndio, e de forma desordenada, sem planejamento e muitas vezes influenciado por lobbies e segmentos diametralmente opostos ao bem viver de uma metrópole. Ou ainda com tecnologias e formas de fazer obsoletas. Um bom exemplo dos lobbies é termos no Brasil cidades pensadas para carros. Durante os últimos anos houve uma pressão enorme por isenção de impostos para a indústria automobilística, que viu seu mercado diminuir drasticamente em países ricos – que investem cada vez mais em transporte público de qualidade – e assim quis entubar nos chamados países pobres a frota que deixava de ser vendida acima do equador. Com isso, o trânsito do Rio de Janeiro e de São Paulo piorou de uma forma sem precedentes. Transporte público de baixa qualidade somado a IPI reduzido significa ruas lotadas de carros, sem que tivesse havido um planejamento para isso. Um outro exemplo é o tratamento de esgoto das cidades. Levar o cocô das pessoas por quilômetros de distância para tratar é muito obsoleto. Cada bairro deveria ter sua miniestação de tratamento, como já acontece em diversas cidades desenvolvidas do mundo. Mas, neste formato atual, as cidades estão doentes e seus habitantes idem. E, como são megacidades, a ordem de grandeza da complexidade de soluções também o é.

Essa é uma equação de múltiplas variáveis, e numa escala de complexidade proporcional ao tamanho da concentração demográfica. Mas já que estamos pensando numa nova história para a humanidade, e que o modelo urbano que temos está colapsado, qual seria o melhor formato de repensar cidades e comunidades?

Ecovilas – comunidades intencionais de regeneração

No livro *Ecovilas Brasil, caminhando para sustentabilidade do ser*, a educadora e consultora nas áreas de sustentabilidade e da vida comunitária Taisa Mattos define as ecovilas como "comunidades multifuncionais, rurais e urbanas, cujos princípios e práticas se voltam para a sustentabilidade em diversas dimensões e níveis. São laboratórios vivos, que estão criando e experimentando novas formas de vida e relacionamento, proporcionando, ao mesmo tempo, qualidade de vida e baixo impacto ambiental. As ecovilas podem ser vistas como exemplos na criação de outros modos de habitar o planeta".

Quando fiz o Gaia Education, aprendi muito sobre o movimento global das ecovilas, já que esse programa de educação foi baseado nas experiências reais dessas comunidades intencionais pelo mundo. Voltando um pouco, eu queria explicar, para quem não conhece, o que é esse curso, diria experiência, pois a palavra curso não faz jus à profundidade do Gaia, uma imersão de reflexões e transformação da forma de ver e se ver no mundo. Na definição do site oficial, o Gaia Education Design para a Sustentabilidade (GEDS) é "uma experiência de aprendizagem transformadora, que oferece reflexões e conhecimento sobre os princípios e práticas para o design de projetos e comunidades sustentáveis. Seus objetivos são os de desenvolver as habilidades necessárias para promovermos bem-estar econômico, justiça social, ambientes regenerativos e pensamento sistêmico. O programa foi criado com o propósito de servir a uma educação para a transição, rumo a uma cultura mais sistêmica e sustentável – considerando um escopo global e sem deixar de lado a aplicação local. Para tal, dá especial atenção às áreas e temas fundamentais que apoiam o desenvolvimento comunitário sustentável".

O currículo GEDS pode ser descrito como "holístico" – o que significa que ele apresenta os aspectos multidisciplinares da sustentabilidade como um todo completo e interdependente. O programa é orientado à ação e à busca de soluções, de forma a atender às necessidades de pessoas reais e situações reais, num mundo que está em rápida mutação.

O Gaia é aquele tipo de experiência que transforma na íntegra, e vi isso acontecer comigo e com vários colegas de jornada que até hoje fazem parte da minha rede de relacionamentos. Isso se dá em diversas camadas. Fundamentalmente, ao final dessa jornada a lente mudou, porque o coração se abriu. É tão transformador que até meu marido eu conheci no Gaia. O termo design pode dar a entender que vamos aprender a desenhar produtos sustentáveis, mas aqui ele se aplica a uma visão de desenho de mundo, não de produto, de novas referências para cocriarmos as células que formam comunidades, que formam cidades, que formam a teia da vida, numa verdadeira jornada de regeneração. O Gaia Education foi reconhecido pela ONU como uma contribuição oficial à Década Internacional da Educação para o Desenvolvimento Sustentável (2005-2014) e recentemente foi chancelado pela Unesco como parte de seu *Global Action Programme* para a implementação dos ODSs (Objetivos de Desenvolvimento Sustentável).

O programa reflete a experiência prática das comunidades intencionais e portanto abrange todas as dimensões da vida, e, diferentemente da lente comum, não é focado na dimensão econômica. Ela está lá, mas não é mais a partir dela que o desenho da vida se dá, e sim a partir da visão dos alicerces da vida, o que inclui as dimensões social, econômica, cultural e, claro, a ecológica, todas elas interligadas sob a lente sistêmica da interdependência e do Interser. Ecovilas são esses oásis desenhados em harmonia e cooperação com a natureza. Conceitos como permacultura, bioconstrução, comunicação não violenta, autossuficiência energética, autossuficiência alimentar, tratamento natural de esgoto são alguns dos elementos comuns a essas vilas. Mas, fundamentalmente, uma ecovila é uma nova proposta de vida em comunidade, onde pessoas com pensamento parecido e que gira em torno de uma forma de coexistir mais harmônica com a natureza se juntam para criarem aquilo que ainda não é o lugar-comum.

Comunidades intencionais se distinguem de outros tipos de comunidades por partirem não da premissa de quanto vamos economizar quando dividimos, por exemplo, o mesmo espaço num prédio, ou da visão de oportunidade do tipo "vamos construir cidades porque a mão de obra estará mais próxima ao trabalho", mas do compartilhamento de um mesmo desejo de estilo de vida. Elas se formam não por acaso, mas intencionalmente. Em geral são sonhadas e materializadas como um contraponto ao que é considerado o "normal" e buscam sobretudo novas maneiras de viver e de se relacionar entre si, com a natureza e com dimensão espiritual. E, se você está pensando que isso é uma utopia, lembre que as utopias existem para guiar a caminhada. No caso das ecovilas, elas são bem reais e existem em todos os lugares do planeta. Vale ressaltar que não são lugares perfeitos, afinal o perfeito não existe, inclusive algumas se formam e acabam depois, porque são formadas por pessoas e se relacionar não é assim a coisa mais fácil do mundo. Mas isso também faz parte desse aprendizado. Então gosto de enxergar esses experimentos como prototipações de novas formas de vida num momento de transição em que estamos. E podemos beber na fonte de quem está vivendo na prática de outra forma, para ir aos poucos trazendo esses fundamentos e transformando-os em novos paradigmas globais de existência, como são hoje as cidades. Afinal, teremos que repensar esses centros, já que é neles que estarão dois terços da população em 2050, segundo a ONU.

Tecnologia e o pensar local

Durante a pandemia ouvi de muitos amigos que eles não querem mais morar em cidades grandes. Quando a cidade para e as pessoas precisam ficar isoladas em casa, ou até mesmo vão trabalhar fora mas voltam para seus apartamentos ou suas casas, onde quer que sejam, parece que fica mais evidente como a maior parte das cidades não é saudável. Podemos pegar o gancho de que até a metrópole sonho de muita gente, Nova York, colapsou na pandemia, e não à toa foi o epicentro da doença nos Estados Unidos. Mesmo Nova York, com todo o seu dinheiro, não foi uma cidade pensada com resiliência; mesmo lá esse conceito já começa a ser aplicado. Aqui no Brasil, Rio e São Paulo apresentaram o mesmo triste panorama.

Mas as cidades foram crescendo por um motivo claro: a servidão ao dinheiro. Na verdade, às oportunidades de trabalho. Numa sociedade de consumptors, não se é ninguém sem dinheiro. E o dinheiro está, ou estava até então, fortemente concentrado nesses centros, reconhecidos ou idealizados como locais de oportunidades, onde o sonho do consumo se torna realidade, fomentado por uma oportunidade de emprego. E isso é uma verdade, mas que foi intencionalmente construída em função desse modelo global de polos de produção e escoamento de produtos. Se houvesse um incentivo à agricultura familiar, por exemplo, muito do contingente de pessoas que vieram parar nesses centros colapsados poderia ter ficado no campo. E até pouco tempo atrás o trabalho tinha que ser, para todas as áreas da economia, presencial, pois a tecnologia de telecom evoluiu a ponto de possibilitar o trabalho remoto apenas nos últimos vinte anos.

Nossas cidades refletem a visão de mundo da separação, da especialização e da mecanização. Elas foram se desenvolvendo para atender a um modelo econômico, e não a um modelo do bem viver. Lembram muito os pavilhões de uma fábrica, setorizadas que são. Assim, você sai da sua casa ou apartamento por uma rua asfaltada ou sem árvores, até um depósito de alimentos ou supermercado. Volta por essa rua dentro de um compartimento fechado, carro ou ônibus. Transita pelo cinza, pelo estéril, por aquilo que aparentemente nos protege dos perigos externos. No início, animais de grande porte, feras. Hoje, apenas o outro. O vizinho, o bandido, ou qualquer outro que me cause desconforto ou medo. Esses modelos de cidades similares ao que vemos e vivemos hoje vêm se desenvolvendo desde a Revolução Industrial, quando aconteceu o primeiro grande êxodo rural. O sapiens foi oficialmente rebaixado à categoria de trabalhador e consumidor, rebaixado não porque essa seja uma atividade com menos valia, mas porque, sim, é uma redução do potencial da espécie. E, sendo consumptor, viver nas cidades era para muitos a única maneira de sobreviver na sociedade do capital. Pode soar bem duro ler estas palavras, pelo menos para mim é. A parte boa é que fomos nós que criamos esse jeito de ser e de viver, baseado nas crenças. Então podemos e devemos embaralhar e dar as cartas de novo, dessa vez com regras diferentes. Assim o jogo vai ser outro.

Mas, voltando à historinha de como chegamos até aqui, ela está ligada à visão da separação, da mecanização e da especialização. Primeiro o êxodo atendeu à necessidade de força de trabalho nas fábricas. Depois, ao modelo globalizado do prego feito na China com matéria-prima da mineração que rompe barragens em Brumadinho. Um

204 FE CORTEZ

mundo globalizado, mas ainda intenso em mão de obra e consumo de energia. Para atender a essa produção toda, fábricas. E até bem pouco tempo atrás nossa tecnologia não permitia que trabalhássemos remotamente – aqui me refiro à possibilidade que existe em alguns tipos de ocupação intelectual, como marketing, mídias sociais, engenharia e outros, que não requerem a presença física no ambiente de trabalho. Mesmo quando permitia, muitas vezes era a cultura organizacional da maioria das empresas que não permitia, acreditando que esse trabalho remoto seria improdutivo. Percebe que a lente e os valores determinam até isso? Porém a mudança começou justamente em empresas de tecnologia, para as quais a distância não era vista como limitação, mas como oportunidade de contratar os melhores profissionais sem ter que trazê-los para outro país, por exemplo. Só que, quando vimos o quadro de pandemia, uma grande parte do trabalho passou a *ter* que ser feita de forma remota, de casa, e assim uma chave virou e uma porta enorme se abriu. Essa porta nos mostra uma saída para começar a repensar por que vivemos em poleiros uns em cima dos outros, sem ver as estrelas, rodeados de barulho o tempo inteiro, e sem de fato ter ligação afetiva com a maior parte das pessoas que nos rodeiam. Nossas cidades estão longe de ter como base o conceito real de comunidade.

Muita gente já tinha percebido, mesmo antes da pandemia, que esse modelo colapsou, por diversas razões. Começava a ficar claro o descompasso entre a necessidade da comunidade e a real prática dessa comunidade em locais com muitos milhares ou milhões de habitantes. Somos seres sociais. Por isso a noção de comunidade é tão central na nossa existência, ela garante que as necessidades físicas e emocionais sejam atendidas, ou pelo menos deveria. A comunidade é o grupo, é a célula base da vida em sociedade, mas, refletindo a lente que prevaleceu até agora, também foi sendo substituída por serviços prestados por terceiros, como o Estado e as indústrias, ou serviços privados para atender àquilo que o Estado não consegue prover, como saúde e segurança, por exemplo. E essa passagem de bastão da função de um para outro desfez laços fundamentais para a manutenção da teia da vida pulsante e vibrante. Vivemos com pessoas sem nos relacionarmos de fato com elas. Mas é impossível se relacionar com mi-

205 HOMO INTEGRALIS

lhões ou milhares de pessoas que dividem uma cidade com a gente. Aquelas pessoas se tornaram "mais um na multidão" porque de fato não temos capacidade de estreitar laços com tanta gente. Para além da questão dos laços, muita gente começou a se dar conta de que o que os grandes centros e até os médios oferecem não está de acordo com a visão de mundo dessas pessoas. E que essa personagem do consumptor é apenas uma função atribuída por um sistema que lucra com isso, mas não é a natureza humana. Essas pessoas despertas, nem melhores e nem piores, apenas despertas, começaram então a recriar o que significa viver em comunidade, e grupos começaram a se juntar para criarem *sua* forma de vida conjunta. Aquilo que começou como o movimento de ecovilas nos anos 1990 ganhou luz como base fundamental para uma cultura e uma vida regenerativas. E pode ser nossa inspiração para redesenharmos inclusive as cidades. (Re)tecer esses laços é dar vida a um novo tecido social com novas estruturas para uma nova era.

Cidades gigantes e inchadas são pouco resilientes para quase tudo, principalmente para uma pandemia. E a vida em cubículos de cimento não é natural ao ser humano, só é naturalizada pelo *Homo consumptor*, porque ele está completamente desconectado de sua própria natureza. O ser humano precisa de sol, de contato com a terra, precisa ver estrelas, ouvir os pássaros cantar, é isso tudo que regula nossos sistemas. Nosso sistema nervoso é intrinsecamente conectado a Gaia e à sua teia eletromagnética que não conseguimos ver, e por isso viver em contato com a natureza regula nossos corpos, físico, espiritual e mental. Quando silenciamos, conseguimos ouvir melhor nossos corações. Quando pausamos, como foi o caso da pandemia, vemos aflorar desejos ocultos ou abafados de nossa psique ou vemos surtos de doenças mentais e ansiedade. Talvez porque tenha ficado evidente para nossas células que somos bichos e, como tais, não podemos ficar enjaulados. Nessa situação extrema vi aflorar esse desejo das pessoas de voltarem a viver em lugares mais simples, mais calmos e em contato direto com a natureza. Quando nos aquietamos em casa, existe uma probabilidade maior de conseguirmos ouvir nossos corpos dizendo aquilo que é precioso para eles. E muita gente começou a repensar a vida. Isso é possível em grande parte graças à tecnologia.

206 FE CORTEZ

Poder trabalhar de casa, seja essa casa onde for, possibilita que muita gente repense onde vai morar. Claro que não estou dizendo que todos tiveram essa possibilidade ou até essa reflexão, mas parte das pessoas sim. E pela primeira vez em anos pode ser que vejamos um movimento de desinchaço das cidades e uma ida para cidades menores e para o campo. Afinal, nunca antes tivemos uma pandemia que mudou tanto a nossa percepção sobre o trabalho. Ao mesmo tempo que nunca antes tivemos um desafio de reflorestar o planeta.

Cito esses dois fatos pois talvez a combinação dos dois não tenha sido incluída pela ONU em suas previsões. Vai que o coronavírus é o carro de agora e que, em vez de pensar em como criar fraldas para cavalos, teremos que pensar outras coisas, que nem eu sei. Só um parêntese de atenção: temos que criar essa ida para o campo de forma completamente conectada ao conceito de regeneração, senão seremos mais uma vez pragas destruidoras e vamos causar muito desequilíbrio. Se formos com a mesma lente, vamos apenas reproduzir modelos disfuncionais de divisão de espaço e oportunidade. Mas este livro é sobre como é possível fazer isso de outra forma, né? Só não custa nada relembrar...

Voltando ao localismo

Pois bem, olhando essa primeira camada do onde, vamos caminhando para o como, e esse *como* é um grande leque de possibilidades. Ele começa com o pensar, planejar e agir localmente. Uma das chaves de virada de paradigma é o viver e agir localmente. No modelo de industrialização globalizada fomos doutrinados a agir pensando globalmente. As soluções propostas são globais, o *trade* de mercados é global, a moeda é global, a produção e a cadeia de suprimentos são globais. Tudo foi pensado para gerar mais eficiência. Só que esse tipo de eficiência imaginada vai na contramão da resiliência. E, para a vida, resiliência vem antes e contém eficiência. Ao mesmo tempo que permite que hoje eu trabalhe da roça, a tecnologia ameaça os postos de trabalho de milhões de pessoas com a evolução dos robôs nas fábricas. É crescente o desemprego mundial. Como podemos então criar, nós mesmos, oportunidades para que as pessoas tenham uma qualidade de vida melhor, diante de tantos desafios?

Soma-se a isso o consumo de energia disfuncional no qual esse sistema se baseia. Hoje, uma cadeia de suprimentos que viabiliza um modelo industrial globalizado só é possível porque temos uma energia suja, baseada em combustíveis fósseis, aliada a um sistema de preços que não coloca na conta o que chamamos de externalidades, ou, de forma bem reducionista, a poluição causada por ela, e sobre isso eu falarei mais à frente. Por esse motivo ainda existe o uso intensivo de energia. Estamos falando de um custo energético que causa a destruição da teia da vida. Se a hiperglobalização nos trouxe a destruição da teia da vida, talvez o localismo traga de volta sua recuperação. Quando analisamos esse conceito, temos que prestar reverência e aprender muito com as comunidades indígenas e povos tradicionais, que conseguiram se manter no mesmo lugar – quando não foram exterminados pelo homem branco dominador – de forma harmônica por milhares de anos. Milhares. Nós destruímos uma cidade em menos de cem anos, vai vendo... E ainda chamamos essa galera e seu conhecimento de primitivos. Ai, sapiens/consumptor...

Mas isso só é possível porque o estilo de vida dos povos tradicionais é bem diferente desse que construiu nossas cidades. Sua cosmovisão, sua lente para ver o mundo, é outra. A grande maioria ainda se vê em união com a natureza. Age e vive localmente para quase tudo e pratica uma escuta diferente da nossa, que poderia ser chamada de escuta holística ou integral. Daniel Wahl fala que a escuta profunda está no centro da criação de uma cultura regenerativa, e eu não poderia concordar mais. Uma escuta que começa em nós mesmos (a dimensão espiritual) e depois se expande para os outros (social), e fundamentalmente para a natureza. Gaia e seus seres não só falam com a gente o tempo todo, mas se organizam de forma que suas comunidades, seus ecossistemas floresçam. É esse aprendizado que deve ser a base para a regeneração das comunidades. E por isso o local é tão importante.

Por outro lado, temos a oportunidade de reinventar as trocas globais. Em vez de continuar pensando em trocas físicas, a troca de conhecimentos e sobre a forma de fazer é muito bem-vinda para trazer mais diversidade e acelerar processos de inovação em nível global. O conceito de global é também presente e fundamental à percepção de que somos uma grande civilização planetária, com o desafio comum de regenerar um planeta (quase) inteiro. Se não houver trocas de informações a respeito do como fazer isso, a tarefa será impossível. Perceba, no entanto, que aqui a proposta é uma inversão: o pensamento, o planejamento de florescimento de uma comunidade e a produção de grande parte de seus bens e serviços são locais. A troca de saberes é global. Alguns produtos continuarão sendo trocados em nível global, mas comer alimentos importados de outro continente, usar roupas fabricadas em outro país, comprar um prego fabricado na China não têm mais sentido quando o foco é a regeneração. Ou a vida.

Comunidades intencionais, e até cidades como as que conhecemos, estão atentando para isso, e um bom exemplo é o florescimento de moedas complementares, moedas sociais, que visam manter aquele dinheiro circulando internamente num dado perímetro. O modelo de cidade idealizado pelo Tião Rocha nasce justamente quando ele se dá conta de que estava perdendo os *mininu* para a lavoura de cana. Em outro estado, porque a economia local não tinha como absorver essa mão de obra. E, quando ele começa a desenvolver os projetos de *empodimento* dessa comunidade, a mágica começa a acontecer. E os *mininu ficam tudo lá*. Florescendo e ajudando a cocriar a vida naquela cidade. Tirando ela da linha da miséria e trazendo beleza para a vida dos seus habitantes.

A localização, ou (re)localização, da economia diminui ainda a pegada ecológica, e só esse motivo já deveria ser suficiente para recriarmos com essa base. Além disso, está mais alinhada com o *Homo integralis* e também desenvolve as potências locais e passa a ser alicerce da regeneração. Ou, como define Wahl, "a prática regenerativa é sobre liberar o potencial das pessoas no lugar, ouvindo profundamente a história que o território e seu povo querem contar. É sobre encontrar maneiras de manifestar a essência biocultural única de cada localidade, de forma a atender às necessidades humanas e ao mesmo tempo enriquecer e curar a comunidade biológica mais ampla em que estamos inseridos". Hoje já temos muitas tecnologias para isso e podemos desenvolver outras que façam sentido para este mundo onde sonhamos viver. Pensemos nas impressoras 3D e nas tecnologias que estão surgindo de economia circular. Esses pensar e agir local não se referem apenas ao humano e suas necessidades. Na visão holística de regeneração, o bioma local é parte integrante e chave dos contornos que essa história vai tomar. É voltar a pensar como aldeias, mas fazendo parte da etnia integralis que hoje se pode perceber como uma grande civilização planetária. Para desafios globais, essa percepção do todos somos um é fundamental, bem como entender que humanidades são essas e como podemos fazer com que elas, entrelaçadas aos seus parentes, os rios, montanhas, animais, árvores e todos os seres que dividem esta casa conosco, possam florescer neste lar.

Pensando a comunidade maior

Quando nos vemos como uma civilização planetária e parte integrante da teia da vida, podemos perceber a abundância que existe neste planeta. Essa abundância floresce quando pensamos localmente e olhamos para as necessidades e histórias de cada comunidade como únicas. E cada indivíduo como parte. É um olhar do potencial, do qual partem o Tião, o Edgard, o Marquito, os Guerreiros Sem Armas. Todos esses projetos partem da certeza de que todas as pessoas no planeta têm dons. Todas. Todas elas podem ser agentes de regeneração, e só teremos a regeneração completa de Gaia quando todos os seus seres estiverem dentro do sistema, e não à parte como vemos hoje. E cada lugar tem sua história e sua potência, sua cultura. Muitas vezes uma cultura é esquecida, desvalorizada e perdida, mas se abrirmos um campo de escuta e de valorização das pessoas descobriremos tesouros inimagináveis. O pensar local é uma forma viável de cocriar uma pequena célula do todo, e em harmonia com o todo, que viabiliza e foca na inclusão e na diversidade como alicerces. Se formos para a Amazônia, que é uma floresta tropical, não faz sentido querer criar gado ali, pois gado não come árvore, come gramínea. Faz sentido desenvolver comunidades em torno da coleta de sementes de árvores e palmeiras como o açaí, por exemplo. Faz sentido reverenciar uma forma de vida sem plástico e sem lixo, porque não existe sistema de limpeza urbana na floresta. Não faz sentido permitir a entrada de Nestlé e Coca-Cola com seus barcos/mercado que só levam o produto e não recolhem seu lixo, que fica ali poluindo a maior floresta tropical do planeta. Se não tem como tirar seu lixo, não pode estar ali. Basta de privatização de lucros e socialização de prejuízos. Pronto, falei!

Mais do que isso, porém, pensar uma comunidade local é observar como podemos viver com a menor pegada de tudo. Não só de carbono como também de energia, água, resíduos. A pegada é o rastro que deixamos no planeta. Pegada hídrica é a expressão usada para calcular quantos litros de água, direta e indiretamente, são usados para a fabricação de um determinado item. Uma calça jeans, por exemplo, gasta cerca de 5 mil litros de água para ser produzida, de acordo com uma pesquisa feita pelo movimento Ecoera, em parceria com a Vicunha Têxtil, fabricante de jeanswear.[29] Para se ter uma ideia do que isso significa, quinze minutos de banho equivalem ao consumo de 135 litros de água, segundo a Companhia de Saneamento Básico do Estado de São Paulo, a Sabesp. Ou seja, os 5 mil litros de água usados para produzir uma calça jeans significam 37 banhos. Outro dado importante para avaliar as preocupações com a pegada hídrica: na média mundial, o volume de água necessário para produzir 1 kg de carne bovina é de 15,4 mil litros.

Carbono vai pela mesma linha, e podemos ainda pensar em energia etc. Pensar local começa, por exemplo, em comprar apenas alimentos do entorno, de pequenos produtores, e da estação, pois esses crescem sem a necessidade de agrotóxicos. Comer pitaia importada de sei lá onde e isso virar moda é completamente antinatural. Até porque o custo energético e a pegada desse transporte são antiéticos quando pensamos numa nova ética planetária. E só é financeiramente viável hoje por meio dos bilhões de dólares de subsídio da energia suja no mundo.

Olha que grande oportunidade temos de recomeçar e entender o que aquela comunidade da qual fazemos parte, ou à qual vamos nos juntar, tem de história, de recursos, de valores, de possibilidades. Recriar cidades como pequenas células, com o pensamento de bairros completos e com áreas verdes, que valorizam e incentivam diversi-

---

29 Disponível em: <https://bit.ly/M1LJeans>.

211 HOMO INTEGRALIS

dade cultural. Pensar localmente traz inúmeras possibilidades e fundamentalmente diminui a pegada em todos os sentidos, e esse é um desafio global. Que vai ser resolvido localmente.

Cidades em transição

Mas aí você pode estar pensando: *Fe, eu moro numa grande cidade ou numa cidade média. Mas numa cidade. E não tenho vontade de morar numa ecovila. E, mesmo que eu queira ir para uma cidade pequena, a maior parte da população já habita as megalópoles e grandes centros urbanos*. Justamente para acalmar o coraçãozinho de quem quer fazer a transição, mas sem se mudar para a roça, existem alguns movimentos de regeneração acontecendo em cidades. O caso de Araçuaí, a cidade do Tião, é um ótimo caso de estudo. E quer de fato servir de exemplo para o que é a realidade da maior parte das cidades brasileiras: quase 70% das nossas cidades têm até 20 mil habitantes. Precisamos criar modelos para que as pessoas não continuem migrando para as cidades grandes, que por aqui concentram mais da metade da população em 6% dos municípios. Araçuaí pode inspirar novas formas de viver em que exista uma economia local. Como informa o site do CPCD: "O CPCD pretende se tornar uma referência regional e nacional na construção de Comunidades Saudáveis e Cidades Educativas, implementação de Cidades Sustentáveis e Centros de Excelência em Educação do Campo, contribuindo de forma substantiva para a consolidação dos princípios éticos, de transparência, justiça e equidade social, valorizando a diversidade cultural brasileira".

Não só em cidades rurais ou pequenas vemos essa transição acontecer. Existe um grande movimento global de iniciativas urbanas de transição com exemplos como o co-living e o co-housing. A ideia de viver na roça como um neorrural (termo que define as pessoas que migraram da urbe para o campo) não agrada a todos. A vida na roça não é uma vida fácil, e nem todos querem essa mudança radical. Mas muita gente quer transformar sua experiência nas capitais e cidades médias ou grandes numa que tenha mais significado e mais laços. É essa busca de sentido e, de novo, do senso de pertencimento a um grupo que tenha os mesmos valores que estão por trás de iniciativas como o co-living. Esse formato nada mais é que a divisão de um espaço por pessoas com os mesmos valores. E junta a vontade de criar uma casa com uma vida em comunidade e um modo de lidar com o alto valor de imóveis. Assim, no Rio de Janeiro, morar numa cobertura em Copacabana com trezentos metros quadrados custa para cada integrante o mesmo valor que o aluguel de uma quitinete no Catete.

Um grande amigo que também conheci no Gaia Education, Alex Girão, viveu uma experiência dessas no Rio de Janeiro. Ele e mais quatro amigos fundaram a Quanticasa, num apê enorme em Copacabana, uma cobertura, e se juntaram para prototipar a vida numa vila urbana. Além de dividirem a casa, recebiam amigos, recebiam hóspedes transitórios, estrangeiros ou brasileiros que também se alinhavam com esses valores de uma vida dividida. Aulas de yoga e eventos de arte eram promovidos pelos moradores, e a casa era sempre um agito. Tudo eram flores? Que nada. Muita roda de partilha, bastão da fala para quem sentia o coração pulsar poder dividir com os outros o que estava sentindo. Uns entraram e saíram, pois não houve sinergia. As tretas comuns em todas as relações buscavam ser resolvidas à base de CNV, comunicação não violenta, que todos deveríamos aprender na escola. E era justamente esse experimento de como voltar a viver em comunidade que encantou seus moradores. A Quanticasa durou quase quatro anos. O Alex saiu, foi morar com a Ju, sua namorada, e viajar pelo Brasil.

Existem diversos outros casos de comunidades intencionais urbanas. Tem até em São Paulo, onde a Dedo Verde é outro exemplo. Ali cinco adultos e uma criança moram juntos, numa casa de quatro andares, que é casa e local de vivência, ou poderia ser chamado de local de trabalho, onde acontecem workshops, cursos e imersões. No site da Dedo Verde, eles se definem como "um espaço criado para vivermos em cooperação, onde nos apoiamos na descoberta e experimentação de sermos nossa essência mais verdadeira e, assim, desenvolvermos nossos maiores talentos e potências. Desejamos compartilhar com o mundo nossos aprendizados e ferramentas de transformação, em busca da nossa realização pessoal e coletiva, e do nosso crescimento espiritual, com cuidado, amor, alegria e diversão, honrando todas as formas de vida do planeta". A casa tem princípios ecológicos como aquecimento solar da água dos banheiros, coleta da água da chuva e cisterna, uma horta na varanda e diversas árvores frutíferas no jardim. E claro, um minhocário para compostagem do resíduo orgânico e a separação e destino corretos do reciclável. Achei lindo o depoimento da Damaris Regina, da Dedo Verde, no livro das ecovilas:

> Quando você olha pelo ponto de vista de que cada ser humano realmente é luz, percebe que tem muita luz em São Paulo, tem muita luz no metrô, tem muita luz onde tem muita gente! É só uma questão de perspectiva. Não que seja sempre fácil: muitas vezes, quando eu tenho que pegar um carro e ir até a zona leste para pegar material de construção para obra, existe uma resistência para pegar o trânsito. Essa visão não fica "ligada" o tempo inteiro. Às vezes tem o cansaço, a vontade de entrar na cachoeira, por exemplo. Mas tudo que São Paulo oferece compensa. Todas as possibilidades que têm aqui, as pessoas lindas que têm aqui, o acesso que tem aqui, fazem com que nosso sonho se fortaleça.

Mas você não precisa viver junto, na mesma casa, para experimentar novos modelos de relações, pequenos protótipos de novas comunidades, baseados no nosso DNA e na nossa ancestralidade, que sempre foi da rede de apoio. Uma iniciativa que vem ganhando cada vez mais espaço em cidades grandes, e que aumentou na pandemia, é o da creche parental. Aqui a ideia é que pais que têm filhos pequenos se revezem no cuidado dos bebês, para que não fique uma sobrecarga para ninguém. Funciona como um rodízio no cuidado das crianças, em que cada dia um pai ou mãe, ou uma dupla, se encarrega de cuidar do seu filho e dos filhos de outras pessoas, num revezamento, que pode inclusive contar eventualmente com uma cuidadora externa. Pode ser tanto na própria casa das famílias envolvidas ou em espaços alugados e é uma forma de diminuir custos com babás e creches, mas também de as famílias se envolverem mais na criação dos filhos. Ganhou força na pandemia pela necessidade dos pais de trabalharem e disporem de um tempo sem ter que dar atenção total às crianças, ao mesmo tempo que as creches estavam fechadas. Assim, famílias se revezavam entre si, com poucas pessoas, claro, e num grupo de confiança em que os envolvidos estavam quarentenando e se cuidando. Uma grande amiga, a comunicadora e ativista Giovanna Nader, fez isso com sua filha, seu sobrinho e mais a filha de um casal de amigas. Na casa da sogra dela, cada dia uma mãe ou pai se revezava cuidando das crianças com o auxílio da avó ou de algum tio, o que possibilitou que todos tivessem tempo para trabalhar, garantindo que os pequenos estavam bem cuidados e evoluindo em meio a essa loucura.

O sonho de viver em cidades mais sustentáveis, mais resilientes, menos dependentes de combustíveis fósseis e mais integradas à natureza fez surgir um movimento global chamado Cidades em Transição (*Transition Towns*), criado pelo inglês Rob Hopkins com o objetivo de desenvolver competências para a transformação das cidades atuais em cidades sustentáveis. Algo como o Gaia Education, mas na prática e em cidades.

Hoje são centenas de cidades, ou núcleos dentro delas, que já estão em transição, e há até uma metodologia aberta para isso, com doze passos, para facilitar quem está com muita vontade de mudar seu entorno mas não sabe como. São movimentos locais, sem uma fórmula pronta, já que cada comunidade é diferente da outra, mas sempre com esse mesmo objetivo. E sempre partindo da iniciativa de um grupo de pessoas que juntas vão cocriando e transformando praças, ruas, bairros, regiões e cidades.

A missão dessa rede é construir cidades regenerativas e resilientes, menos dependentes dos combustíveis fósseis e mais integradas à natureza. O movimento floresce a partir da observação e do aprendizado através das necessidades e iniciativas orgânicas de cada lugar. No site brasileiro explicam que elas "buscam nutrir uma cultura solidária, otimista, focada em apoio mútuo, tanto em grupos quanto em comunidades mais amplas. Na prática, estão recuperando a economia, estimulando o empreendedorismo, reinventando o trabalho, se capacitando e tecendo redes de conexão e apoio. É uma abordagem que já se espalhou por mais de cinquenta países, em milhares de grupos e formatos como cidades, vilas, escolas e universidades".

Tudo começou em 2006 em Totnes, uma pequena cidade da Inglaterra, capitaneado pelo próprio Rob e por Naresh Giangrande, que, preocupados com as mudanças climáticas e a alta do petróleo, começaram a promover encontros e palestras para a população local. A preocupação inicial da dupla era que sem combustíveis fósseis baratos muitas das coisas do dia a dia de uma vida na cidade se tornariam impossíveis para a maior parte das pessoas. Juntando isso às mudanças climáticas, viram que era urgente a necessidade de desenvolver estratégias de resiliência para que a vida não dependesse mais dessa fonte de energia. A partir daí, grupos de pessoas se uniram para pensar em como criar resiliência em Totnes para passar bem, ou da melhor maneira possível, pelas crises decorrentes das mudanças climáticas que já se anunciavam. A ideia central era fortalecer o ecossistema local, o que significa na prática desenvolver a produção de alimentos localmente, bem como de energia, e a transição para prédios e casas sustentáveis.

A partir desses grupos, projetos foram colocados em prática, na escala local, do micro para o macro, começando com as ruas em transição (*transition streets*), onde vizinhos se juntavam para mudar o mundo, rua por rua, cuidando e desenvolvendo uma nova forma de lidar com a água, a energia das casas, os resíduos e a plantação de hortas. Ruas em transição promoveram a base para o desenvolvimento de outras ações, uma vez que a partir das ruas a comunidade se via envolvida com esse movimento maior que já era realidade. O próximo passo foi o lançamento de um plano de economia local, que mais tarde ficou conhecido como ReConomy Project, ou Economia Regenerativa, criado a partir da visão de que quando se conhece a economia local é mais fácil identificar as oportunidades. O plano evoluiu para um centro de economia regenerativa que em dois anos realizou mais de cinquenta workshops para capacitar e apoiar empreendimentos locais ancorados nos pilares de uma cidade sustentável. Em quatro anos, mais de quinhentas pessoas participaram dos eventos onde projetos foram apresentados e conseguiram investimentos superiores a 70 mil libras.

O *Transition Towns* de Totnes se baseia em 3 R's: resiliência, não só a capacidade de uma pessoa, sistema ou cidade de resistir a choques externos, como a visão desse atributo como característica desejável e como oportunidade para o florescimento da economia local; relocalização, a capacidade de atender às necessidades básicas da cidade, como alimentação, energia, materiais para construção etc., com insumos locais, diminuindo a pegada ecológica e a dependência do petróleo; e desenvolvimento regenerativo (*regenerative development*), numa visão de desenvolver a cidade para as necessidades da população sem depender de recursos escassos como o petróleo, bem como também satisfazendo essas necessidades presentes sem comprometer a possibilidade de futuras gerações fazerem o mesmo. Tudo isso convidando e mobilizando as pessoas a serem parte e donas desse processo, sem que ele tenha regras claras e definidas, sem chefe, sem um responsável por tudo, e mais como um movimento catalisador de iniciativas baseadas na criatividade e na cocriação em rede.

Uma parte essencial do *Transition Towns* é que as pessoas sejam visionárias. "A gente acredita numa visão positiva do futuro, e no trabalho para transformá-la em realidade", diz Rob Hopkins. E uma pessoa visionária para Rob é apenas alguém que consegue usar uma outra lente para sonhar o futuro. Sim, o sonho é tão importante para ele que recentemente lançou um livro cujo título é *From What Is to What If* (algo como "Do que é para o e se"), em que fala do poder de imaginar outros futuros desejáveis para materializar a realidade.

Muita gente se inspirou no sonho de viver numa cidade em transição, e esse movimento se espalhou pelo mundo, chegando até o Brasil. É daqui o primeiro caso de cidade em transição numa comunidade de baixa renda, Brasilândia. Monica Picavea morava na Inglaterra quando teve contato com o movimento pela primeira vez e decidiu trazê-lo para o Brasil num formato diferente. Em vez de focar em bairros de classe média ou alta, imaginou que seria perfeito para as comunidades de baixa renda, onde, segundo ela, as pessoas já têm um senso de comunidade mais forte, e é disso que o Cidades em Transição precisa. Numa matéria que a revista *Claudia* fez sobre o caso da Brasilândia, são enumeradas as iniciativas que hoje existem graças à transição, entre elas horta urbana, feira de trocas e uma cooperativa de artesãs que recolhem materiais como embalagens Tetra Pak e banners e transformam em objetos como bolsas, as Brasilianas.[30] Por algum tempo, as reuniões comunitárias desse grupo eram facilitadas pela comunidade do *Transition Towns* aqui do Brasil, mas hoje é a própria comunidade que se organiza em torno de projetos ambientais e de fortalecimento da economia local. Mulheres estão à frente de algumas dessas iniciativas. Além das Brasilianas, é delas uma padaria cooperativa, a Doces Talentos. Construíram até uma geodésica por lá. A transição chamou a atenção do poder público, que pavimentou ruas antes de terra. Para o *Transition Towns* um dos aprendizados é a necessidade de criar pontes de conversas efetivas entre os moradores e o poder público, que já está em fase de desenvolvimento, chamada Municipalidades em Transição.

Gosto de ver como a visão de cidadão ativo e ativista tem o poder efetivo de transformar ruas, bairros e até cidades. São Francisco é um ótimo estudo de caso. Mas gosto mais ainda de ver isso florescer no Brasil e numa comunidade periférica, que hoje serve de exemplo e recebe até visitantes internacionais. Com a pandemia, a dinâmica na Brasilândia mudou, os encontros passaram a ser online, e foram intensificados os trabalhos de escuta, já que existe uma preocupação grande de se trabalhar a saúde mental neste momento. Se por um lado perde-se em não ter a presença física, ganha-se com a possibilidade de se conectar com outros movimentos espalhados pelo mundo. Para Isabela Menezes, articuladora da rede nacional, o principal ganho desse movimento é o resgate do trabalho em conjunto e de uma visão positiva de mundo. "Aqui, muita gente tem resistência a trabalhar em grupo, sequer conhece os vizinhos. O *Transition Towns* resgata essa alegria que é se conectar com as pessoas, ajuda a se tornar uma pessoa mais tolerante, aceitar diversidades e entender que opiniões contrárias à sua podem ser enriquecedoras", afirma ela, na entrevista para a *Claudia*.

São as novas comunidades, para uma nova era.

---

30 "'Cidades em Transição' estimula a economia verde em bairros brasileiros". *Claudia*, 22 abr. 2020. Disponível em: <https://bit.ly/CidadesTransição>.

A MÁGICA DOS COGUMELOS

Ah, o café. O café é a segunda bebida mais consumida no mundo, perdendo apenas para a água. Em 2019 foram cerca de 10 milhões de toneladas de grãos. Ele faz parte da rotina de bilhões de pessoas no planeta, que não acordam de verdade se não tomarem seu cafezinho. Eu mesma sou uma amante do café, e depois que descobri o café de qualidade, que você mói na hora, vindo de pequenos produtores brasileiros, minha relação com essa bebida se elevou a outros níveis. Mas a grande maioria das pessoas não sabe que 99,7% da biomassa do café ao longo de todo o processo produtivo acaba no lixo. Lá em casa a gente vê todos os dias a borra do café sendo transformada em adubo pelas minhocas na nossa composteira doméstica, o que me deixa com menos peso na consciência sobre o meu consumo, mas o que será que acontece com o resto do café do mundo? Uma chance...

Já os cogumelos são um mercado em ascensão, avaliado em US$45,3 bilhões, segundo relatório da ReportLinker de julho de 2020.[31] Em 2008, esse mercado já representava US$17 bilhões. Bom, foi olhando para esse desperdício gigantesco de café e explorando sua potencialidade que nasceu uma forma inovadora de criação de cogumelos, desenvolvida pelo ZERI (Zero Emissions Research & Initiatives), uma fundação focada em inovação de economia circular, criada pelo empresário Gunter Pauli e considerada pela Universidade da Pensilvânia como uma das dez instituições de pesquisa com as propostas mais inovadoras do mundo. E por esse caso dá para ver que é! ZERI é um nome de empresa que carrega muitos significados, entre eles: use o que você tem. Nesse caso, a borra e o saco empregados na agricultura.

A forma mais comum de criar cogumelos é usar troncos de árvores grandes tipo o carvalho como base para colocação dos esporos e assim criar berços para eles crescerem. Nessa que é a técnica mais usada no mundo é necessário utilizar vários tipos de controle de bactérias que são intensivos em uso de energia e podem ser químicos, e esperar uma média de nove meses para colher a produção. E aí entrou a inovação. Cientistas descobriram que, quando plantados na borra de

---

31 Disponível em: <https://bit.ly/M1LMushrooms>.

café, os cogumelos cresciam mais rápido e não precisavam de tantas substâncias para fazer o controle bactericida da produção. Perceberam também que poderiam usar ainda os sacos tradicionais da agricultura para gestar os bebês que nasceriam dos esporos, ou seja, uma produção feita literalmente de aproveitamento. Quando a técnica estava testada e comprovada, decidiram oferecer oficinas para jovens em países pobres, para que pudessem ter autonomia alimentar. E é aí que as histórias do ZERI e da Chido se cruzam.

Chido Govero era na época uma menina de onze anos, moradora de uma vila rural no Zimbábue. Ela havia ficado órfã aos sete, quando sua mãe morreu de aids. Nesse mesmo dia em que sua mãe se foi, ela se tornou mãe de seu irmão, então com cinco anos, e passou a cuidar da avó, que beirava os cem. Sua história passa por abusos sexuais sofridos por um tio e seus amigos e uma rotina de andar quilômetros para pegar água, plantar e colher. Quando foi convidada para a oficina de cultivo de cogumelos, viu ali uma oportunidade de não mais ter que ver a face da fome no rosto de seu irmão, não mais sentir a dor que ela causa, física e emocionalmente. Quando percebeu como esse cultivo era simples e que a partir de resíduos poderia ter comida de verdade na sua mesa, que nunca mais estaria vazia, a menina resolveu que ensinaria essa técnica a quantas meninas mais pudesse. Assim nasceu o que mais tarde se tornaria a Fundação The Future of Hope (O Futuro da Esperança). Chido é dessas pessoas iluminadas e fortes. Nunca se vitimizou com o que viveu – inclusive um dos objetivos da fundação que criou é justamente acabar com a fome, o abuso e a pobreza e eliminar a visão de autopiedade, possibilitando às participantes sair da posição de vítimas para a de agentes de mudança de suas próprias vidas e do entorno. Assim como Chido fez cruzando a borra de café das cafeterias locais com a visão de potência e liberdade que vem com a emancipação das meninas e mulheres. Sua motivação foi ajudar os milhares de meninas que como elas sofreram abusos e eram órfãs, num país onde muitas vezes a única saída é o casamento, o que não significa escapar do abuso, mas da fome e da pobreza. Ela própria recebeu uma proposta de um homem de 36 anos, amigo de uma amiga, que queria achar alguém para casar. Chido tinha onze. E já havia sido treinada para cultivar seu alimento. Numa entrevista para a SBS, afirma que nunca engoliu a máxima de

222 FE CORTEZ

que a mulher seria respeitada apenas se casasse. Ela queria ser respeitada como ser humano, como a pessoa que é. E essa possibilidade de dizer não a um destino preconcebido para quem teve a mesma "sorte" veio da possibilidade de não depender do outro para comer.

Foi a paixão pela vida que fez Chido ensinar a milhares de meninas uma forma de aproveitar ao máximo os recursos e ao mesmo tempo promover a erradicação da pobreza, a liberdade e o fim do abuso. O que ela não previa é que muitas, assim como ela, diriam não a relações de abuso e casamentos arranjados na vida real.

O que é revolucionário nesse modelo de cultivo é que, além de acelerar o tempo que um cogumelo demora para estar pronto para colher, antes nove meses e agora apenas três meses, as reações químicas provenientes dessa gestação permitem que o resíduo do cultivo, a borra do café pós-criação dos cogumelos, sirva de alimento para animais como porcos e vacas, que passam mal com a ingestão de cafeína. A descoberta feita pela professora Ivanka Milenkovic, da Universidade de Belgrado, é que o trabalho dos fungos transforma a cafeína. Assim, o resíduo do resíduo deixa de ser resíduo e vira comida. Mais circular impossível! O investimento inicial para o cultivo também é mínimo, e no começo do projeto os próprios donos de cafeterias pagavam para as mulheres recolherem as borras, já que pagariam de qualquer forma para a "destinação correta", leia-se lixo, aterro sanitário ou, no máximo, compostagem de seu resíduo. Hoje esse modelo de negócio está presente em diversos locais, entre eles cidades da Holanda, Colômbia, Califórnia, África e até na Ásia, onde o consumo de cogumelos é o maior do mundo. Só em Hong Kong a média por pessoa é de dezessete quilos por ano. Se mais gente migrar sua alimentação para uma à base de vegetais e fungos, o potencial é que esse mercado valha US$120 bilhões. Cultivando cogumelos em café se inverte a lógica do que é lixo, suprimento, adubo, e tudo isso ainda deixa floresta em pé, porque não é mais necessário derrubar árvores para servirem de berço para o shiitake. Segundo Pauli, o impacto dessa inovação pode gerar 50 milhões de empregos no mundo, entre postos no campo e nas cidades, já que o cultivo pode ser feito em ambos.

Mas, voltando a Chido, ela também evoluiu na sua pesquisa e na fundação e hoje usa toda sorte de resíduos da agricultura, entre eles palha de milho, sobras de baobá e o que mais tiver, como berço para as diversas espécies plantadas. Há quem ateste que os cogumelos são os de melhor qualidade da região, e já são vendidos para diversas redes de mercados locais. Ela desenvolveu ainda uma forma de cultivo integrada de galinhas e cogumelos, para aumentar a segurança alimentar e a circularidade e sustentabilidade da agricultura. Entre os projetos da fundação existem o Órfãs Ensinam Órfãs e o Mentoras e Avós – que juntam jovens e idosas que recebem treinamentos na arte de cuidar dos órfãos, uma maneira de resgatar o ditado e a cultura de que é necessária uma vila para criar uma criança e assim fortalecer os laços das comunidades e a filosofia ubuntu.

Durante a pandemia, Chido percebeu que não podemos falar de futuro e esperança se não focarmos nas comunidades. Elas são o centro de tudo! Ela mesma passou a ficar mais tempo em sua casa e conheceu seus vizinhos, coisa que antes não era possível em razão de suas inúmeras viagens. Estando mais próxima da comunidade, ficou claro que o caminho do futuro é a colaboração. É dessa forma que será possível transformar o sistema de alimentação no mundo, começando pela célula local. No Zimbábue, onde ela mora e sua fundação atua, cerca de 80% das pessoas não têm acesso regular a alimentos. Nesse sentido, e somando-se a isso as secas cada vez mais recorrentes, Chido afirmou, numa palestra para o projeto Fru.to – Diálogos do Alimento,[32] que precisamos transformar nossas limitações sobre onde cada um se vê no ecossistema de produção de alimentos global. Precisamos transformar a forma como pensamos o alimento. Comida, para ela, é o que ancora a esperança e a resiliência no planeta. Sendo assim, o grande desafio é criar sistemas de produção agrícola focados em trazer autonomia e resiliência para as comunidades. O futuro da esperança está em trazer a colaboração para o centro da forma como vivemos.

Seu trabalho é usar o poder dos cogumelos como fonte de alimento e também como fertilizantes para a produção de outras espécies de comida. Assim, todos os projetos desenvolvidos na sua fundação estão focados em usar aquilo que está disponível e tornar cada vez mais disponíveis os recursos para a autonomia alimentar, tão fundamental

---

32 Disponível em: <http://fru.to/>.

para se ter esperança. Para isso, cada ação da Future of Hope está alicerçada na economia circular como veículo de geração de renda e segurança alimentar para erradicar a pobreza e a fome, transformando vítimas em agentes de mudança.

Chido acredita que quando nascemos somos batizados com nossos destinos. No caso dela, o de lutar pela vida, não só pela sobrevivência, afinal seu nome significa paixão, mas pela vida, pela natureza e pela comunidade.

ECONOMIAS ECO LÓGICAS

A história de Chido é uma aula de regeneração e de ver potência onde muitas vezes vemos escassez. Ela fala sobre segundas chances. Para pessoas e para resíduos. Para a localidade e para o planeta. Ela fala de uma outra lógica que perpassa a Nova História para a humanidade. Até agora mencionei possibilidades para o consumptor caminhar para a integralidade nas dimensões individual, do pensamento sistêmico, do entendimento de que somos parte de uma teia da vida, da necessidade de redesenhar nossas comunidades e a forma de viver e morar. E de resgatar o poder do sonho como força motriz dessa transformação. Não por acaso a economia entra só agora. Porque, apesar de determinante, e até causal, para a situação de crise planetária que vivemos, na minha visão não é partindo apenas dela que vamos criar o mundo mais bonito. Afinal, ela é causa da destruição, mas consequência de uma visão de mundo que está sendo atualizada; portanto, se a gente partir dela como ponto mais importante da vida no planeta, ela continuará ocupando papel central nas escolhas e nas vidas, e no máximo vamos conseguir consertar o que está estragado. E não é isso que merecemos. Nem o que Gaia merece. Merecemos viver naquele mundo de abundância, harmonia e paz que nossos corações sabem ser possível. A economia pode e deve ser um meio para esse objetivo de vivermos num mundo com igualdade de oportunidades, mas com um modelo que tenha como borda os limites do planeta. Contudo para isso vamos ter que embaralhar as cartas do jogo econômico e dá-las de novo, porque nesse jogo hoje não há vencedor. Não quando os bilionários do mundo estão fazendo planos para habitar outro planeta...

A parte boa é que a transição já está acontecendo. Economia verde, Novo Acordo Verde (New Green Deal), empresas B, capitalismo consciente, economia circular, economia donut e tantos outros nomes que partem de outras lógicas. Assim como na história dos cogumelos, que é um possível modelo que deveremos criar e ampliar para que a economia possa também ser regenerativa e integrativa; ela é um exemplo da economia azul, nome inventado por Gunter Pauli, idealizador do ZERI, que fomenta o empreendedorismo para regenerar o planeta, usando altíssimas doses de inovação e aquilo que está à mão. Ele se inspirou no trabalho da dra. Lynn Margulis, a bióloga que juntamente com James Lovelock escreveu a Teoria de Gaia, apresentada no começo deste livro. Economia azul é uma das diversas possibilidades que estão florescendo diante da constatação de que a resultante do capitalismo e do nosso modelo econômico é a destruição. Em massa. Da vida. Mas o que me fascina é que esse modelo e outros de que falarei neste capítulo se baseiam numa mesma lógica: eles partem da observação da natureza e bebem na fonte de bilhões de anos de evolução para criar modelos em que haja uma melhor distribuição de recursos e trocas saudáveis. Modelos que buscam o equilíbrio e a abundância. Se inspirar na natureza é a chave e o caminho para desenharmos novas maneiras de realizar as trocas entre os seres. Imitar a forma sistêmica como a natureza opera e seus pilares é fundamental para juntos cocriarmos o sonho de um planeta abundante que é absolutamente possível.

Para que serve a economia?

Na Grécia Antiga foi criada uma palavra para expressar a arte de fazer a gestão de um lar. O filósofo Xenofonte é considerado o pai desse termo, *oikonomia*, ou, como hoje conhecemos, economia. A etimologia da palavra vem da junção de *oikos* (lar) e *nomos* (gerir, cuidar de). O conceito original servia para ser aplicado ao micro, a gestão de um lar, de um bairro, da casa comum, de uma cidade. Aristóteles, por sua vez, cunhou o termo *crematística* para definir a ciência de produzir riqueza, e assim diferenciá-la de economia. Crematística vem de *khréma* e *atos* – busca incessante da produção e da aquisição de riquezas por prazer, vulgo acumulação de capitais. Observa-se que lá nos primórdios da conceituação das ideias sobre a gestão do lar já existia a diferença desta em relação ao acúmulo de bens e capitais, ou seja, a economia não foi inventada para servir à acumulação, e sim para a gestão. Esse conceito foi evoluindo ao longo dos anos até se tornar o que hoje conhecemos como a ciência econômica, cuja definição mais amplamente utilizada é a de Gregory Mankiw em *Introdução à eco-*

nomia: "Economia é o estudo de como a sociedade administra seus escassos recursos".

Vamos falar de escassos mais para a frente, mas aqui quero chamar atenção para o percurso que aconteceu com a economia, pois antes de se chegar a uma definição simplista e reducionista, e amplamente utilizada, diga-se de passagem, alguns outros famosos pensadores dessa ciência cunharam definições um tanto diferentes, relacionando o papel da economia a objetivos, com foco em formular leis acerca dos fenômenos humanos, e não como hoje é aplicada. Kate Raworth, economista inglesa sobre quem falarei logo mais, afirma que "isso criou um vácuo de objetivos e valores, deixando um ninho desguarnecido no cerne do projeto econômico".

Entre seus pensadores no percurso, um dos mais famosos foi Adam Smith, que no século XIX, em seu famoso livro *A riqueza das nações,* escreveu que a economia tinha dois objetivos distintos: prover renda ou subsistência farta para as pessoas. Ou, segundo ele, dito de maneira precisa, possibilitar às pessoas o provimento de tal renda ou subsistência para si mesmas e, em segundo lugar, prover o Estado de renda suficiente para que pudesse oferecer serviços públicos.

A economia de Smith portanto tinha objetivos claros relativos a pessoas e Estado. E foram esses os contornos de seu pensamento; afinal, quando formulou suas teorias a economia mundial se limitava ao chamado centro do mundo, que abrangia Europa e suas colônias, bem como as Índias, de onde compravam as famosas especiarias. A população mundial era de apenas 1 bilhão de pessoas. Portanto, não havia o medo de recursos acabarem ou a emergência climática batendo à porta. Talvez hoje ele tivesse mencionado um terceiro papel, que seria garantir que esse modelo fosse perene e não autodestrutivo.

Mas por que é tão importante o que Smith escreveu lá em mil oitocentos e lá vai bolinha? Segundo John Keynes, um dos grandes economistas do século XX: "As ideias de economistas e filósofos políticos, tanto quando estão certas como quando estão erradas, são mais poderosas do que habitualmente se entende. De fato, o mundo é regido por pouca coisa mais. Homens práticos, que se acreditam bastante isentos de quaisquer influências intelectuais, geralmente são escravos de algum economista defunto".[33] A economia, através de suas regras, incentivos e acordos, acabou por moldar a forma de produção que se perpetuou até agora, a industrialização globalizada de extração e manufatura lineares. E assim interfere diretamente na destruição da teia de vida da Terra. É o nosso modelo de trocas e de obtenção do que precisamos que causa a emergência climática e a perda da biodiversidade. E, já que dita as regras, a economia pode servir tanto para destruir quanto para regenerar.

Já a palavra ecologia vem do mesmo radical *oikos*, só que junto com *logos*, que significa estudo. Ecologia é estudar o lar, a Terra, Gaia, e suas relações. Por isso esse estudo das relações deveria ser a base para a criação das regras de gestão desse lar comum pelos seres que habitam e precisam dela para viver, nós. Não faz sentido criar regras se não se entende profundamente o funcionamento de um sistema. Primeiro se deveria olhar para seu funcionamento e depois definir como vamos nos relacionar com ele. E o curso do último século provou que alguns detalhes tão pequenos de nós dois ficaram de fora da observação e, fundamentalmente, da conta que a economia vem fazendo. Só que os detalhes se provaram não tão pequenos assim, e muito menos interferindo apenas em nós dois...

A ECO lógica

O caso dos cogumelos mágicos é um dos mais de cem catalogados por Gunter Pauli no seu livro *Blue Economy: 100 ideas, 10 years, 100 million jobs* (ou, numa tradução literal, Economia azul: 100 ideias, 10 anos, 100 milhões de empregos). Nesse livro ele apresenta propostas inovadoras e possíveis, baseadas na circularidade e na observação do funcionamento de Gaia, para regeneração do planeta. Os princípios da economia azul são similares aos de tantas outras novas economias que estão sendo pensadas e prototipadas no exato momento em que escrevo este livro. E todas delas partem de uma nova lógica para seu desenho, uma ECO lógica, uma lógica que esteja alinhada aos desafios do século XXI: aten-

---

33 J. M. Keynes, *The General Theory of Employment, Interest and Money*, p. 383 – citado no livro de Kate Raworth, *Economia Donut*, p. 14, edição Livros da Apple.

der às necessidades básicas de todos os seres humanos que dividem este planeta e ao mesmo tempo fazer isso de uma forma que não vá além da capacidade de Gaia de se regenerar. Uma lógica que compreende que estamos todos interligados na teia da vida e portanto vivendo de forma circular. Assim, uma ECO lógica não pode mais ser baseada numa visão linear de extração, produção, descarte, e sim em modelos circulares em que lixo não faz mais sentido. Trata-se de uma lógica em que a inovação vem de conceitos como a biomimética, que é observar e imitar a natureza e se inspirar nela para resolver questões complexas e sistêmicas – no caso dos cogumelos e da borra de café, geração de resíduo, geração de gases de efeito estufa por transformar o resíduo em lixo, segurança alimentar, segurança física, uso de energia, desmatamento, oportunidades, potência e liberdade de escolha. O que parecia desconectado na lógica linear ganha novos laços de interdependência na lógica circular. E problemas aparentemente sem ligação se resolvem justamente quando novas relações são criadas.

As últimas crises que a humanidade enfrentou estão completamente interligadas à forma como a economia dita as regras da gestão da nossa grande casa hoje. E calcadas no conceito de crescimento infinito. Mas vivemos num planeta de recursos finitos, portanto essa é a principal quebra de paradigma que devemos promover. A crise do mercado financeiro de 2008 se deu por crescimento infinito de empréstimos nos Estados Unidos; a emergência climática em que todos vivemos hoje, pelo crescimento infinito no uso de recursos naturais; e a Covid-19, pelo crescimento infinito da destruição de hábitats naturais da vida selvagem. Todas baseadas nessa meta e nesse comportamento de crescer, crescer, crescer. Baseadas em modelos antigos que não vão responder aos novos desafios – pelo contrário, são eles que criam esses desafios, ou emergências.

Nós, seres humanos, fazemos parte de inúmeras redes de relações simultaneamente e realizamos trocas com o sistema o tempo inteiro, para muito além das trocas financeiras às quais estamos tão acostumados, e elas são tão corriqueiras que muitas escapam à nossa percepção e atenção na correria das nossas vidas. Nós trocamos gases com o sistema na medida em que inspiramos oxigênio e expiramos gás carbônico, por exemplo. Trocamos afeto e alegria uns com os outros. Quando nos

231 HOMO INTEGRALIS

alimentamos de comida e excretamos cocô e xixi, fazemos trocas com o meio, que poderiam servir de adubo para a terra e hoje viram esgoto. Só que a lógica de grande parte dessas trocas não é saudável na maioria das vezes; elas foram sendo distorcidas a partir de uma mentalidade que não parte do objetivo de gerar mais vida para esse sistema. Mas nós somos natureza e se nos inspirarmos nela veremos que os sistemas de feedback e alimentação de informação que citei anteriormente evoluem para que o sistema como um todo prospere. Assim, a melhor maneira de regenerar as relações de trocas, quaisquer que sejam elas, é se inspirando na própria natureza e em sua forma de evoluir que vem sendo lapidada pelo próprio sistema há alguns bilhões de anos para gerar mais vida. Imitar a forma sistêmica como a natureza opera, e seus pilares, é fundamental para juntos cocriarmos o sonho de um planeta abundante que é absolutamente possível.

E as regras vêm justamente dos modelos econômicos vigentes, que ditam a forma como as trocas acontecem. Repensar os modelos econômicos é peça-chave para mudar a lógica sistêmica de como nos relacionamos com Gaia. Mas eu não sou economista, e essa é a dimensão sobre a qual me sinto mais desconfortável de falar, pois não só não tenho a compreensão profunda desse intrincado sistema como não sou estudiosa profunda do tema. Por isso, este capítulo em especial dá a palavra a quem entende, ou deveria, do assunto: os economistas. E aqui preciso fazer um agradecimento especial ao meu amigo Guilherme Lito, engenheiro de formação, consultor, palestrante e um grande estudioso do tema. Foi ele que me apresentou muito do que está aqui. E muitos desses economistas entendem, e já entenderam há mais tempo que eu, que assim como está não pode ficar.

Com a palavra, os economistas

Um desses economistas que passei a admirar e cuja visão vai para muito além da dimensão econômica é o brasileiro Eduardo Giannetti da Fonseca, professor e autor de diversos livros e PhD em economia pela Universidade de Cambridge. Giannetti traz no seu pensamento, para além do que a economia muitas vezes se restringe a observar e colocar na conta, a importância da cultura e de outras realizações e dimensões da vida do indivíduo, o que faz com que sua forma de pensar seja muito mais coerente com o que um sistema de regras de trocas mundiais deveria abarcar. Vou começar citando falas e conceitos apresentados por Giannetti no IV Fórum Brasileiro de Filantropos e Investidores Sociais,[34] para o qual foi convidado a palestrar sobre os limites do capitalismo.

Giannetti inicia sua fala dizendo que não gosta do termo capitalismo e prefere usar outros termos para definir o modelo econômico, pois existem diversas definições e tipos de capitalismo, e afirma que generalizar não é uma boa opção, já que quando usamos esse termo não dá para saber o que o ouvinte ou leitor entende e define como tal. "Existe o capitalismo de Marx, de Weber, de Hayek e de tantos outros." Concordo com ele, por isso esclareci o que significa quando uso essa palavra no livro, lá no comecinho. No entanto, independentemente do termo que vamos usar, chegamos ao limite desse modelo econômico vigente, o que está claro em diversos aspectos, inclusive apresentados neste livro. Mas, como a ideia é dar a palavra aos economistas, me interessa saber o que na visão de Gianetti significam esses limites. E ele segue apresentando três dimensões para tal.

A primeira dimensão é aquela que está gritando e saltando aos olhos, que é a ambiental. Na sua fala, ele cita exemplos que deixam claro que esse é o primeiro grande limite que ultrapassamos. Um desses exemplos: desde 1700, a área coberta por florestas foi reduzida a um terço do total. Giannetti segue falando das mudanças climáticas, que em suas palavras são um experimento conduzido pelos humanos no único lar que nós possuímos, a biosfera, com consequências imprevisíveis, uma vez que, mesmo com algumas dúvidas sobre os reais impactos, com "o que se anuncia, no mínimo deveria recomendar o princípio da prudência", já que não podemos brincar com este nosso único lar de maneira tão temerária. E vai além, fazendo uma reflexão que também tenho usado muito, de que o que hoje é amparado pela lei, em termos de permissividade nessa dimensão, num futuro bem próximo será inadmissível sob o ponto de vista ético e de enten-

---

34 Disponível em: <https://bit.ly/FronteirasCapitalismo>.

233 HOMO INTEGRALIS

dimento comum, como exemplificado por ele neste exercício ao leitor em seu livro *Trópicos utópicos*:

> Em retrospecto salta aos olhos. Recuemos um pouco no tempo. Ainda nas gerações de nossos avós, bisavós e tataravós, coisas que hoje julgamos eticamente aberrantes foram praticadas de modo corriqueiro, ao abrigo da lei, nas mais avançadas nações do mundo ocidental: a escravidão nas relações de trabalho; a punição corporal de alunos nas escolas; o duelo nas questões de honra; a interdição do voto feminino; a prisão ou castração química dos homossexuais; a segregação racial; a cauterização do clitóris como "cura" da masturbação em meninas (vigente nos Estados Unidos até meados do século XX); a criminalização do consumo de álcool (Lei Seca) e do sexo oral (como no estado americano da Geórgia até 1993, inclusive entre casais casados, com pena máxima de vinte anos de reclusão). – Inverta-se, contudo, o exercício: transportemo-nos mentalmente no tempo para daqui a cem ou duzentos anos e examinemos, em olhar reverso, a nós mesmos. O que saltará aos olhos da geração dos nossos netos, bisnetos e tataranetos como singularmente aberrante em nossas práticas e costumes? Ou teremos, quem sabe, alcançado um padrão ético quase irrepreensível; um inédito ápice civilizatório, como também imaginaram em sua época nossos ancestrais, que nada viam de errado no que faziam ou, incomodados, preferiam desviar o olhar?[35]

Tudo isso soa quase como uma aberração hoje, e é dessa forma que ele crê que as gerações futuras olharão para como estamos cruzando todos os limites aceitáveis de uso do que chamamos de recursos e causando inclusive mudanças no clima do planeta, o que nunca antes foi causado pela ação humana. Como uma aberração ética.

O segundo grande limite que ele aponta na sua fala é o da dimensão da desigualdade. E para explicitar isso ele cita o intrincado para-

---

35 Giannetti, Eduardo. *Trópicos utópicos*. São Paulo: Companhia das Letras. Edição do Kindle (Locais do Kindle 243-253).

doxo no qual vivemos hoje: temos a desigualdade de oportunidades como ponto de partida. Ele segue relacionando o fato de hoje sermos 7 bilhões de pessoas no planeta. Desses 7 bilhões, o bilhão do topo da pirâmide de consumo é responsável por metade das emissões de gases de efeito estufa no mundo, causadas pelo seu estilo de vida. Os 3 bilhões seguintes respondem por 45% das emissões. E os 3 bilhões mais pobres, por 5% apenas. Metade desses nem acesso a eletricidade tem. E são os que mais sofrerão e já estão sofrendo hoje com as mudanças climáticas. Só que o problema não para por aí, pois existe nessa desigualdade uma questão de valores e aspirações que faz a conta realmente não fechar. Cada bilhão abaixo do 1 bilhão do topo quer chegar ao padrão de consumo do bilhão seguinte. "O ideal de vida do ser humano hoje se transformou em chegar no bilhão seguinte e comprar, comprar, e comprar", afirma Giannetti, em sua palestra. E viver esse estilo de vida tão sedutor.

O que leva para a terceira dimensão de limites, justamente o consumismo e o materialismo, que transformam a gente, fazendo uma analogia com a minha forma de pensar, em *Homo consumptor*.

Mas olha que curioso pensar que foi o último século que aparentemente distorceu o papel da economia, ou o que ela deveria oferecer, nas nossas vidas. Giannetti, que é um profundo estudioso do pensamento econômico, cita que a maioria dos economistas clássicos dos séculos XVIII, XIX e XX, incluindo John Keynes, acreditava que, quanto mais a sociedade avançasse tanto na economia quanto na tecnologia e na produtividade, com o avanço da riqueza material no mundo a humanidade se libertaria da escravidão do econômico. Os problemas econômicos se tornariam secundários e absorveriam menos atenção das pessoas, que passariam a buscar outras realizações nas suas vidas, ligadas a relações humanas, produção artística, afetividade – segundo ele, "atividades mais prazerosas que não são feitas apenas em troca de remuneração". Grande parte dos economistas clássicos acreditava nisso. Mas a experiência do século XX mostra o contrário: quanto mais se caminha para isso (para termos mais riqueza e tecnologia), mais obcecado se fica com isso. Ele prossegue: "A economia deveria ser como a saúde. Quando ela vai mal, absorve nossa atenção para se recuperar a saúde. Quando a saúde é boa, se libera o ser humano para viver plenamente. A economia

235 HOMO INTEGRALIS

quando boa, deveria libertar o ser humano para fazer da sua vida a mais bela que poderia ser capaz".

Por isso, tenho lido alguns pensadores, entre eles Charles Eisenstein e Daniel Wahl, que expressam claramente que a dimensão econômica é aquela na qual vemos o conceito de escassez, diretamente derivado da visão de separação, de forma mais clara nas nossas vidas. A própria definição recente e mais utilizada de economia apresenta esta como a ciência que administra seus escassos recursos. Mas não deveria ser assim. E as novas correntes pensadoras de novos modelos econômicos para este e para o próximo século já entenderam isso e estão propondo uma atualização do objetivo, do papel e ainda dos parâmetros e regras que atendam aos desafios que temos e que teremos.

Sinto que o novo coronavírus veio dar aquele empurrãozinho final para a mudança de paradigma que faltava. Na minha visão, a economia se molda e expressa os valores da consciência humana de uma determinada época, mesmo que alguns digam o contrário, que primeiro existe a economia e ela molda os valores. É como pensa o economista e ativista John Perkins. Para ele estamos vivendo atualmente uma revolução da consciência, e, sendo assim, o sistema econômico virá junto. Em palestra no fórum Economia de Francisco, promovido pelo Vaticano para repensar o modelo econômico atual, Perkins afirmou que até agora, principalmente no pós-guerra, temos vivido uma *deseconomia*, termo que tem sido usado por outros economistas e que faz muito sentido se pegamos a etimologia da palavra – afinal tudo o que não temos feito é a boa gestão do lar. Uma deseconomia é, segundo ele, um modelo em que ninguém chega ao lugar onde deveria estar, um que atendesse às necessidades do ser humano e, ao mesmo tempo, cuidasse dos recursos para as próximas gerações. Essa deseconomia é um modelo econômico que está se consumindo na direção da extinção, usando no curto prazo os recursos que deveriam ser usados no longo prazo, criado a partir da indústria da guerra e direcionado por uma meta e só por ela: maximizar lucro a curto prazo para grandes empresas enquanto maximiza o consumo pessoal daqueles que podem pagar. E o resto do mundo que se destrua.

Mas esse resultado é diferente do que os grandes pensadores da economia imaginavam para quando chegássemos aqui. Se o consumptor se afunda cada vez mais na sua própria criação e no seu consumismo, o que poderia ser feito para sairmos dessa? Qual seria o "novo capitalismo"? Ou o "pós-capitalismo", como algumas pessoas têm falado por aí? Como seriam essas economias possíveis que se baseiam em abundância e não mais em escassez? Será que conseguimos isso? Será que conseguimos viver sem basear nossa mente, nosso coração e nossas ações no dinheiro e no consumo? Será que temos a capacidade coletivamente de criar outras histórias e acreditar nelas, como proponho aqui? Perkins afirma que esse modelo de sociedade é novo e esses objetivos também. Essa visão egoísta e destruidora, segundo ele, é recente e data do pós-Segunda Guerra Mundial. Antes, por mais de 250 mil anos, o sapiens viveu pensando no longo prazo, pensando nas gerações futuras. Tanto é assim que os povos originários ainda têm essa como sua visão de mundo.

O dinheiro é uma história, talvez a mais importante delas no nosso século, pelo menos hoje ainda, e ele só existe, só tem valor, porque coletivamente compactuamos com isso. Se coletivamente compactuarmos com novas formas de trocas e lastro, podemos regenerar também a economia, para que ela sirva à ecologia e a todos os seres que dividem o planeta conosco, e fundamentalmente à vida, pois esse, sim, sempre deveria ter sido o seu lugar. Esse e somente esse.

Hoje ainda não há uma resposta única, mas já nascem algumas boas prototipações de como podemos colocar a economia a serviço da ecologia, que no final das contas é colocar as relações de troca a serviço da vida. Só que para isso também teremos que mudar o paradigma do que representa essa nova economia, já que ela não será uma única economia, uma única forma; está mais para um novo conjunto de valores e princípios que serão refletidos em diversas economias, ou novas economias, como se têm dito por aí. Nesse momento não cabe mais pensar numa única saída global para o que está acontecendo, nem na economia nem em dimensão nenhuma dos desafios planetários; em moedas únicas, centralização do capital em bancos, uma única diretriz e resposta mágica para resolver o problema. Teremos novas economias, no plural, porque temos diversas realidades e por-

237 *HOMO INTEGRALIS*

que, através desses modelos plurais e complementares, teremos mais resiliência.

Não existe fora

As novas economias olham para dimensões mais amplas do que o que podemos chamar de economia tradicional até agora olhou. E, já que o primeiro paradigma a ser quebrado é o das respostas absolutas, que tal fazermos um exercício de *de... para*? Podemos começar com o de deseconomia para a economia da vida, como propõe John Perkins. Assim, ela seria uma que sairia dos recursos escassos e não renováveis, como combustíveis fósseis, para renováveis em todas as instâncias. Uma que sairia de empregos que geram mais lixo para uma que remunera pessoas e investidores que trabalham para limpar a poluição. Que, em vez de destruir, regenere ecossistemas. Que pague pessoas para criarem tecnologias a fim de reinserir os recursos nas linhas de produção. Basicamente, uma que mude a seta e a meta do curto prazo para o círculo do longo prazo. E do consumismo material para benefícios de longo prazo para as pessoas e o planeta.

Para isso, uma das coisas fundamentais é mudar os modelos industriais. Precisamos criar na prática modelos que saiam do linear para o circular. O modelo industrial adotado até agora, que é diretamente influenciado pelo modelo econômico, é linear. Nele existem um ponto de partida e um ponto final. No caso do fluxo de recursos, como ainda chamamos o que extraímos da natureza, funciona como já exemplifiquei antes: extração – manufatura – consumo – descarte. O resultado é lixo, vários tipos dele, com a poluição como um subproduto desse modo de produzir. Na natureza não existe nenhum tipo de fluxo assim, nada na natureza acaba como lixo. Se vamos repensar o modelo econômico, ele precisa refletir o fato de que Gaia é um megaorganismo, e portanto um sistema complexo no qual não existe fora. Assim, os fluxos tanto de mercadorias e produtos e suas consequências quanto os de dinheiro devem ser circulares. No exemplo da borra de café, o que antes era lixo e gerava emissão de gases de efeito estufa vira adubo da melhor qualidade para cogumelos e depois alimento para animais, no melhor modelo de cascata de nutrientes na cadeia de alimentação. Lembrou aí das aulas de ciências e da cadeia alimentar? Do fluxo de nutrientes entre a gramínea e o leão, por exemplo, que passa por outros animais até chegar no topo da cadeia? Pois é, essa é a inspiração.

E ela vai além do caso da borra de café. Essa observação levou diversos pensadores e designers a criarem algumas soluções que hoje estão sendo divulgadas e incentivadas até por consultorias internacionais "tradicionais", pois já se mostram melhorias de processos industriais que trazem mais lucro. Já há inclusive um nome para esse modelo econômico onde não há lixo, a economia circular, e seu maior expoente é a Ellen MacArthur Foundation, organização que visa ajudar empresas, governos e indivíduos nessa transição, primeiramente uma transição mental, que leve a mudanças na forma como bens, cidades e relações são pensadas. Afinal, não existe fora. No site da fundação, a definição desse conceito é a seguinte:

> O modelo econômico "extrair, produzir, desperdiçar" da atualidade está atingindo seus limites físicos. A economia circular é uma alternativa atraente que busca redefinir a noção de crescimento, com foco em benefícios para toda a sociedade. Isso envolve dissociar a atividade econômica do consumo de recursos finitos e eliminar resíduos do sistema por princípio. Apoiado por uma transição para fontes de energia renovável, o modelo circular constrói capital econômico, natural e social. Ele se baseia em três princípios: eliminar resíduos e poluição desde o princípio; manter produtos e materiais em uso; regenerar sistemas naturais.

Os principais eixos de estudos da Ellen MacArthur Foundation hoje são A Nova Economia do Plástico, Make Fashion Circular (Criando uma Moda Circular) e Iniciativas de Alimentos e Mudanças Climáticas. E, na sua visão, a maneira mais rápida de fazer essa transição é através de iniciativas como a CE100, ou Circular Economy 100, "um programa de inovação pré-competitiva estabelecido para possibilitar que organizações desenvolvam novas oportunidades e alcancem mais rapidamente as suas ambições na economia circular. O programa reúne grandes empresas, governos e cidades, instituições acadêmicas, startups inovadoras e organizações afiliadas numa plataforma *multistakeholder* única". Nesse conceito as empresas se ajudam, não mais com a visão da competição em todos os níveis, mas entendendo que a minha matéria-prima pode ser oriunda de um resíduo de outra empresa. Assim, também é inspirada nos ciclos naturais, pois, como eu já disse antes, na natureza não existe fora, e não existe lixo. Se lixo é um oferecimento do sapiens/consumptor para você, talvez a circularidade seja um oferecimento, muito bem-vindo, do integralis.

No site da fundação estão disponíveis diversos estudos de caso, e o Brasil já faz parte desse movimento global que pretende transformar empresas e cidades em circulares. De acordo com um relatório da consultoria McKinsey, parceira estratégica da fundação, só a Europa tem um potencial de gerar até 2030 um benefício econômico de US$1,8 trilhão com a migração do linear para o circular. O Brasil é o primeiro lugar do mundo a ter uma rede local própria da CE100 e conta com casos em diferentes setores, como os de construção, de agricultura e ativos da biodiversidade e de equipamentos eletrônicos. E isso pode ser bem oportuno, já que hoje somos o quarto país que mais gera lixo plástico no mundo. E reciclamos apenas 1,28% desse lixo.

Estou pagando o quê?

Há um outro aspecto que é fundamental nesse redesenho: repensar o sistema de precificação no mundo. Muitos economistas escreveram teses sobre isso, e Giannetti é um deles. Isso porque, no atual sistema de precificação mundial, só está incluído no preço aquilo que é custo direto. Num exemplo dado por ele: passagem de avião. Hoje seu preço é formado pelos custos do capital, do serviço de bordo, dos equipamentos, do funcionamento da empresa. Mas voar de avião é uma das coisas que mais emite gases de efeito estufa, com a tecnologia que temos. Só que o custo do carbono emitido, da poluição, não entra na conta. Talvez porque o sistema de preços tenha sido criado lá atrás, quando não havia a clareza do que essas chamadas externalidades produziriam no longo prazo, e porque na nossa ética vigente, refletida na legislação, isso ainda seja permitido. Em breve não será mais. Assim como o cigarro paga mais impostos porque gera um custo gigantesco para o sistema de saúde, o custo sistêmico das mudanças climáticas será maior que o que podemos gerar de riquezas hoje. Só que o prejuízo comum está sendo dividido por todos, consumptors e seres que dividem esta casa com a gente. Está mais do que na hora de aplicarmos o conceito do poluidor pagador. Poluiu? Paga! Mais em impostos, em desenvolvimento de infraestrutura, em tudo o que for necessário para saldar a dívida que só cresce. E depois teremos novas regras do jogo em que poluir não será opção, simplesmente porque não poderá existir empresa que opere assim. Poluidor pagador seria uma forma de incentivar a transição, pois ou ela acontece ou ela acontece.

Mas há esperança, e o mundo já se move em direção a novas propostas. Joe Biden venceu as eleições presidenciais americanas, num claro recado contra o negacionismo, a misoginia, a violência e o anticientificismo. Mesmo antes de assumir o cargo, o presidente eleito anunciou que ia investir US$2 trilhões para combater as mudanças climáticas e tornar a matriz energética americana livre de carbono em até quinze anos. O Green New Deal (Novo Acordo Verde) já ganhava espaço nas discussões americanas mesmo antes da eleição, e ele é focado numa mudança na economia que faça com que o mundo seja carbono zero (o saldo da emissão *versus* a compensação de carbono deve ser zero) até 2050, e os Estados Unidos, em 2030. Mas não só isso: o Novo Acordo Verde, que emerge de movimentos ativistas de base, contempla, para além da mudança de matriz energética, o bem-estar das pessoas, garantindo moradia de custo acessível e atendimento de saúde de qualidade para todos. A proposta é o investimento em empresas que estejam alinhadas com os desafios do milênio, bem como em modelos que distribuam a renda e mantenham o dinheiro circulando localmente, como cooperativas e micro e pequenas empresas. Em suma, o Novo Acordo Verde quer transformar comunidades para que elas voltem a ser pulsantes, seguras, sustentáveis, e ao mesmo tempo acabar tanto com as emissões de gases de efeito estufa quanto com o desemprego nos Estados Unidos. Essa é a proposta. O que será feito na prática, teremos que aguardar para ver. Mas trago esse exemplo por ser um marco na agenda de que estamos falando. Talvez os Estados Unidos tenham percebido sua fragilidade econômica, talvez estejam tentando perpetuar sua hegemonia no mundo atualizando o *modus operandi* do capitalismo, mas ainda assim sem discutir a fundo as chagas desse modelo. Porém o fato de estar desenhando um plano de carbono zero e bem-estar das pessoas já é significativo e deve ser pontuado como uma evolução clara diante do seu posicionamento dos últimos anos.

Amsterdam sinaliza uma mesma direção para a reconstrução econômica pós-pandemia, já que a cidade sofreu com a crise, pois muito de sua renda vem do turismo. Essa baixa diversidade nas atividades econômicas e a extrema dependência de capital estrangeiro para os serviços da cidade ficaram claras com a Covid-19 e são mais um exemplo da falta de resiliência que assola o mundo com seu pensamento de linearidade e especificidade máxima. Por isso, a cidade, uma das mais inovadoras do planeta, montou um laboratório para pôr em prática uma metodologia que está sendo criada neste momento, de um dos modelos que acho mais completos entre os que têm surgido: a Economia Donut, ou economia da rosquinha. A Economia Donut desenha com clareza os limites que hoje já sabemos que existem, citados por tantos, inclusive Giannetti, e através deles mostra o que deve ser corrigido no sistema para que o modelo econômico não os ultrapasse.

Segundo a economista Kate Raworth – idealizadora do modelo Economia Donut, formada em Oxford, onde ocupa hoje a cadeira de tutora e conselheira do Environmental Change Institute da universidade –, os desafios que o século XXI apresenta estão descompassados com os pressupostos usados para o pensamento econômico vigente, uma mentalidade "enraizada nos manuais de 1950, que por sua vez têm suas raízes nas teorias de 1850. Dada a natureza rapidamente mutável do século XXI, isso está tomando a forma de um desastre". Sua linha de pensamento é que, apesar de novidades apresentadas pelos dois maiores expoentes econômicos do século XX, Haykes e Keynes, mesmo lá com as suas diferenças, seus modelos propostos que moldam a economia de hoje têm pontos cegos e pressupostos que precisam ser reexaminados à luz dos desafios que se apresentam. É preciso afastar-se da economia e voltar, dar um *zoom out* e depois um *zoom in*.

242 FE CORTEZ

Foi o que ela fez em sua carreira. Depois de anos passados na ONU, de trabalho com empreendedores de pés descalços das aldeias de Zanzibar, com uma década dedicada à Oxfam, ela ficou um ano afastada do trabalho formal para se dedicar a um trabalho não remunerado, mas nem por isso menos trabalho, e talvez dos mais importantes do planeta: a maternidade e o cuidado de seus filhos gêmeos.

Esse respiro a fez questionar, conforme disse no fórum Economia de Francisco: "E se começássemos a economia não com suas teorias há muito estabelecidas, mas com as metas a longo prazo da humanidade, e, então, buscássemos o pensamento econômico que nos permitisse atingi-las?". A resposta foi um desenho, que mais se assemelhava a uma rosquinha, aquela clássica rosquinha dos Simpsons, que tem um buraco no meio, chamada "donut". Daí vem o nome do seu modelo econômico. E, como uma imagem vale mais que mil palavras, ela é bem simples para explicar o rolê atual: a rosca é onde todos no planeta deveriam estar. Se tem alguém no buraco de dentro é porque não está com as condições mínimas da vida. Esse é o alicerce social, que representa os elementos básicos da vida dos quais ninguém deveria sofrer escassez, como acesso a água potável e a saneamento básico, habitação digna, educação, entre outros. "Fora do anel externo – o teto ecológico – está a degradação planetária crítica, como as mudanças climáticas e a perda de biodiversidade. Entre esses dois anéis está a rosquinha, o donut em si, o espaço no qual podemos atender a todos contando com os meios do planeta."

Uma selfie do planeta

O donut já nasce contemplando o fato de que temos um limite, e ele é essa linha de equilíbrio da teia da vida. Isso é uma grande mudança de lente para economistas. Nasce ainda focado em tratar dos Objetivos de Desenvolvimento Sustentável da ONU, que deveriam orientar todas as atividades humanas neste século. Gosto muito do fato de esse modelo contemplar tanto as externalidades quanto a interdependência e as relações sistêmicas que acontecem no mundo. Kate Raworth chama essa proposta de "Analisar o quadro geral". Para ela, diagramas como o de fluxo circular, muito usado por economistas, são simplistas e reducionistas, portanto não contemplam a vida como ela é, feita de relações de trocas, de resíduos, de desigualdades. Para Kate, além de limitada, essa representação simplista tem sido usada para reforçar a narrativa neoliberal acerca da eficiência do mercado, a incompetência do Estado, o serviço doméstico e de cuidado não remunerados e a tragédia dos bens comuns, ou a inabilidade de comunidades gerirem seus bens comuns, como uma fonte de água.

Kate Raworth propõe que não deixemos nada de fora. Nem mesmo aquilo que é oportuno hoje, como as externalidades, a poluição e toda sorte de prejuízos compartilhados pela sociedade. Ela contempla também as relações que são parte da economia mas que hoje não são vistas como tal, que ela chama da domesticidade do agregado familiar, tipo o cuidado da casa, a criação dos filhos, o cuidado dos idosos, que é também chamada de economia do cuidado não remunerado. Mas o primeiro choque do seu trabalho, que dialoga com o de outros economistas de vanguarda, é o questionamento do papel do PIB nas regras mundiais, que ela chama de uma mudança no objetivo da economia. Hoje vemos presidentes sendo eleitos e outros caindo em razão do PIB, países focando seus planos de desenvolvimento para atender ao crescimento do PIB. No entanto, estendendo o que já escrevi antes, PIB é aquele número mágico que ancora o que está distorcido na nossa visão de mundo: a ideologia de que teremos crescimento eterno, infinito, incentivando o consumismo de bens elaborados com recursos finitos, ou o que ainda chamamos da medida do progresso. Na visão de Kate, o PIB tem sido uma fixação mundial, usada há mais de setenta anos para "justificar desigualdades extremas de renda e riqueza conjugada a uma destruição sem precedentes do mundo vivo. Para o século XXI, é necessária uma meta muito maior: atender aos direitos humanos de cada pessoa dentro dos meios do nosso planeta gerador de vida". Esse é o primeiro paradigma a ser quebrado. O PIB não leva em consideração a descapitalização de recursos naturais das nações, bem como vê seu valor aumentado quando há desastres naturais. Ou seja, é uma métrica que não responde a nenhum dos desafios do século XXI, portanto caduca como seus criadores. Na época podia fazer sentido; agora, e há algumas décadas já, não mais. O retrato atual de um mundo baseado em PIB, que ela chama de selfie da Terra, é este ao lado. E imagens são autoexplicativas...

244 FE CORTEZ

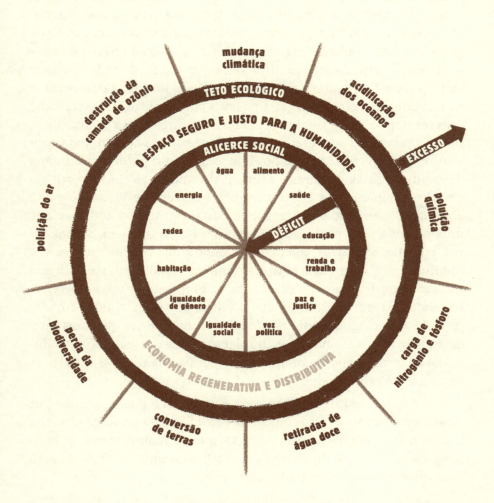

No seu livro *Economia Donut: uma alternativa ao crescimento a qualquer custo*, Kate Raworth aprofunda tudo o que estou resumindo aqui de uma forma que nunca fará jus ao seu trabalho absolutamente disruptivo e baseado em sete maneiras de pensar como um economista do século XXI. Disruptivo inclusive porque ela, que é economista, afirma que uma das camadas que essa dimensão deve compreender é a do estímulo à natureza humana, coisa de que Giannetti também fala muito. Por anos fomos moldados para ser força de trabalho/consumptors e servir às necessidades do mercado. Você não escolhe a profissão com base nos dons e talentos, e sim no que paga mais e no que tem mais oportunidades. Ou trabalha sem ter nem essa opção de escolha. Em lugares como o Zimbábue, por não ter outras opções, meninas de onze anos se casam para conseguir sobreviver neste mundo. Imagina quanto potencial humano desperdiçado nas lavouras e fábricas do mundo. Kate Raworth retrata esse homem econômico racional, esse ser a serviço do capital, como aquilo em que nos fizeram acreditar por tempo demais e que moldou toda uma sociedade planetária. Nessa imagem, somos seres "egoístas, solitários, calculistas, pouco afeitos a mudanças, e que dominamos a natureza". Mas ela também acredita que a natureza humana é muito mais rica do que isso, e propõe um novo autorretrato, como "seres sociais, interdependentes, próximos, fluidos em matéria de valores e dependentes do mundo vivo". E crê que, portanto, existem diversas formas de estimular essa que é a real natureza humana de formas que "aumentam consideravelmente nossas chances de entrar no espaço seguro e justo do donut".

Quando li seu livro, foi música para meus ouvidos, porque por muito tempo eu tinha isso como uma verdade no meu coração, mas eu achava difícil, por não ser economista, que de alguma forma, se honrássemos a natureza única de cada ser, poderíamos justamente com base nisso criar aquele mundo mais bonito.

Kate fala ainda da necessidade de criar para regenerar, que contradiz o que por muito tempo foi uma máxima que serve a esse sistema, representado numa tal de Curva Ambiental de Kuznets, que insinuava que a poluição precisava primeiro piorar para depois as mãos mágicas do mercado criarem fórmulas mágicas que junto com o crescimento iam limpar a sujeira toda. Já passou tempo demais e a tal mágica não rolou. Mais do que isso, está cada vez mais claro que "a degradação ecológica é simplesmente resultado de uma concepção industrial degenerativa. Este século precisa de um pensamento econômico que desencadeie uma concepção regenerativa para criar uma economia circular – não linear – e restaurar os seres humanos como participantes plenos no processo cíclico da vida na Terra". Ai, Kate, eu te amo!

Incluir o que é chamado de trabalho não formal na conta se faz urgente. E aqui eu gostaria de ampliar esse conceito para além do que Kate chama de domesticidade do agregado familiar, ou o que Hazel Henderson, ativista e futurista, denominou economia do amor. Em entrevista à revista *IstoÉ*, Hazel define esse modelo como um bolo: "É como se fosse um bolo com várias camadas. Nas superiores estão a economia de mercado oficial, as transações em dinheiro e os investimentos privados. Depois vem o setor público. No recheio está a evasão fiscal. O que chamo de economia do amor é a metade produtiva do bolo. É todo o trabalho não remunerado dos colaboradores, das mulheres que cuidam dos filhos, dos idosos, dos serviços domésticos, dos voluntários e da agricultura de subsistência. Em 1995, a Organização das Nações Unidas (ONU) avaliou que essa economia representava US$16 trilhões. Desses, US$11 trilhões seriam gerados por mulheres e US$5 trilhões por homens".[36] Um relatório de 2020, divulgado pela Oxfam,[37] afirma que mulheres e meninas no mundo dedicam 12,5 bilhões de horas a cuidados não remunerados. Isso representa US$10,8 trilhões, que são mais de três vezes o valor da indústria de tecnologia do mundo.

Essa visão da economia atual de só colocar na conta aquilo que interessa vale também para os serviços ecossistêmicos. Preservar floresta em pé não tem hoje valor no mercado, está começando, com crédito de carbono – que, já deixo claro, sem me aprofundar muito porque renderia um capítulo inteiro, enxergo como medida transitória –, mas é impossível mensurar a real contribuição de uma floresta

---

36 "A economia do amor". *IstoÉ*, 18 out. 2003. Disponível em: <https://bit.ly/EconomiaAmor>.
37 Disponível em: <https://bit.ly/M1LUFRJ>.

como a Amazônia para o mundo. Podemos apenas ver algumas camadas superficiais disso, como regime hídrico, uma parte mínima de espécies que ali estão, sequestro de carbono. Mas o que acontece ali é muito além do que hoje conseguimos medir com o nosso conhecimento científico. Está na ordem do invisível, tanto no mundo material, espécies que não vemos a olho nu e que suportam a teia da vida, como fungos e bactérias, quanto no nível sutil. Não conseguimos medir a energia que ali é gerada para fortalecer laços invisíveis de cura e restauração planetária. Assim como não remuneramos, nem sequer reconhecemos, por milhares de anos, a economia do amor, não remuneramos e, pior, destruímos seu alicerce, Gaia. Que acordemos a tempo de perceber que existe muito mais entre o céu e a terra que julga nossa vã filosofia e que é nesse espaço desconhecido que também está o alicerce dessa Nova História possível para a humanidade. E que justamente por isso, não só por utilitarismo, devemos tomar nossas decisões.

ECO lógicas

Se inspirar na natureza é a chave e o caminho para desenharmos novas formas de realizar as trocas entre os seres. Imitar a maneira sistêmica como a natureza opera e seus pilares é fundamental para juntos cocriarmos o sonho de um planeta abundante que é absolutamente possível. Não faltam dinheiro nem recursos, eles estão é completamente mal distribuídos. Em 2010 foi gasto US$1,6 trilhão em armas e afins. Em 2019 esse montante subiu para US$1,9 trilhão, de acordo com o Stockholm International Peace Research Institute (SIPRI).[38] Em outubro de 2020, na pandemia, segundo relatório publicado pelo banco suíço UBS em parceria com a PwC, pela primeira vez na história a fortuna dos bilionários do mundo bateu a soma de US$10 trilhões.[39] O crescimento foi assustador, já que em abril de 2020 a soma não passava de US$8 trilhões. Com o dinheiro da fortuna de 2.189 bilionários do mundo daria para acabar duas vezes e meia com a fome no planeta.

---

38 Disponível em: <https://bit.ly/M1LSipri>.
39 Disponível em: <https://www.ubs.com/global/en/global-family-office/reports/billionaires-insights-2020.html>.

248 FE CORTEZ

Ou zerar o déficit habitacional da Terra por duas vezes e ainda sobrar dinheiro. Ou ainda manter 1 bilhão 714 milhões 89 mil e 818 pessoas estudando os nove anos do ensino fundamental. As comparações são de dados da ONU, publicadas em matéria do site Catraca Livre.[40] Ou seja, juntando a grana acumulada pelos bilionários e os fundos militares, dá para resolver mudança climática, fome e mais o que a gente quiser!

Rever a forma e o objetivo da economia, bem como seus indicadores, é tarefa primordial se quisermos permanecer por aqui mais um tempo. Para isso é fundamental usar a economia para aquilo a que ela se presta: cuidar, fazer a gestão da casa. Mas olhar para os habitantes dessa casa e repactuar algumas coisas entre eles é urgente e mais do que necessário. É preciso colocar na conta e nos objetivos os desafios do século XXI como Kate, a Oxfam, a ONU, o Fórum Econômico Mundial de Davos e diversas discussões acerca do tema apontam.

Não temos todas as respostas, e isso pode ser bom. Essa é a hora de fazermos muitas perguntas e testarmos soluções. É a hora ainda de colocar em prática uma ética econômica global que reflita desafios e a forma de existir da natureza. É hora de resgatar os objetivos dessa área tão crucial para a organização da casa, Gaia. Na verdade, a economia deve funcionar de modo a refletir como se dão as trocas de recursos num modelo de sistema aberto que é o planeta. Que possa ser facilmente redesenhada de acordo com os próprios feedbacks do sistema, mais uma vez aprendendo com um planeta que vem fazendo isso há 4,5 bilhões de anos. Assim talvez não sejamos mais pegos de "surpresa" por crise atrás de crise. Para isso é necessário sairmos do pensamento linear, que nos trouxe até aqui, para o pensamento sistêmico. Do pensamento de escassez para o de abundância. Da concentração para a distribuição e acesso. De um sistema que gera mais morte para um que gere e regenere a vida.

É hora de criarmos economias ECO lógicas, partindo de um novo objetivo e com regras claras para que o jogo seja ganha-ganha-ganha.

---

40 "Fortuna dos bilionários acabaria com a fome no mundo, e ainda sobraria". *Catraca Livre*, 7 out. 2020. Disponível em: <https://bit.ly/FomeMundo>.

Se não conseguirmos, teremos uma realidade perde-perde-perde, pois, como disse Anitta ao explicar a importância da Amazônia e do clima, sem floresta e com mudanças climáticas o dinheiro não vai ser uma questão, simplesmente porque não vai ter quem use esse dinheiro, não haverá nós, o que vai sobrar vai ser um monte de dólar voando por aí. Literalmente! Essa é a importância da dimensão em questão. Mas, lembre, a economia apenas reflete o nível de consciência de seus pensadores e atores. Portanto, rever os valores dos humanos é um pilar urgente e fundamental.

ORIGENS BRASIL: INOVAÇÃO NA FLORESTA

É possível promover desenvolvimento e conservar a natureza ao mesmo tempo? Essa pergunta, que está tão em voga nas discussões de novos modelos hoje, martelava na cabeça da engenheira florestal Patricia Cota Gomes ao longo dos vinte anos de trabalho dedicados à Floresta Amazônica, como auditora e gestora no Instituto de Manejo e Certificação Florestal e Agrícola (Imaflora), uma ONG que trabalha com as cadeias produtivas florestais e agrícolas brasileiras, desde commodities até produtos da sociobiodiversidade, ajudando essas cadeias a serem mais responsáveis e ao mesmo tempo gerando valor e qualidade de vida para as pessoas que vivem na floresta e da floresta. Ao longo desses anos, Patricia conheceu e interagiu com uma diversidade sem precedentes, tanto social quanto ambiental, já que seu trabalho sempre foi ao lado de populações ribeirinhas e indígenas. E nesse período ela foi percebendo que havia um grande desafio na Amazônia: dar luz à economia oculta da floresta, aquela proveniente da biodiversidade manejada tradicionalmente pelos povos da floresta, com alta tecnologia social, alto nível de sofisticação do saber tradicional, mas que acabava na informalidade, devido ao processo como se dá, desde a coleta dos produtos até que eles cheguem ao consumidor final. São tantos atravessadores, canoas, barcos, regatões que os detentores daquele saber e os dados sobre essa economia acabavam na invisibilidade. O Imaflora foi convidado pelo Instituto Socioambiental então para ajudar a pensar e criar uma marca e uma solução para valorizar os produtos de populações tradicionais que vivem dentro de áreas protegidas, já que tem uma larga experiência de anos com certificações socioambientais, como o selo FSC, que garante que a madeira e a matéria-prima usada em produtos de origem da floresta sejam provenientes de áreas manejadas de forma ecologicamente correta, com condições justas de trabalho e de maneira economicamente viável. E o desafio não era pequeno.

O Brasil é um dos poucos países no mundo que criaram as áreas protegidas para que essas populações possam reproduzir seu saber tradicional e sua cultura, o que é incrível. E para quem mora nos grandes centros urbanos pode parecer difícil acreditar que no país se falam mais de 270 línguas. Cada língua, uma cultura, uma forma de viver. E um conhecimento único sobre a maneira de uso dessa biodiversidade ambiental ainda pouco conhecida. É uma diversidade social que acompanha a biodiversidade, no nosso caso, a maior do planeta. Juntando as duas, está começando a ficar evidente para muita gente que temos por aqui o maior potencial de inovação da Terra. Só que a produção dessas populações, baseada na diversidade, não tem sido reconhecida adequadamente pelo mercado consumidor. Assim, não tem valor monetário para essas populações, e atividades ilegais como o garimpo e a extração de madeira se apresentam como alternativas de renda, porque é o "que tem pra hoje", sendo, muitas vezes, a única opção para um rendimento mínimo, e coloca mínimo nisso, para uma vida simples. Bem simples.

O Origens Brasil nasce em 2016 como um sistema de garantias que conecta quem produz com quem compra, que viabiliza negócios em prol da floresta em pé com garantia de origem, transparência e rastreabilidade e promovendo comércio ético. Em 2019, ganhou o Prêmio Internacional de Inovação para a Alimentação e Agricultura Sustentáveis da ONU.

Até a conquista desse prêmio, muito trabalho foi desenvolvido por um grupo multidisciplinar montado para pensar as melhores soluções a fim de trazer valor para a floresta em pé. Afinal, não é como se existisse um mapa no Google que mostra um pin para cada "lojinha" em cada rio ou estrada da Amazônia, para que os compradores possam achar com facilidade quem vende castanha do Brasil, babaçu ou artesanatos indígenas. Um dos problemas identificados era justamente a falta de comunicação e tecnologia acessível às populações tradicionais. O investimento inicial, que não foi baixo, foi garantido em sua maior parcela por um aporte do Fundo Amazônia e destinado justamente a criar uma interface fácil de usar, que pudesse ser acessada em tablets e celulares, e que estes chegassem às mãos das comunidades, para o protótipo da área do Xingu. Agora, cada produtor pode carregar suas informações nessa plataforma, onde podem ser acessadas pelos compradores dos produtos, pelos próprios produtores, para maior controle das suas cadeias, e uma parte pode ainda ser vista pelo consumidor final, quando ele aponta a câmera para o QR code presente em cada embalagem que ganha o selo Origens Brasil.

254 FE CORTEZ

O protótipo desse modelo se deu no Corredor de Áreas Protegidas do Xingu, uma forte referência da diversidade socioambiental da Amazônia, já que é um dos mais extensos conjuntos de áreas protegidas interligadas do mundo. São mais de 26 milhões de hectares, dois biomas, Amazônia e Cerrado, 21 terras indígenas, quarenta municípios, nove unidades de conservação, 26 povos indígenas e populações ribeirinhas e 26 idiomas falados. Essas características e a presença de um conjunto de instituições que já se articulavam para promover as cadeias extrativistas da região fizeram desse território o ideal para prototipar todas essas inovações. O protótipo começou no Xingu, com seus quase 2 mil quilômetros de extensão, mais especificamente na região conhecida como Terra do Meio, localizada no estado do Pará, ali bem pertinho do crime ambiental e social chamado Usina Hidrelétrica de Belo Monte. Abro um parêntese porque Belo Monte, de crime ambiental, pode se tornar ecocídio, já que em fevereiro de 2021 o governo Bolsonaro, com o aval do presidente do Ibama[41] – que atende a interesses vários, menos o da preservação ambiental –, assinou um decreto autorizando a Norte Energia S.A. a liberar um volume de água quase sete vezes menor que aquele mínimo garantido para manter a vida no curso do rio, mesmo com um parecer dos membros do Ibama contrário a isso, justamente pelo risco à vida. Arrisco dizer que, para o futuro, é um dos maiores crimes que o governo pode cometer. E que merece resposta no Tribunal de Haia. Para ontem! Fecha parêntese.

Esse território ainda preservado se encontra na fronteira agrícola da Amazônia, região que está sob intensa pressão do agronegócio e de atividades ilegais ligadas à grilagem, à exploração ilegal de madeira e ao desmatamento. A região abriga alguns dos principais municípios responsáveis pelas maiores taxas de desmatamento da Amazônia nos últimos anos.

Dentro desse imenso corredor, existe uma área conhecida como Terra do Meio, e é lá que vive Raimunda Rodrigues, uma ribeirinha de trinta anos, de sangue indígena, nascida e criada na Resex (Reserva Ex-

---

41 Eduardo Bim, homem de confiança do então ministro do Meio Ambiente Ricardo Salles, tornou-se o primeiro presidente do Ibama, autarquia fundada em 1989, a ser afastado pela Justiça no exercício da função, por ter intercedido em favor de empresas madeireiras.

trativista) do rio Iriri, hoje gestora de uma das cantinas e miniusinas de beneficiamento de produtos provenientes do extrativismo de coleta dos povos tradicionais, uma rede de parceiros que inova e valoriza a floresta contra o desmatamento ilegal e o roubo de madeira. Ali, da cidade de Altamira, os produtos beneficiados nessa região são distribuídos para as mais diferentes regiões do Brasil. Hoje os produtos podem ser geridos e negociados diretamente pelas populações indígenas e ribeirinhas, e entre elas, já que essa rede de cantinas e miniusinas é de propriedade conjunta de ribeirinhos e indígenas, possibilitando e garantindo a comercialização conjunta e justa dos produtos da floresta. E é aí que as histórias de Raimunda e Patricia se entrelaçam. A marca Vem do Xingu é parte do selo Origens Brasil e comercializa castanha desidratada, mistura para bolo de babaçu com cacau, farinha de babaçu e outros produtos que podem ser adquiridos pelo site do Origens e em outros pontos de venda no país. Mais do que uma cesta de produtos, Vem do Xingu é garantia do bem-estar das comunidades. Essa cesta vendida para consumidores finais é ainda parte da alimentação dessas populações, da medicina desses povos e da cultura ancestral presente naquela região.

Trata-se de uma cultura que não separa a natureza das pessoas, como disse Raimunda em sua palestra no evento Fru.to – Diálogos do Alimento, promovido pelo chef Alex Atala: "Nós não vivemos da floresta, nós '*é*' a floresta! Porque sem nós lá, a floresta não consegue estar em pé".[42] E para quem pensa que a floresta está lá e nós estamos aqui, ela está mais próxima do que podemos imaginar. Sabia que o carvão ativado dos filtros de água usados em milhares de domicílios país afora é feito do caroço do babaçu? Além de filtrar a água da sua casa, a Amazônia está presente ainda no pão nosso de cada dia. Mais especificamente, o pão de castanha da Wickbold, empresa que faz parte da rede que compra da Raimunda.

Patricia é hoje a coordenadora da rede Origens Brasil, que mesmo nova já acumula histórias inspiradoras como a de Raimunda. São cerca de 1.900 produtores cadastrados, dos quais 44% são mulheres. São mais de quarenta associações e 28 empresas que compram os produ-

---

42 Palestra disponível em: <https://bit.ly/FlorestaAdentro>.

tos Origens. Esse número só cresceu, mesmo com a crise causada pelo novo coronavírus. Nunca se falou tanto da Amazônia, até porque ela nunca antes esteve em risco tão grande quando agora, com este governo ecocida. Mas estamos em tempos de transição, e o posicionamento dos maiores fundos de investimento do mundo em relação à necessidade de práticas com garantia de preservação da natureza e comércio justo é um grande aliado neste momento.

O Origens Brasil tem como objetivo ser uma das diversas propostas de gerar valor para a floresta em pé, e, mais do que isso, manter a vida de seus povos tradicionais, que são os verdadeiros guardiões de 51 milhões de hectares de floresta na Amazônia. Não só isso: são os guardiões do maior potencial de inovação no Brasil – nossa sociobiodiversidade.

VAMOS SONHAR O BRASIL?

E se nós tivéssemos um sonho para o Brasil que fosse baseado naquilo que é a sua verdadeira potência, a biodiversidade? E se esse sonho incluísse ainda a diversidade cultural que nos faz tão plurais e ricos? E se, além disso, incluíssemos nesse sonho o potencial de regeneração de terra que temos por aqui? Claro, porque estamos falando de um momento em que o maior desafio global da humanidade é fixar carbono no solo e manter a biodiversidade que ainda nos resta. E se nós sonharmos esse sonho a partir das comunidades, a partir de geração de riqueza local, valorizando os saberes e a cultura daquelas pessoas que conhecem a terra como a palma de suas mãos? E se sonhássemos um Brasil em que ninguém mais precise sair do campo ou da floresta para grandes cidades, que estão colapsadas e violentas e sem capacidade de receber mais moradores? E se sonhássemos um Brasil de uma forma que nação nenhuma pensou?

E se nós começássemos a desenhar esse sonho partindo de um papel em branco? Ou melhor, de um mapa cheio de florestas e de outros biomas tão incríveis e diversos quanto a Amazônia? Afinal, aqui temos o Cerrado, o Pantanal, os Pampas gaúchos, a Mata Atlântica, a Caatinga, além desse litoral gigante e plural. E se esse sonho fosse sonhado *por* e *para* os brasileiros, e não apenas para continuar atendendo às expectativas e às necessidades do mercado internacional? Somos um país continental, não é verdade? E como tal podemos desenhar e sonhar uma nação a partir do seu desenvolvimento local.

A humanidade está numa encruzilhada

É com a frase acima que a ONU resume a nossa situação no quinto relatório Panorama da Biodiversidade Global,[43] divulgado em setembro de 2020, encruzilhada essa relacionada ao legado que deixaremos para as gerações futuras. O relatório aponta que nenhuma das metas acordadas pelos membros da ONU em 2010 – quando se declarou a

---

43 Disponível em: <https://bit.ly/GlobalBiodiverity>.

década seguinte como a Década da Biodiversidade – foi atingida, e portanto propõe oito eixos fundamentais para a manutenção da vida no planeta. O primeiro deles é a transição de terras e florestas. E o que isso quer dizer? A urgência em conservar ecossistemas intactos, restaurar ecossistemas, combater e reverter a degradação dos ecossistemas e aplicar um planejamento espacial sobre a paisagem para evitar, reduzir e mitigar a mudança do uso da terra. Algo como: faça todo o contrário do que temos feito há décadas em países tropicais e o contrário do que o governo atual brasileiro está incentivando. O segundo eixo abordado pelo relatório aponta a necessidade urgente de transição para a agricultura sustentável no planeta. E, olhando isso, podemos chorar pelo que não está sendo feito e pela urgência, ou parar, como bem diz o climatologista e cientista Carlos Nobre, agora acompanhado de instituições como CEBDS (Conselho Empresarial Brasileiro para o Desenvolvimento Sustentável) e por empresários do país, e começar a ver a imensa oportunidade que temos de ser a primeira potência ambiental da sociobiodiversidade do mundo!

Fato é que somos o país mais biodiverso que há e estamos enfrentando globalmente uma perda de biodiversidade sem precedentes. Num momento em que 1 milhão de espécies corre o risco de desaparecer, essa é A hora de mudarmos o curso da história. Não apenas seguindo as diretrizes que outros pensam e imaginam, mas talvez pela primeira vez verdadeiramente sonhando o NOSSO sonho. Pela primeira vez talvez possamos decidir não mais colocar todas as nossas fichas em gado, soja e minério, ou seja, em commodities, como vimos fazendo desde o Brasil Colônia, e sim em outras inteligências, em educação e na valorização dos saberes dos povos originários, para, por meio do resgate ancestral aliado à ciência de ponta, aproveitarmos as conjunturas externas e cocriarmos a partir disso o que queremos como nação daqui para a frente. Talvez porque a sobrevivência da nossa espécie e de milhões de outras esteja ligada justamente à manutenção daquilo que ainda temos e que podemos restaurar. Talvez porque estejamos num momento real de transição de mudança de visão, de acharmos uma outra forma de habitar o planeta que não é aquela ditada até então pelos países autodenominados desenvolvidos.

O sonho do Brasil não pode ser apenas pautado em resultados econômicos imediatos, ou pelo menos de economias que ainda se medem pelo PIB e por outros indicadores tão ultrapassados como seus objetivos, ou a falta deles. Nosso sonho deve ser pautado na visão do ser integral, do *Homo integralis* e do que queremos viver no futuro. O quê e como. Não só do Homo, mas de Gaia. Aliás, na minha visão, sonho nenhum deve ser pautado em resultado econômico, senão não é sonho, é meta. Num mundo onde agora se começa a discutir o bem-estar como chave para um novo desenho de sociedade, temos muito com que contribuir. Num momento em que o desafio climático e o da perda de biodiversidade assombram uma espécie inteira, um planeta, temos mais ainda com que contribuir.

Mas que não sonhemos esse sonho querendo impressionar ninguém, querendo ser melhor que ninguém, e sim fazendo as pazes com o que de fato somos. Eduardo Giannetti – sim, ele de novo – fala de um Brasil altivo e aberto ao mundo, enfim curado da doença infantil-colonial do progressismo macaqueador e seu avesso – o nacionalismo tatu. Que lindo e rico seria se a gente pudesse desenvolver uma nação a partir da ancestralidade e dos saberes que essa nação tem. E colocar tecnologia e ancestralidade para enfim evoluírem lado a lado a conceitos e formas de vida de fato sustentáveis. Mas não só isso: prósperas e que gerem mais vida. Regenerativas.

Chegou a hora de sonharmos o Brasil a partir do que pode significar ser brasileiro.

Mas o que é ser brasileiro?

Ser brasileiro significa tantas coisas diferentes para tantas pessoas diferentes que não me atrevo a trazer uma definição única (inclusive porque já falei muito que se deve desconfiar de quem apresenta solução milagrosa ou definição única de qualquer coisa). Podemos trazer aqui a etimologia da palavra *brasileiro*, que remete ao trabalho de extração de pau-brasil. Ou, como explicou o filósofo Silveira Bueno para a revista *Veja*:[44]

---

44 "'Brasileiro', a palavra, já nasceu pegando no pesado." Sérgio Rodrigues, *Veja*, 30 abr. 2013. Disponível em: <https://bit.ly/M1LBrasileiro>.

No tempo colonial, "brasileiro" era adjetivo que indicava profissão: tirador de pau-brasil. Como tal, sendo esses homens criminosos, banidos para o nosso país por Portugal, o adjetivo tinha significado pejorativo e por isto ninguém queria chamar-se "brasileiro". Foi o franciscano Frei Vicente do Salvador o primeiro que teve a coragem de usar "brasileiro", não já na antiga significação de tirador de pau-brasil, mas na de originário, oriundo, nascido no Brasil. Assim procedeu Frei Vicente do Salvador ao escrever a sua História da custódia franciscana do Brasil. Daí para cá, passou o adjetivo a pátrio, aureolando-se da glória, do patriotismo de nós todos os que aqui somos nascidos. Concorreu também para esta nova significação o desaparecimento do comércio do pau-brasil que era exportado para a Europa.

Mas não é sobre esse fardo de trabalhar exaurindo a teia da vida e alimentando o bolso dos outros países que quero falar. Já estivemos por tempo demasiado nesse lugar. E ele não ajudou a construir uma nação nem rica nem feliz. Gosto quando o líder indígena Ailton Krenak fala de várias humanidades, quando lembra que existem no mundo, e também no Brasil, diferentes povos, diferentes estilos de vida, diferentes humanidades. Partindo desse ponto, o sonho do Brasil precisa em primeiro lugar contemplar e se basear na diversidade. Primeiro porque cada ser deve ter o direito a simplesmente ser o que é. Abelha é abelha e contribui para o equilíbrio sistêmico de forma igualmente importante à dos fungos, por exemplo. Mas abelha não quer ser cogumelo, e vice-versa. Em segundo lugar, porque só com diversidade existe resiliência, e esse é um atributo fundamental para a sobrevivência da teia da vida. Isso vale não apenas para espécies não humanas, mas também para culturas e formas de vida que, juntas, elevam o potencial de criar e de sonhar muito mais que um mais um é igual a dois.

Justamente por isso, esse é um sonho para ser sonhado coletivamente, e que deve levar em conta não só o nosso potencial econômico, da nova economia que já está aí, mas a maneira como nos relacionamos com o trabalho, como distribuímos as riquezas e como honramos a nossa cultura. Se o país que puxa o consumismo máximo está vendo seus habitantes doentes, e se nos países de "alta renda *per capita* uma em cada cinco pessoas em idade de trabalho sofre algum tipo de distúrbio mental a cada ano, sendo 25% delas acometidas por quadros severos, como esquizofrenia e transtorno bipolar, e o restante por doenças menos debilitadoras como depressão, ansiedade e estresse pós-traumático e transtorno de déficit de atenção", como lembra Eduardo Giannetti no livro *Trópicos utópicos*,[45] então significa que, em vez de, por exemplo, olharmos para os indígenas e falarmos que eles são preguiçosos, como já ouvi e li muito por aí, que tal se olharmos para eles como sábios? Eles vivem no expoente máximo da vida, sustentavelmente inseridos como parte integralis da teia da vida, e sua relação com o trabalho está pautada na abundância, e não na acumulação. Talvez essa seja uma característica importante para sonharmos o nosso Brasil: honrar a celebração tão presente nas culturas ameríndias e africanas e enxergar isso como sabedoria. Sabedoria de buscar equilíbrio.

Vale lembrar que temos nome de árvore, e isso para a raiz da nossa vocação diz muito. Somos natureza e aqui na nossa nação temos nome de uma outra espécie. Aqui e só aqui. Vale lembrar ainda que temos, além da maior biodiversidade do mundo, segundo dizem, o povo mais criativo do planeta.

Ser brasileiro é ser mestiço, já que somos filhos, netos, bisnetos ou tataranetos de uma história de fusão de indígenas com europeus e africanos. Uma miscigenação que ocorreu com base na escravidão e na violência, mas ainda assim somos mestiços. Para ser mais exata, mais de 60% da população brasileira tem sangue africano nas veias, mesmo que o tom da pele não evidencie a herança genética. Talvez a nossa alegria e força venham justamente desse sangue, já que na base da cultura africana resistem uma alegria e uma grande disposição de saber viver a vida, de cantar enquanto realiza as mais triviais tarefas do dia a dia. Como diz Giannetti, essa herança traz para nós "o dom da vida como celebração imotivada". E, em vez de valorizarmos essa he-

---

45 Giannetti, Eduardo. *Trópicos utópicos*. São Paulo: Companhia das Letras. Edição do Kindle (Locais do Kindle 132).

rança, somos racistas, desiguais, promovemos ataques a populações originárias. Que potente seria a nossa sociedade se valorizássemos essa miscigenação...

Somos ainda descendentes diretos de ameríndios, de diversas etnias indígenas que habitavam esta terra antes de ela ser "descoberta" pelos portugueses. E a base da cultura indígena é sua forma de se ver no mundo, como natureza, é a integração com ambiente, a abundância e o *buen vivir* – como é chamada a filosofia indígena adotada por diversas etnias sul-americanas que propõe uma nova maneira de organizar o modo de viver no mundo, com uma melhor relação entre os seres humanos e a natureza, pautada em harmonia, comunidade, horizontalidade no poder, reciprocidade e solidariedade entre indivíduos e comunidades. A influência dos portugueses, claro, foi determinante, mas em que momento decidimos que ela seria mais importante do que o legado de uma civilização que, entre outras coisas, conseguiu se manter aqui de forma absolutamente sustentável por milhares de anos, como os índios? Quando foi que escolhemos que seria melhor se matar de trabalhar para construir uma civilização do povo de mercadoria ou do *Homo consumptor* do que viver? E de lambuja matar aquilo que nos mantém vivos?

Ser brasileiro é ser filho da floresta. Do único país no mundo com nome de árvore. Ser brasileiro é ser natureza. Ser brasileiro é ser um povo alegre, massacrado, mas ainda com alegria no coração. Sim, somos alegres, não que isso baste para tudo na vida, mas é um bom começo uma vibração positiva que nos coloca num estado mais aberto, ou que torna o dia a dia mais tolerável, mais divertido. E, se não for divertido, não é sustentável. Ser brasileiro é ser filho de um caldo cultural e natural único. E é essa identidade original que precisamos resgatar com orgulho!

Pensar o Brasil a partir do seu mapa de diversidade, seja ela cultural, biológica ou geológica, é talvez pensar o Brasil de uma forma como as nações não foram pensadas. Afinal, essa divisão de nações surge de uma intrincada estratégia de dominação global elaborada e executada há séculos a partir de interesses econômicos e religiosos. Neste momento do mundo em que enfrentamos um risco de toda uma civilização planetária desaparecer justamente pelo modelo imposto às sociedades que dividem este planeta, está na hora de cada nação, cada cidade, cada bairro olhar para dentro. De cada pessoa olhar para si própria e valorizar os seus ativos, sua potência, suas qualidades, suas características e seus saberes que fazem dela única. Ou será que é à toa que ninguém no planeta tem a mesma impressão digital? Será que isso não reflete a estratégia de resiliência de criar seres diferentes e que juntos podem criar melhor? Mas mais do que isso, que podem neste momento contribuir para regenerar a vida? É hora de perguntar: *O meu serviço está a serviço do quê?* E quando pensamos num sonho coletivo é isso que tem que estar na frente: quais são os valores, saberes e as características daquela nação, daquela região, daquele coletivo de pessoas para criar mais vida. E, a partir do sonho, podemos começar a ter algumas saídas para de fato ancorar o Brasil, país do futuro. Enxergar isso requer a nova lente que proponho neste livro: a lente que vê potência, abundância e dons no lugar de escassez, miséria e competição em tudo. Acho que já deu para perceber que tem um monte de gente fina, elegante e sincera com esses óculos construindo pontes, tecendo laços e, dizem, até tirando *mininu* da cana e levando para tocar em Paris. Há empresas e pessoas que já descobriram que o grande potencial do país é a sua sociobiodiversidade. Potencial de geração de negócios mesmo.

Não pretendo trazer uma visão ingênua e Poliana das coisas; sei que temos sombras, mas este livro e este capítulo em especial são sobre novas histórias possíveis, que vão partir de um novo olhar. Sobre novas formas de ver, se ver e viver. E por esse motivo a proposta é partir daquilo a que hoje damos menor foco e importância, os nossos ativos.

Num evento promovido pela XP Investimentos sobre ESG, Marina Grossi, presidente do CEBDS, disse que a "nossa riqueza não está em imitar computador, que a nossa riqueza está em aliar tecnologia e ativos naturais. É isso que nos difere do resto do mundo, é isso que coloca a gente lá em cima e todo mundo olhando para a gente". Na visão de Marina e do CEBDS, podemos ainda usar nossa floresta em pé e sermos remunerados por créditos de carbono e por serviços ecossistêmicos. Ela afirma que a oportunidade é muito maior do que o que está acontecendo do ponto de vista negativo. Que a Amazônia pode

265 HOMO INTEGRALIS

ser um problema, ou a nossa grande solução, mas que essa é uma escolha a ser feita.

E esses serviços só são possíveis hoje porque as populações tradicionais mantiveram a floresta em pé. Porque nós já conseguimos uma vez ser exemplo de combate ao desmatamento, e porque, por uma confluência de fatores, somos hoje país central, por conta da Amazônia, para a manutenção do clima do mundo. E precisamos de mais, muito mais! Precisamos de mim, de você, de Patricias, de empresas e empreendedores que estejam dispostos a potencializar tudo isso que temos aqui e criar novas economias, economias em que o limite planetário do donut é limite ético e é criador de inovação. E que a base da rosquinha é objetivo para que não haja mais desigualdade. E isso começa primeiro sonhando, pois, assim como disse o Rodrigo Rubido, do Guerreiros Sem Armas, não queremos viver num país consertado. Queremos sonhar. E, depois de sonhar, agir. Afinal, o país do futuro começa no que fazemos no presente.

Brasil, o país do futuro

Desde pequena ouço nas mais diversas rodas que o Brasil é o país do futuro. No entanto esse futuro parece cada vez mais distante. Na pandemia ouvi muita gente trazendo esse questionamento com um tom de frustração, reclamando que esse futuro nunca chega. Mas que futuro é esse? Que imagem é essa que projetamos nas nossas cabeças acerca do futuro deste país? E o que eu, você, o pastor da igreja, o fazendeiro do agro (aquele que não é pop), o agricultor da agroecologia (esse, sim, merece o título), a vizinha, o tiozão do zap e a juventude estão fazendo para esse futuro chegar?

O futuro é uma consequência do que fazemos no presente. Então, se ele nunca chega, será que no presente nós temos feito jus ao sonho de nação do futuro? Mais do que isso, que tipo de parâmetro usamos para definir uma nação do futuro, e que tipo de parâmetro usamos para definir uma nação de sucesso ou uma nação próspera?

Enquanto nós quisermos copiar o ideal de sucesso das nações que hoje ditam regra no mundo – regra essa que leva à destruição da biodiversidade, da teia da vida e da nossa raça –, de fato não vamos ter sucesso. Teremos burnout, suicídio, depressão, ansiedade, violência, agressividade, doenças, aquele rol de efeitos colaterais da forma de viver do povo de mercadoria, e de quebra vamos ter extinção em massa, mudanças climáticas e tudo o mais de que já falei. Será que é isso que nós queremos?

A lógica sozinha não move: a criação do novo exige sonho

Com essa frase acima, Eduardo Giannetti abre a seção Sonhar o Brasil, do seu livro *Trópicos utópicos*. E não poderia estar mais certo. A ciência já apresentou todos os argumentos possíveis a respeito do caos que será a vida por aqui com as mudanças climáticas, e muito pouco foi feito *versus* o tamanho do desafio. Por outro lado, temos consumptors dando a vida, a energia vital, para comprar coisas de que não precisam. Fica claro por aí que não é a lógica que move, é o sonho. O sonho da felicidade vendido sob a forma de pílulas e itens. O sonho do pertencimento. O sonho do conforto, do bem-estar. O sonho de não ter mais boleto para pagar nem preocupação para tirar o sono, e junto com ele o sonho.

O Brasil é um país de dimensões continentais, com uma história marcada pela mestiçagem, mas também somos um país forjado sob as capitanias hereditárias, o coronelismo e o extrativismo. Por mais doloroso que esse passado se apresente, regado a sangue indígena e africano, violência e roubo da terra, da vida e da cultura, o legado que essa mistura deixou é a marca da nossa cultura.

Para além disso, somos o país mais biodiverso do mundo, o que significa que temos a maior quantidade de espécies por metro quadrado no planeta em diferentes biomas. Para exemplificar isso, um hectare, um campo de futebol, na Amazônia tem o mesmo número de espécies de árvores que têm flores do que toda a Europa – segundo disse o cientista Carlos Nobre a Pedro Bial, no programa *Conversa com Bial*, da TV Globo. Não só temos a floresta úmida ou tropical mais biodiversa do mundo, a Amazônia, como temos o Cerrado, que é a savana mais biodiversa do mundo. A Mata Atlântica foi declarada Reserva da Biosfera pelas Nações Unidas. Temos pradarias, pantanal, caatinga, temos uma faixa litorânea das mais extensas da Terra. Isso é potência! Mas por muitos anos o projeto de desenvolvimento brasileiro se fez pautado naquilo que fazia sentido não para nós, e sim para os eternos colonizadores da nossa terra. Sim, é importante lembrar que desde a invasão deste território ele foi pensado por estrangeiros para atender aos anseios da Coroa portuguesa, e depois dos países denominados desenvolvidos.

Sem os pactos elaborados pelos que estão no poder, nossa história poderia ter sido outra. Até agora servimos aos interesses que não são nossos. E, quando o são, são de uma minoria da população, aquele 1% que existe em todos os lugares do mundo. Mas que no seu sonho zumbi vivem uma vida imitando o sonho do outro, e do outro, um sonho de ilusão, como bons consumptors que são, em ter e concentrar.

Mas, se estamos caminhando para uma mutação de consumptors para *Homo integralis*, será que não seria essa a hora de ancorar um sonho coletivo chamado Brasil?

Nós temos nome de árvore e a maior floresta tropical do mundo, a Amazônia

Não podemos falar de futuro – com vida – do mundo sem falar da Amazônia. E não posso escrever um livro no Brasil sem imaginar um sonho brasileiro, afinal essa é uma nova história possível para a humanidade, uma que seja a mais linda que nossos corações jamais imaginaram, e ela começa com um sonho. Coletivo.

Então, afinal, será que é possível, na prática, sermos um país que fica dentro do donut proposto pela Kate Raworth se nos basearmos na nossa essência e originalidade? O que é preciso para isso?

O Brasil tem um importante papel e pode se sentar na cadeira da frente dos desafios planetários, como já fizemos – infelizmente talvez apenas num próximo governo. Temos terra e temos biodiversidade. Temos potencial de armazenar carbono. Temos 200 milhões de hectares de terra degradados que podem ser recuperados, dando uma contribuição imensa para frear as mudanças climáticas. Temos ainda um potencial enorme para o que hoje é denominado bioeconomia, que, resumindo bem, nada mais é do que uma que não mais vê valor em commodities (alô, agronegócio), e sim em conhecimento dos ativos da natureza para criar produtos a partir disso.

Hoje os países denominados desenvolvidos já injetam partes significativas dos seus orçamentos em projetos de bioeconomia, uma das vertentes dessa nova onda da industrialização mundial. Só que esses países, diferentemente do Brasil, não têm ali no seu quintal o material de estudo para a bioeconomia, mas *yes, we have banana, and cupuaçu, and açaí* e mais um monte de espécies que ainda nem conhecemos. Como diz Carlos Nobre, o grande potencial da Amazônia está naquilo que nós ainda desconhecemos dela. Poderíamos ser o grande polo mundial de bioeconomia, e assim aliar ciência e conhecimentos tradicionais, o desafio climático de manter floresta em pé, com o desafio econômico de fazer valer mais a floresta em pé, com a distribuição de renda para as populações locais, essas sim, indígenas, ribeirinhos e quilombolas, que nunca se desconectaram da terra e portanto sabem o que ela tem. E isso dito por quem entende, com respaldo da ciência de ponta que temos aqui, aliada a um empreendedorismo bem brasileiro. Mas para isso vamos precisar de dinheiro destinado para esse objetivo. A iniciativa privada não vai conseguir fazer isso sozinha, não quando os subsídios do governo vão para o extremo oposto do que está sendo proposto como um caminho de um futuro mais próspero. Então as leis, subsídios e inventivos devem refletir o novo modelo econômico, aquele que atenda aos desafios do século XXI. Aqui e lá fora. O tal do Pacto Global deve estar refletido nos sistemas financeiros mundo afora. Sem isso não teremos chance.

A boa notícia é que isso já está acontecendo.

O novo ouro brasileiro

Todo ano uma frutinha pequena, de cor roxa, gera para a região da Amazônia US$1,8 bilhão. Nos últimos vinte anos, a explosão da venda dessa frutinha, considerada um superalimento, para mercados internacionais começou a mostrar o potencial desse mercado, que no mundo já movimenta US$18 bilhões anuais. Ela é extraída e comercializada principalmente por cooperativas de ribeirinhos e beneficia mais de 300 mil pessoas. Graças à sua coleta e extração, centenas de famílias puderam ascender para padrões de vida mais confortáveis, aquilo que ainda chamamos de subir da classe E para a D e C. E o nosso ouro roxo se chama açaí. Esse produto conecta os sistemas agroflorestais que mantêm a floresta de pé, das várzeas amazônicas e da terra firme também. E sua comercialização já movimenta mais dinheiro anualmente que a extração ilegal de madeira, que hoje é um dos principais vetores de desmatamento da Amazônia.

São produzidas anualmente 250 mil toneladas de polpa de açaí, que pode gerar ainda mais riqueza localmente, já que a biotecnologia acabou de descobrir novos usos para a semente e o palmito do açaí, que detêm propriedades fantásticas!

Esse é um dos exemplos de potencial da floresta em pé que foram descobertos nos últimos anos. E, segundo Carlos Nobre, já temos o conhecimento científico do uso de mais de mil espécies da floresta, mas só algumas delas já apresentam grande potencial econômico, como é o caso do cacau e da castanha, além do açaí. Quantas outras não podemos descobrir se investirmos em tecnologia que mantenha a floresta em pé?

Foi essa pergunta e essa hipótese que levaram esse que é um dos cientistas brasileiros mais reconhecidos internacionalmente a desenvolver um projeto chamado Amazônia 4.0, a nova bioeconomia.

Quando começa a apresentar a sua proposta da Amazônia 4.0 num evento da USP, Carlos Nobre inicia sua fala propondo que seja feito um exercício de imaginação. E afirma: "Eu acho que o nosso problema no Brasil é falta de imaginação". Talvez de fato nunca tenhamos nos atrevido muito a sonhar ou imaginar nosso Brasil, imaginar sem amarras, num pensar livre, de onde saem as melhores ideias para tudo. Mas sempre é tempo de começar. Voltando a Nobre, ele segue contando sobre como os militares na ditadura desenharam um modelo para o país ser potência, sem discussão democrática, claro, mas focado em dois aspectos: a não dependência da energia de petróleo, e daí a criação de todo um sistema de hidrelétricas (que não vem ao caso questionar para os fins desta mensagem, mas bastante duvidoso dos pontos de vista social e ambiental) e a criação da Empresa Brasileira de Pesquisa Agropecuária (Embrapa), em 1973, para tornar o país autossuficiente em agricultura, pois, segundo ele, nos anos 1960, nós importávamos comida. E ele segue:

> Faço o exercício se em 1970 o Brasil tivesse criado a Embrapa, que era absolutamente necessária e se mostrou um tremendo sucesso... e a Embrabio – Empresa Brasileira de Aproveitamento Econômico da Biodiversidade, o que o Brasil seria hoje?
>
> Ele teria uma outra economia.
>
> O século XXI é um século onde o maior valor não é mais o valor material, nem energia, nem minerais, é conhecimento.
>
> O conhecimento de como as espécies interagem pode gerar uma nova economia. Bioeconomia não só de produzir biocombustíveis mas de aprender o que você tira da biologia mais profunda. A Alemanha projeta que em 2030 a bioeconomia será 25% da sua economia.

Economia do conhecimento da natureza, essa é uma das apostas para que o Brasil dê uma guinada e lidere a Nova Era. Esse termo, economia do conhecimento, foi cunhado pela geógrafa Bertha Becker e embasa a linha de pensamento de Nobre. Seu objetivo na criação do projeto Amazônia 4.0 é claro: em primeiro lugar, mostrar na prática que o grande potencial econômico da Amazônia não é o de derrubar floresta, mas é sua biodiversidade. Em segundo lugar, é trazer a bioindústria para a Amazônia, que pode ser muito mais do que apenas uma produtora de artigos primários para exportação: ela pode criar sua própria economia e agregar conhecimento e autonomia econômica e mercadológica para as comunidades locais, promovendo também a inclusão social.

Segundo ele, há vários contextos tecnológicos, como a revolução digital, a revolução nanomaterial e a de biotecnologia, mas nenhuma delas é centrada no aproveitamento da biodiversidade. Carlos Nobre afirma que a região amazônica oferece a possibilidade de implantar um modelo inédito: uma revolução industrial baseada no aproveitamento da biodiversidade de um país tropical. Não existe histórico de nenhum outro país que já tenha investido nesse modelo de desenvolvimento tecnológico a partir de uma industrialização avançada, de usar os ativos da floresta, e que esteja também de acordo com a agricultura do século XXI. Na visão dele, esse é o grande exercício de imaginação que precisamos fazer, o de imaginar um modelo que seja nosso, que seja inédito, original e baseado naquilo que temos de maior riqueza e que nenhum outro país no mundo tem. Adivinha? A nossa biodiversidade!

O caso do açaí serviu de inspiração para o pensamento de um modelo que vai além. Ele, por si só, já deixa claro que floresta vale muito mais em pé do que derrubada, e aqui, vale ressaltar, estou colocando na conta apenas o aspecto econômico. E também é muito mais rentável do que a pecuária na Amazônia, numa diferença de cinco vezes.[46] Se o açaí em questão for plantado nos modelos agroflorestais desenvolvidos pela Embrapa, em que se plantam quatrocentos pés em meio a seiscentas outras árvores, aí a rentabilidade chega a ser de US$1.000 por hectare, contra a rentabilidade de R$50 a R$75 do gado médio da região. Ou seja, estamos falando de vinte vezes mais que a média. Quantos ouros roxos, com nenhuma árvore a menos, podem existir por aqui?

Borboletas, painéis solares e rãs: uma combinação um tanto inovadora

Cruzar dados e analisar como a natureza se comporta são chaves para a inovação, no que está sendo chamado de biomimética, o mesmo conceito que inspira a economia circular. Através da biomimética, designers, engenheiros e pesquisadores descobrem como a natureza resolve seus problemas e se retroalimenta, e descobrem também que

---

46 Dados disponíveis em: <https://bit.ly/M1LAgricultura>.

imitando a natureza, e não querendo dominá-la, temos mais chances de criar inovação. Afinal, o sistema da teia da vida está evoluindo seus próprios processos há alguns bilhões de anos, e a nossa ciência não chegou nem na casa do milhar...

A borboleta morpho é um desses casos. Talvez você já tenha ouvido falar que as borboletas não são coloridas por causa da pigmentação delas, e sim graças à luz que incide nas suas asas. Pode parecer esquisito à primeira vista, mas pesquisadores do ramo da nanotecnologia e biomimética descobriram que a coloração azul metálica das asas dessa que é considerada uma das borboletas mais lindas do mundo vinha da forma como a luz se refletia nas asas. Tecnicamente falando, pela interação da luz com estruturas nanométricas (da bilionésima parte do metro) de diferentes índices de refração, que reforçam a reflexão de determinados comprimentos de onda. Fato é que ela pode mudar de cor dependendo da incidência da luz em suas asas, fenômeno conhecido como coloração iridescente.

Tá, mas o que isso tem a ver com o sonho do Brasil? Tudo. Porque a análise dessa borboleta e da forma como a luz reflete em sua asa e suas estruturas nanométricas está inspirando pesquisas voltadas para o desenvolvimento de tecidos, revestimentos e painéis solares de altíssimo desempenho.

Outro exemplo de biomimética e Amazônia vem da espuma produzida pela rã tungara (*Physalaemus pustulosus*) em pequenos lagos ou poças d'água na Amazônia. Composta de enzimas que protegem os ovos e os girinos contra patógenos presentes na água e da luz solar, a estrutura dessa espuma tem inspirado o desenvolvimento de materiais fotossintéticos capazes de converter energia solar em biocombustíveis e de capturar dióxido de carbono da atmosfera, apontou Juan Carlos Castilla-Rubio, presidente do conselho da Space Times Ventures – empresa de tecnologia especializada em incubar e escalonar mudanças em sistemas de produção de indústrias baseadas no uso intensivo de recursos. "Acreditamos que combinando as tecnologias digitais e avançadas com os recursos biológicos da Amazônia poderemos gerar novos produtos, soluções e plataformas tecnológicas não só para os mercados já existentes como também criar outros totalmente novos", disse Rubio, em reportagem publicada na revista

273 HOMO INTEGRALIS

da Fapesp. "Temos discutido esse novo modelo de desenvolvimento econômico da Amazônia nos últimos seis meses no âmbito não só do Conic da Fiesp, como também no Fórum Econômico Mundial, do qual sou membro do conselho consultivo, e recebido amplo apoio."[47]

Posso ir além e citar os diversos projetos que a Natura tem na Amazônia, porque essa empresa, que é uma empresa B – ou seja, que colocou no seu contrato social o compromisso com o planeta, o meio ambiente e as pessoas –, é pioneira quando pensamos em inovação e em manter floresta em pé. Eu presenciei de perto o quanto iniciativas de empresas como essa são poderosas na regeneração de comunidades. Visitei uma comunidade no Pará que antes, para se manter, derrubava árvores para venda ilegal de madeira. E ouvi da boca de mulheres envolvidas no projeto que, sim, os homens faziam isso porque precisavam colocar comida em casa, mas que, depois que o projeto da coleta das sementes de patauá começou, as mulheres os proibiram de derrubar árvores, e, na verdade, isso passou a ser desnecessário. As famílias ribeirinhas ganhavam mais na extração e no beneficiamento para a Natura do que destruindo aquilo que poderia mantê-las por mais tempo alimentadas e com renda recorrente.

O modelo da Natura também valoriza o saber local, pois é através da sabedoria local que a empresa descobre vários ativos da floresta. O patauá já era usado pelas populações tradicionais para fazer o cabelo crescer, e então um longo projeto de pesquisa começou a partir dessa informação e os benefícios para crescimento de cabelo foram comprovados pela ciência tradicional. Só que os lucros não ficaram só para a Natura: ela distribui uma parte para quem revelou aquela informação, ou para os detentores do conhecimento tradicional, além de equipar as comunidades envolvidas na coleta dos frutos do patauá com laboratórios de beneficiamento, já que o óleo do patauá vale mais que a semente em si. Assim, as populações que usavam o óleo produzido artesanalmente e para consumo próprio ganharam com seu saber, ganham com a coleta das sementes e com o beneficiamento e a

---

47 "Amazônia necessita de novo modelo de desenvolvimento econômico, avaliam pesquisadores". Agência Fapesp, 21 dez. 2016. Disponível em: <https://bit.ly/M1LFAPESP>.

extração desse óleo. E assim o jogo começa a ser mais ganha-ganha-ganha (empresas, pessoas e planeta, ou, no caso, floresta).

Esse é mais um exemplo de como a valorização dos saberes tradicionais pode gerar riqueza para o mundo, e até a cura de doenças, pois os ativos de muitas plantas da Amazônia, do Cerrado e da Mata Atlântica, desconhecidos por nós e amplamente utilizados pelos povos originários e quilombolas, podem servir de base para a bioeconomia, num modelo que divida os lucros e que proteja a floresta e o futuro da humanidade. Esse é um exemplo do potencial da floresta e da manutenção da biodiversidade, e de como podemos caminhar por essas trilhas. Não estou dizendo que os exemplos dados ou as empresas citadas sejam perfeitos em todos os aspectos, afinal estamos em transição, nem que esse é o único modelo, mas é um deles. É um modelo que prova que as pessoas não precisam sair de suas comunidades para morar em cidades colapsadas para ter qualidade de vida. É um modelo que mostra que os saberes tradicionais têm muito valor, que podem ser transformados em renda, como propõe o Origens Brasil, que desenvolve essa teia de relações e conecta empreendedores a fornecedores locais de produtos coletados na floresta. O potencial do Brasil também diz respeito a isso, a unir muitas inovações e sabedoria com tecnologia, sim, mas preservando as raízes culturais e o desejo de seus habitantes.

Esse modelo pode ser criado e fomentado aqui no Brasil como uma das nossas vocações: criar um tipo de economia que seja na prática aquilo de que Kate Raworth tanto fala ao usar a metáfora da rosquinha. Imagina se uma pequena parte do orçamento do país fosse para pesquisa? Imagina se uma parte do Plano Safra, em vez de ir para o agro que destrói a teia da vida, fosse para a agrofloresta e o desenvolvimento da bioeconomia? Imagina se de fato o sistema financeiro brasileiro e global parasse de financiar qualquer atividade ligada a desmatamento?

Reflorestamento e crédito de carbono

A minha proposta não é romantizar um futuro idealizado. Temos ainda um dever de casa grande no que tange à democracia, ao jogo sujo dos interesses do poder. Temos que pressionar legisladores, temos que ser todos ativistas nesta década. Temos que garantir a demarcação das terras indígenas, a educação de qualidade para todos e políticas que tratem do abismo de desigualdade social. Este último inclusive deve ser um dos grandes pilares quando pensamos no tipo de desenvolvimento que desejamos. Não pode mais ser considerado sucesso modelo algum que não contemple uma maior distribuição de renda, ou todas as pessoas vivendo dentro da rosca proposta por Kate.

Quando perguntei ao sociólogo e cientista político Ricardo Abramovay, professor sênior do Programa de Ciência Ambiental do IEE/USP, sobre seu sonho para o Brasil, ele me respondeu que em primeiro lugar deveria ser um sonho que contemplasse o bem-estar e a redução das desigualdades como um todo, entre elas a de renda e a racial. Em segundo lugar, um sonho que contemplasse o aproveitamento dos diferentes biomas brasileiros, no plural. E isso dito por alguém que escreveu um livrinho fino e imperdível, uma pérola chamada *Amazônia, por uma economia do conhecimento da natureza*.

Muito já se discute sobre créditos de carbono, e temos aqui um potencial de remuneração das populações tradicionais por manterem a floresta em pé. Temos ainda o potencial de regenerar terras, fazendo o reflorestamento, aliando inúmeros benefícios, e ainda sendo remunerados por isso. Se o desafio global são as mudanças climáticas e diversos cientistas apontam como a melhor tecnologia do mundo para fixar carbono no solo o plantio e o crescimento de árvores, aliados à manutenção de biomas já existentes, temos aqui um enorme potencial. Ainda precisamos regulamentar o setor de carbono, estamos atrasados quanto a isso, mas essa é uma oportunidade real para o país, e para os brasileiros. Não que ela seja a solução para o desafio do clima; afinal, se vamos caminhar para um modelo que seja baseado em energia limpa, o mercado de carbono tem prazo de validade e serve a este momento de transição. Precisa levar em conta como pilar central que os recursos pagos pela compensação e fixação de carbono no solo sejam repassados para os povos da floresta e para quem planta e cuida da terra. Não é bala de prata. Não existe bala de prata. Mas, num momento em que ainda não temos os novos modelos regenerativos, pode sim funcionar como um caminho, como uma forma de manter a floresta em pé hoje.

Falando em restauração, a ONU decretou o período de 2021 a 2030 como a Década da Restauração de Ecossistemas. Segundo pesquisas das Nações Unidas, existem no mundo 2 bilhões de hectares de terras degradadas, e duas em cada cinco pessoas sofrem com seus impactos. Só no Brasil temos cerca de 50 milhões de hectares de pasto degradados a serem restaurados. O potencial de criação de empregos com o plantio de árvores é gigante. E isso não é difícil. A Etiópia sozinha plantou 353 milhões de árvores em apenas doze horas!

O que eu proponho, com base no estudo de pesquisadores do naipe de Carlos Nobre e Ricardo Abramovay, é que comecemos a desenvolver modelos a partir do que seria bom de verdade para o Brasil e os brasileiros. E, num momento de desafio global de reinventar o jogo, podemos sim, se quisermos e pressionarmos os governos, inovar. Inovar de uma forma que não foi feita ainda no mundo. Somos nós que temos aqui no nosso território os saberes tradicionais. Nossos cientistas são reconhecidos internacionalmente. Esse binômio é extremamente poderoso. Soma-se a isso a necessidade do planeta de fixar carbono na terra, e aqui o que não falta é terra degradada pelo tal modelo de estupro do solo para ser regenerada. São muitas variáveis que nós nunca tivemos.

Se pegarmos, por exemplo, a silvicultura, que é o cultivo de árvores, identificamos mais uma atividade que pode ser extremamente rentável e ainda ajudar a fixar carbono no solo. A demanda por madeira no mundo cresceu muito nas últimas décadas, impulsionada por diversos segmentos, entre eles a construção civil, as indústrias de papel e celulose e o carvão vegetal. A demanda de madeira tropical cresce e tende a crescer ainda mais. Temos aí uma enorme oportunidade de desenvolver tecnologias de reflorestamento e regeneração como país nenhum no mundo, e mais, temos a oportunidade de desenvolver formas de cultivar madeira plantando floresta – que não é monocultura de eucalipto, como tenho ouvido falar por aí. Repete comigo: *monocultura não é floresta, monocultura não é floresta*. Indústria de papel e celulose é indústria de papel e celulose; se quiserem começar a falar que o negócio deles é floresta, não caia nesse papinho. Ou vai

277 HOMO INTEGRALIS

plantar eucalipto em regiões temperadas do mundo. Floresta no Brasil não é monocultura, tá o.k.?

Mas, voltando, soma-se a isso o compromisso voluntário assumido pelo Brasil, no Acordo de Paris, de reflorestar 12 milhões de hectares de florestas até o ano de 2030. Além disso, de reduzir suas emissões em 43% até 2030, em relação aos valores referenciais de 2005. Um desafio que pode parecer grande, mas que é bem simples de ser resolvido. Diferentemente de países como Estados Unidos e China, que terão que mudar sua matriz energética ainda oriunda do carvão, e sua matriz industrial, a maior parte das emissões de gases de efeito estufa no Brasil é proveniente de desmatamento – mais especificamente, 51%. O restante é concentrado no agro, 35%.

Segundo um estudo recente do WRI Brasil (World Resources Institute),[48] o Brasil tem potencial para ser o líder no fornecimento mundial de madeira tropical, contribuindo para responder à recuperação econômica pós-Covid-19, melhoria da vida no campo e geração de milhares de empregos. Hoje o país responde por menos de 10% da demanda mundial de madeira tropical, e parte desse fornecimento é feita de forma ilegal, extraindo madeira de florestas naturais. Por isso foi lançado um projeto para acelerar a pesquisa e desenvolvimento do setor, que, em se tratando de plantio de árvores, cultiva no país 8 milhões de hectares de espécies exóticas – leia-se eucalipto, pínus e afins. E olha que oportunidade: se usarmos 50 milhões de hectares de pasto degradado, conseguiremos atender a metade da demanda mundial de madeira. E mais interessante ainda: o benefício aqui é duplo, já que o reflorestamento com espécies nativas e o seu manejo sustentável trazem ganhos para os produtores, para o país e para o clima. Isso porque a madeira está cada vez mais valorizada internacionalmente e quando plantada em sistemas agroflorestais – num formato conhecido como consórcio de espécies, ou seja, imitando a variedade de texturas, extratos, cores e usos – contribui para a recuperação do solo, da vegetação e da fauna e para fixar carbono. Por isso a Coalizão Brasil Clima, Florestas e Agricultura determinou como prioritário o

---

48 "O potencial inexplorado da silvicultura de nativas no Brasil". Disponível em: <https://bit.ly/M1LSilvicultura>.

investimento em pesquisa e desenvolvimento desse segmento. Inclusive, o cultivo de exóticas no Brasil é considerado um caso de sucesso. Somos um dos maiores fornecedores de celulose do mundo (e com ela... a nossa água, já que o plantio de eucalipto de forma monocultural suga a água do solo e torna o crescimento de outras espécies quase impossível, além de destruir a teia da vida de insetos e animais da região). Podemos ser o maior fornecedor de madeira tropical, agroflorestal, recuperando biodiversidade, recuperando o solo e ainda gerando emprego e renda. Estamos esperando mesmo o quê?

Mas tem como gerar riqueza sem desmatar?

Um relatório publicado pelo Instituto Escolhas, em colaboração com o Imazon, Imaflora e Geolab e citado no livro de Ricardo Abramovay, responde a uma pergunta que pode ser que ainda esteja na sua cabeça lendo isso tudo até aqui: "Quais seriam os impactos sociais e econômicos caso adotássemos uma política de desmatamento zero?" A resposta é:

> Se todo o desmatamento – e a consequente expansão da fronteira agrícola – no Brasil acabasse imediatamente, seja legal ou ilegal, incluindo terras públicas e privadas, haveria um impacto mínimo na economia do país. Isso significaria uma redução de apenas 0,62% do PIB acumulado entre 2016 e 2030, o que corresponderia a uma diminuição do PIB de R$46,5 bilhões em 15 anos, ou R$3,1 bilhões por ano.

E Abramovay segue: "Como lembra o estudo, é uma cifra irrisória: somente os subsídios para o Plano Safra foram de R$10 bilhões em 2017. Os 0,62% do PIB perdidos com o fim do desmatamento até 2030 são considerados pelo estudo como um custo social". Eu vou além. Os ganhos planetários com o fim do desmatamento, hoje, são imensuráveis. E o que podemos ganhar com serviços ecossistêmicos e de crédito de carbono ainda nem começamos a entender, já que esses acordos são novos, mas serão muito acelerados nesta década.

Já tivemos muito êxito no passado nesse combate. Entre 2005 em 2016, a queda de mais de 70% dos desmatamentos na Amazônia foi vertiginosa, o que representou uma redução de 35% das nossas emissões, no que foi considerada pela ONU a maior contribuição de um único país no combate às mudanças climáticas. Voltando ao agro, a própria Embrapa publicou um estudo provando que esse modelo que está em vigor é burro, porque eventualmente vai minar a água que é base desse setor econômico. Desmatar incide sobre o regime hídrico no país e, além de tornar mais cara a sua conta de luz, mesmo que você more no Sudeste e bem longe da floresta, ainda põe em risco a agricultura. Só no ano de 2020, segundo a Embrapa em seu relatório *Visão 2030: o futuro da agricultura brasileira*, também citado por Abramovay, as mudanças climáticas teriam provocado perdas de US$7,4 bilhões e em 2070 esse montante subiria para US$14 bilhões. E a soja, o grande vetor do desmatamento que no Brasil é responsável pela maior emissão de gases de efeito estufa que causam mudanças climáticas, será a maior perdedora.

Segundo Carlos Nobre, os países que mais recuperam florestas no mundo são China e Índia. Mas a primeira deve ser ressaltada. Em 1949, a superfície florestal do país era de irrisórios 5% a 9%, o resto todo havia sido desmatado. Sim, eliminaram tudo. Mas aí perceberam o tamanho do problema! Eis que chegamos à segunda década do século XXI com impressionantes 22% do território coberto por florestas novamente. Entre 1993 e 2013 a China reflorestou, na região sudeste, a área mais devastada do país, cerca 280 milhões de hectares. Isso corresponde a toda a superfície do estado de São Paulo. Como lembrou Abramovay, em quatorze anos a China plantou o equivalente a 56 anos de desmatamento na Amazônia!

Plantar árvores e restaurar ecossistemas, além de tarefa fundamental para evitar o caos climático que bate à nossa porta, é ainda uma forma muito interessante de criação de empregos. Para o Brasil cumprir então o que se comprometeu, reflorestar 12 milhões de hectares, qual seria o impacto? Em seu livro, Abramovay cita novamente dados do estudo do Instituto Escolhas: "O custo de reflorestar 12 milhões de hectares varia de R$31 bilhões a R$52 bilhões, a depender dos métodos de restauração. No caso de maior custo, isso significaria R$3,7 bilhões anuais em catorze anos, com a criação de 250 mil empregos e a arrecadação de R$6,5 bilhões de impostos. O gasto anual corresponderia a apenas 2,3% dos critérios do Plano Safra".

O Brasil está entre os países com maior potencial de reflorestamento e tem bons exemplos de "agricultura moderna", mas é preciso haver uma mudança de cultura em parte do setor, que ainda prioriza a extensão da área. Precisa ainda haver uma mudança no sistema financeiro, já que os subsídios e o incentivo ainda são para a velha lógica monocultural e intensiva em veneno.

É tanta oportunidade neste momento do planeta que fico chocada com a miopia e aparente falta de visão de parte da elite econômica e política, e do governo. Ou então, se essa galera já enxerga a potência, não tem feito muito para colocar isso de pé. Só que, ao contrário de toda a nossa história, é justamente agora, por conta das circunstâncias climáticas, que temos a faca e o queijo na mão. Mas, para conseguirmos cortar esse queijo, precisamos nos descolonizar da ideia de que nunca seremos bons o suficiente para inovar e liderar a inovação no mundo. A síndrome de colonizados já deu. Como bem coloca Giannetti no seu sonho para o Brasil, precisamos nos livrar "da crença de que não podemos ser originais – de que devemos nos resignar à condição de imitação desastrada ou cópia canhestra do modelo que nos é incutido pelo 'mundo rico'. A biodiversidade da nossa geografia e a sociodiversidade da nossa história são os principais trunfos brasileiros diante de uma civilização em crise".

Por isso esse nosso sonho deve ser composto de diversos sonhos regionais, mas colocando no centro aquilo que são as nossas riquezas, só que numa nova lógica. O nosso sonho pode ser aquele que materializa, sim, uma nação onde o *Homo integralis* prospere, onde a qualidade de vida não esteja ligada ao consumismo e à materialidade, onde a matriz do sonho seja gerar uma forma de bem viver em que Gaia está no centro e que nós, seres integralis que somos, possamos ser agentes de regeneração e trabalhar junto com a natureza, e não mais contra ela, querendo o tempo todo conhecer para dominar.

281 HOMO INTEGRALIS

O modelo mental que o Brasil tem capacidade de ancorar pode sim ser revolucionário, ou ainda evolucionário, já que estamos falando de uma grande mudança sistêmica que está em curso. Se temos uma grande vocação, eu acredito que é essa. E a contribuição que podemos dar para a teia da vida se conseguirmos fazer desse um grande sonho coletivo, baseado nos pilares que já citei em cada um dos capítulos anteriores, é ser uma força regeneradora na Terra que jamais imaginamos. Podemos voltar a ter orgulho, para aqueles que o perderam e que acham que o tal do futuro nunca chega, e desse orgulho criar uma potência de energia – que nesse caso não é aquela que vem das tomadas de nossas casas –, para transformar a vida das pessoas e do país e tornar esta nação realmente próspera, pacífica e diversa. Para isso precisamos parar de entubar modelos criados por terceiros com interesses que não são os nossos e fazer as pazes de verdade com quem somos. Precisamos de ousadia e alegria! E somos um povo tão bonito, tão efervescente e, dizem, vou repetir, um dos mais criativos do mundo. Se não vamos resolver um problema usando a mentalidade que o criou, que possamos usar nossa criatividade para resolver os nossos e, quem sabe, criar formas originais, criativas e diversas que possam ser replicadas inclusive em quem hoje está ditando a regra. A única certeza é a impermanência: que usemos ela a nosso favor e a favor de um sonho coletivo que jogue luz nas nossas potências, e assim no futuro poderemos honrar o título, autodenominado, de país da abundância, porque abundância é uma lente, uma forma de ver o mundo da qual o mundo carece e que está calcada em entender que Gaia é generosa o suficiente para prover aquilo de que precisamos. Temos isso em nosso sangue, em nossa ancestralidade, nossas raízes ameríndias. Não é tarde demais para reescrevermos o futuro se nos permitirmos sonhar e agir hoje!

MENOS 1 LIXO E A MINHA HISTÓRIA

O ano era 2012. Outubro. Um mês no Rio de Janeiro marcado por um sem-número de eventos, pré-estreias e tapetes vermelhos de filmes do Festival do Rio. Eu sempre fui amante da sétima arte, e a possibilidade de ver filmes que não entrariam em cartaz nos cinemas me fascinava. Principalmente os europeus e os documentários. Na época em que não havia pandemia e que podíamos frequentar o cinema, eu costumava comprar um combo de passes e maratonar diversas tardes e noites nas salas ocupadas pelo festival. Nesse em questão, lembro de olhar na programação e me chamar a atenção um filme sobre lixo. Chamei uma amiga de infância, a Luiza, e sua mãe Natércia, que também havia sido minha professora de literatura e numa crise com os livros me fez resgatar minha paixão pela leitura. Fomos assistir ao que achava que seria mais um documentário maravilhoso do Festival do Rio. O filme em questão, *Trashed – Para onde vai o nosso lixo?*, apresentado pelo ator Jeremy Irons, ia mostrando o resultado de anos de Sociedade do Crescimento Industrial, aquela em que ainda estamos, e um dos seus principais produtos, o lixo. E quanto lixo. Lixo hospitalar, tóxico, lixões, metais pesados na água, lençol freático contaminado, crianças nascendo com duas cabeças no Vietnã ainda consequência do napalm jogado às toneladas pelos Estados Unidos na guerra, fumaça tóxica produto de incineradores de lixo adoecendo pessoas, em especial o lixo plástico, ou melhor, resíduo plástico. Não custa repetir que não deveria existir lixo, ele é um erro de design.

Foi o filme mais difícil de assistir da minha vida. Ver na telona, com som *surround*, que estamos diariamente poluindo de formas sem precedentes o ar, as águas, o solo, a nossa comida, as nossas fontes de vida e ainda causando a morte de milhões de seres, e que tudo isso é causado pelo meu, pelo seu, pelo nosso consumo, foi bem desesperador. O que mais me chamou atenção naquela noite foi a tal da Ilha de Plástico do Pacífico, uma grande sopa plástica localizada numa região do oceano Pacífico distante quilômetros da costa, em que a quantidade de plástico equivale a dezessete vezes o tamanho de Portugal. Dezessete vezes o tamanho de Portugal! Trilhões de pedaços de plástico de todos os tamanhos, principalmente o microplástico, resulta-

285 HOMO INTEGRALIS

dos do nosso copinho de iogurte, xampu, pasta de dente, sacolinha do mercado, copinho, pratinho, embalagenzinha que usamos sem parar e descartamos como se houvesse um fora. Ainda usamos a expressão jogar fora. Só que onde seria exatamente esse fora se vivemos num planeta único, que é um sistema fechado e absolutamente interligado e interdependente em níveis que nossa ciência ainda não foi capaz de descobrir? Ainda não ouvi falar de uma tecnologia que exporte nosso lixo para Marte...

Saí do filme com muita raiva. Raiva das empresas que poluem diariamente e sabem exatamente o que estão fazendo e não mudam sua forma de produzir, raiva dos governos que, vendidos para os lobbies das indústrias, não fazem o que foram eleitos para fazer: legislar para proteger a vida. E raiva da humanidade por ter recebido esse planeta tão abundante e lindo e perfeito e destruir tudo isso em nome da ganância e do poder, ou do absoluto descaso e ignorância. Ou da praticidade do dia a dia...

Aí eu pensei: mas peraí, eu não sou o governo nem a indústria, mas esse lixo é resultado do MEU consumo, eu sou parte dessa tal humanidade. Quando se olha para uma ativista ambiental, pode parecer que a pessoa sempre foi assim. Mas isso não é verdade. No meu caso, vim de uma trajetória em que doei minha energia vital durante anos para esse mesmo sistema que produz os 12 milhões de toneladas de lixo plástico, ou um caminhão cheio de lixo plástico por minuto, que acabam nos oceanos todos os anos. Não cheguei a trabalhar na indústria do plástico, mas numa que é considerada a segunda ou terceira mais poluente do planeta. Não bastasse a colocação no ranking, ela é a indústria mestre em criar desejos falsos e necessidades fugazes que ajudam a girar uma engrenagem muito maior, de valores intrinsecamente conectados ao seu resultado, a sociedade do descarte, do *Homo consumptor*. Vim da moda, mas na época não tinha essa noção de que a cada segundo o equivalente a um caminhão de lixo têxtil é incinerado ou despejado em aterros sanitários mundo afora.[49] Então preciso voltar um pouquinho e me apresentar de forma mais profunda.

---

49 Disponível em: <https://bit.ly/M1LIndustriaModa>.

Estou ativista ambiental. Amo dar palestras, sou empreendedora e idealizadora do Menos 1 Lixo, apresentadora, comunicadora, defensora da ONU Meio Ambiente na Campanha Mares Limpos, e agora escritora. Poderia dizer que sou uma geminiana, curiosa à beça, que ama cantar, dar um mergulho no mar, viajar. Sou também casada com o Wagner, tenho uma enteada maravilhosa, a Alice, e me sinto uma serva de Gaia, nossa Mãe Terra. Serva porque sinto que estou aqui a serviço, que ser ativista e empreender na área ambiental é a minha forma de manifestar minha devoção real à natureza neste momento. Afinal somos natureza e sem ela não estaríamos aqui. E sinto também que ela nos chama, a todos nós, a repensarmos nossas relações. Mas, como eu disse, esse despertar não foi imediato, ele demorou exatamente trinta anos para acontecer. Bom, se eu for fiel aos fatos, ele aconteceu aos dez, quando, remando um bote ao redor de uma ilhota em Angra dos Reis com a minha prima, a Ju, eu intuí que queria ser ecologista quando crescesse. Fui criada no mar, como boa carioca que sou, na verdade que minha mãe é – íamos à praia desde antes de me entender por gente, e durante a infância passei incontáveis feriados e finais de semana a bordo do veleiro do meu tio em Angra.

Quando fiz dez anos, foi o ano em que ocorreu a Eco-92, a Conferência Internacional do Clima no Rio de Janeiro, que começava a tratar do problema que hoje vemos tão claro, a emergência climática, e minha mãe levou a mim e minha irmã para participarmos das atividades abertas ao público. Não me lembro de muita coisa, só de caminhar no Aterro do Flamengo, onde estava acontecendo parte das atividades, e daqueles tanques do Exército patrulhando a cidade, que me assustaram imensamente, mas me lembro claramente de subir no barco na volta desse passeio de bote e falar: *Mãe, já sei o que quero ser quando crescer, ecologista!* E lembro também da resposta dela: *Filha, escolhe outra coisa, você não come miojo e não gosta de acampar.* Tenho para mim que ela não sabia o que era essa profissão, até então nova, porque ela confundiu com bióloga, que estuda espécies na floresta, só pode.

Fato é que deixei de lado esse sonho infantil e no meio da adolescência vi aflorar e transformar uma vontade imensa de fazer justiça que me acompanha desde sempre, em outro sonho. Trabalhar no FBI.

De novo a Regina me disse: *Filha, o FBI vai ser meio complicado, você nem é americana, que tal polícia civil?* Hummm, acho melhor não. Advogada então! Até que fui assistir a um julgamento de um crime de um cabo do Exército, e me lembro das palavras de seu advogado, alegando que num dia de Natal o cabo estava andando em seu condomínio quando foi encurralado por outras quatro pessoas. Aí ele, o único que estava armado, num dia de Natal, foi andando para trás porque era de paz, não queria confusão. Só que ele não imaginava que ia tropeçar no meio-fio, sua arma, que estava em punho apenas como defesa, ia disparar e ele ia matar um vizinho. Tadinho, quanto azar.

Vendo aquela cena, saí do tribunal e falei: *Bom, se eu quiser ser advogada, melhor estudar teatro...* E aí decidi estudar moda. Pode parecer meio estranho, saltar da defesa do mundo para a moda. Mas sempre fui apaixonada pelo belo. A beleza da natureza, a harmonia das formas, as cores. Arte, como eu amo as mais diversas manifestações de arte. E já flertava com a moda desde cedo. Sou neta da dona Luiza, uma costureira de mão cheia, dessas que faziam vestidos de noiva com acabamento à mão. Com quatorze anos pedi de aniversário uma máquina de costura, que tenho até hoje, e comecei a frequentar aulas de corte e costura com as senhorinhas do bairro. Fiz diversas roupas. Não gostava da ideia de todo mundo se vestir igual, queria ter liberdade e habilidade para expressar minha individualidade no meu vestir. Fiz até a roupa que usei nas bodas de ouro dos meus avós. Não pensei duas vezes e fui estudar moda.

Mas, como nada na vida é exatamente da forma como imaginamos, tive que cursar uma segunda faculdade, ao mesmo tempo. Moda, assim como ser ecologista, era muito vanguarda. Profissões com um mercado novo, e meus pais ficaram com medo de eu não ganhar dinheiro estudando moda. Ah, o dinheiro pautando as decisões do mundo... Fato é que trabalhei nesse mercado por mais de dez anos. Trabalhei como produtora de moda, como assistente de estilista, como assessora de imprensa, até que realizei meu sonho de ser contratada pela maior empresa de moda no Brasil, a C&A. Entrei por conta da administração, a segunda faculdade que cursei, porque se não o fizesse meus pais não pagariam as mensalidades da moda. No final foi até bom. E na C&A viajei o Brasil inteiro, visitando lugares que não fariam parte da minha rotina se não fosse o trabalho. Fiz meu treinamento no chão da loja, convivi com pessoas de outras classes, raças, e ouvi histórias muitos engrandecedoras. Vi um Brasil que era diferente do que conhecia. Que sorte. Vi também um mundo diferente do que eu conhecia. Fui para a China, Índia, Indonésia e até Bangladesh, um dos países mais pobres do planeta. Que provavelmente eu não teria conhecido se não fosse compradora do que era importado pela marca.

Mas naquela época eu já estava meio cansada daquela rotina de gerente de compras e queria ir para o marketing. Não tinha vaga. Meu vice-presidente na época, que é uma pessoa que admiro muito até hoje, queria que eu assumisse o maior volume de compras da empresa. Eu era boa no que fazia! Mas eu não queria. Foi quando deixei a C&A em São Paulo e voltei para a minha cidade natal. Quase quatro anos de São Paulo e eu queria voltar a ficar perto da natureza. Fui criada entre o mar e a floresta, e aquela cidade cinza estava me fazendo mal. Voltei para o Rio e fui trabalhar na Farm, o sonho de muita gente que trabalha nesse mercado. A C&A me ensinou muito, mas eu sempre soube que ia empreender. Sou questionadora demais, e trabalhar seguindo muitas regras e ordens é contra minha natureza. Sempre soube disso, mas tinha um plano certo na cabeça: trabalharia na maior empresa de moda do Brasil, depois numa que fosse de porte médio, e depois abriria minha empresa de planejamento de moda, que é a parte do negócio que monta a estrutura de uma coleção. Quantas calças, quantos vestidos, quantas saias, qual o preço médio, qual o primeiro preço por categoria, enfim qual o plano de compras para atender à meta de vendas com um determinado giro das mercadorias nas lojas. É uma mistura de planilhas e cálculos com a sensibilidade de fazer apostas em tendências que ainda não foram lançadas. É um misto de uma mente matemática com uma mais intuitiva e o estudo do comportamento do consumidor. E eu era bem boa nisso!

Ao entrar na Farm, passados poucos meses, vi que meus olhos não brilhavam mais. Que aquela menina que frequentava semanas de moda desde os dezesseis anos, que teve os looks mais fashion da estação, tinha ficado para trás. Eu estava num momento de transição sem saber aonde isso ia me levar. O que eu sabia era que não estava feliz. E para mim não fazia mais sentido continuar. Eu já não via mais propósito nem função em criar desejos fictícios nas pessoas para elas

289 HOMO INTEGRALIS

comprarem mais. Mas aprendi muito, inclusive a observar o que move o ser humano nas compras. O que ele realmente busca quando gasta milhares, centenas ou dezenas de reais adquirindo um produto X numa loja Y. E uma das maiores motivações é ser aceito. É o senso de pertencimento. No fundo eu não queria mais alimentar essa roda, era minha alma sinalizando que estava indo na direção contrária ao meu propósito, mas isso eu ainda levaria um tempinho para descobrir. Eu não sabia o que faria, mas via aquele plano de ter uma empresa de planejamento de moda se desmanchar na minha frente como se desmancha um castelo de areia quando a onda bate.

Nessa época duas amigas estavam abrindo uma empresa de *branded content*. Era uma expressão nova, que, vinda da publicidade, tinha que ser em inglês. Um segmento novo que se apresentava com o surgimento das redes sociais: fazer conteúdo exclusivo para as marcas conversarem com seus públicos. Era um novo jeito de fazer marketing. E eu já tinha esse histórico muito forte de pensar coleção, desenvolver produto e entender a cabeça dos consumidores. Tanto que em três anos que estive à frente desse cargo na C&A ganhei três prêmios de melhor gerente do ano. Não pensei duas vezes, me joguei. Usei a grana da minha demissão para segurar as pontas e criamos a Contente Entretenimento. Só que a visão de empresa das meninas era diferente da minha, elas vinham de um histórico de trabalhar com entretenimento, tinham profissões paralelas, e a minha grana não duraria para sempre. Desfiz a sociedade e parti para a carreira solo com a 220 Conteúdo e Marketing. Fui ser dona de agência de conteúdo para redes sociais. Fazia isso direitinho, tinha clientes e projetos bacanas, e achava que estava tudo certo. Eu não pensava que o dia a dia megaestressante queria me dizer que não era aquilo ainda. Não era feliz, mas não percebia. Eu tinha terminado um namoro, um noivado, e não via, mas a casa estava caindo. Ou o chamado estava chegando. E ele se consolidou naquela noite assistindo àquele filme. Nunca imaginei que um filme pudesse mudar a vida de alguém, mas o *Trashed* terminou de abalar as estruturas que ainda estavam se segurando.

E foi no escuro daquela sala de cinema que se fez luz. Aquele filme me deu um choque de uma realidade que até então eu ignorava, do estado terminal em que o planeta se encontra por causa das nossas

290 FE CORTEZ

escolhas, do nosso consumo, do modelo de sociedade que cultivamos há alguns séculos. Admitir que eu ignorava e que também sou parte do problema foi difícil, mas para mudar alguma coisa primeiro precisamos admitir que ela está errada. Decidi então que a partir daquele dia eu reduziria meu lixo plástico. E resolvi começar com o copo descartável, afinal usamos milhares deles durante o ano sem perceber, apesar de termos diversas formas de evitar esse uso. Como a maioria dos outros lixos que geramos, esse pode deixar de ser gerado, substituído por um produto reutilizável. E foi o que eu fiz: comprei um copinho retrátil na internet, um que ficava pequenininho na bolsa, e comecei a usar.

Na verdade, fiquei tão impactada que naquela noite mesmo eu comprei vinte copos retráteis e distribuí para amigos. Os amigos começaram a usar seus copos e como num passe de mágica passaram a perceber o lixo que geravam. O fato de ter nas mãos um copo e recusar diversas vezes um descartável acaba por trazer uma consciência do lixo produzido. E isso eu fui percebendo à medida que eles iam me perguntando:

Fe, já reparou nos palitinhos de plástico de mexer café?

Fe, tô usando uma ecobag pra fazer compras.

Fe, e o plástico que envolve os guardanapos?

Percebi que um simples copinho era na verdade um objeto de poder. Era um talismã de um novo comportamento.

Na noite em que saí do cinema tive uma espécie de download do que viria a ser esse filho, na verdade hoje um negócio de impacto, e quando eu não podia mais deixar aquilo guardado só para mim nasceu o Menos 1 Lixo, uma plataforma de transformação do comportamento de pessoas, empresas e governos para a sustentabilidade, que tem um copinho retrátil de silicone lindão (uma versão muito evoluída daquele que eu comprei na internet em 2012) como símbolo. Como símbolo do que falo muito neste livro: quão poderoso é o nosso poder de escolher. Nós temos, sim, escolhas e a cada momento do nosso dia podemos decidir continuar contribuindo para um mundo de escassez ou usar nossos recursos – não só financeiros – para criar um planeta de abundância.

Saí do cinema com tanta raiva que não consigo nem colocar em palavras. E essa raiva me moveu e me fez agir. Primeiro comprando um copinho retrátil que andaria comigo em absolutamente todas as ocasiões da minha vida, para diminuir o meu consumo de descartáveis, e criando um que fosse a melhor e mais bonita versão desse poderoso agente de transformação de comportamento, e depois criando a plataforma de conteúdos que hoje já atingiu mais de 10 milhões de pessoas só com os conteúdos do YouTube, por exemplo. A raiva poderia ter me consumido, mas ela foi direcionada para a ação. E isso pode ser feito por você, por mim, por todos. Não só com a raiva, mas com a dor, a tristeza e outros sentimentos que na nossa sociedade são censurados por não serem nobres. Mas eles estão aí, e na maior parte das vezes contaminando e adoecendo milhões de pessoas, justamente porque não queremos olhar para eles, porque é difícil mesmo, porque dói, às vezes até fisicamente. Em momentos como este que estamos enfrentando é preciso ter coragem, agir com o coração e fazer nossas próprias escolhas. É preciso ouvir aquela voz da intuição que revela os verdadeiros anseios da nossa alma. E foi o que eu fiz!

Foram dois anos entre assistir ao *Trashed* e começar o Menos 1 Lixo, que nasceu no início como um projeto pessoal, dentro da estrutura da minha então agência de conteúdo e marketing. Eu sentia que precisava colocar para fora tudo aquilo que estava repensando ao longo desses anos, com base nos estudos que vinha fazendo e na correlação entre os fatores aparentemente distantes, como os valores que direcionam o mercado de moda e a extinção de milhares de espécies. No dia 1º de janeiro de 2015 eu lancei oficialmente o Movimento Menos 1 Lixo, depois de alguns insights importantes: o primeiro era que sabemos exatamente o tamanho da destruição que causamos ao planeta, mas essa informação não chega à maioria da população. Existem milhares de artigos científicos falando sobre isso e que vêm sendo publicados desde os anos 1960, quando começamos a entender o que estava acontecendo, mas a linguagem deles era extremamente restritiva, e por isso muitas vezes informações preciosas para nossa sobrevivência estavam restritas a fóruns internacionais de ecologia. Ou seja, *Houston, temos um grande problema de linguagem*. Além de falar de poucos para poucos, o que era dito era associado a um tipo de comportamento restritivo para salvar o planeta. Mais ou menos assim: pare de andar de carro, feche a torneira ao escovar os dentes, não faça mais isso nem aquilo. Mas sem oferecer uma alternativa aos inúmeros nãos.

O segundo era que esse tipo de comportamento que vai fazer com que a vida seja possível estava muito atrelado a uma estética que não gerava desejo. Por isso agradeço tanto à minha carreira pregressa na moda, porque ali entendi que para despertar o desejo é preciso ativar no ser humano a sua vontade de pertencer. E esse pertencer está ligado a diversas coisas, entre elas certos códigos estéticos, coisa que na maior parte das vezes o movimento ambiental não leva muito em consideração. Não culpo os ambientalistas ou cientistas, eles estão ali para pesquisar e propor soluções e, diferentemente das empresas, não têm um departamento de marketing que transforme suas descobertas numa campanha *sexy* e *cool* (palavras que o mercado de publicidade ama) de engajamento. Infelizmente a estética hippie e do artesanato de garrafa PET encanta muito poucos, e precisamos sair dessa bolha.

Quando minha ficha caiu para esses dois probleminhas, resolvi criar uma plataforma que gerasse desejo de pertencimento, por isso se transformou num movimento, e que levasse informação com uma linguagem fácil e direta à maior quantidade possível de pessoas. Que tivesse por trás uma visão estética *sexy* e *cool* – olha meus anos de mercado de moda aí – e que transformasse o comportamento sustentável no novo preto (usando uma referência ao pretinho básico tão falado na moda, aquela peça indispensável num guarda-roupa). E que, além disso, fosse divertido, e até gamificado (como um jogo).

A plataforma foi lançada nas redes sociais e num site e trazia, além das informações, um grande símbolo para tangibilizar tudo isso num objeto, um copinho retrátil. Para mim ele é quase a espada da She-Ra e representa nosso poder de escolher não entrar no sistema como ele é e fazer diferente, começando por dizer não aos descartáveis. Essa atitude se tornou um desafio, o Desafio Menos 1 Lixo, em que eu contaria quantos copos deixaria de usar em um ano, já que num mundo de resultados matemáticos quantificar o poder do copinho e do indivíduo é muito importante. A ideia era que esse desafio virasse uma brincadeira on-line de pessoas se desafiando e desafiando outras a mudar hábitos e assim mudar o mundo. A minha primeira desafiada foi uma atriz e grande amiga, a Nanda Costa. Em uma semana usando o copinho do Menos 1 Lixo, ela deixou de usar 99 copos descartáveis. São 99 lixos a menos em apenas uma semana, com apenas uma mudança. Isso é muito poderoso num país que é o quarto maior gerador de lixo plástico e onde a taxa de reciclagem geral é de menos de 3% e a de plástico é de 1,28%, em dados de 2019.

Ao longo do primeiro ano, foram centenas de desafiados, numa corrente que começou com meu desafio a Nanda e que caiu no gosto das redes. Foi um ano de muitas mudanças na minha vida: quanto mais eu via o Menos 1 Lixo crescer, mais eu questionava o fato de ter uma agência que criava conteúdo para marcas venderem produtos sem propósito e com grande impacto ambiental. E, numa dessas sincronicidades do destino, meu maior cliente passou por uma crise, e assim perdi a conta que bancava quase toda a estrutura da agência. Mais uma vez eu ouvi meu coração e não segui o conselho de várias pessoas de correr atrás de um novo cliente, ou vários, e manter o Menos 1 Lixo como projeto paralelo. Era dezembro de 2015, e decidi lançar para o Universo o que aconteceria. Nessa época o copinho oficial do movimento ainda estava em desenvolvimento e eu não tinha uma renda que viesse desse negócio, vendia uns poucos copinhos que importava da China, iguais ao que eu usei quando comecei a mudar meus hábitos, mas eram pequenos, vazavam e eu não podia garantir as condições de produção do mercado chinês. Mesmo assim confiei no Grande Mistério que rege a vida e me entreguei. Fechei o escritório e passei a me dedicar 100% àquele filho. Nesse mesmo dezembro o *Fantástico*[50] entrou em contato comigo querendo fazer uma matéria para a primeira edição do programa no ano de 2016 sobre decisões de começo de ano. Enquanto várias pessoas começam o ano decididas a iniciar uma dieta ou a fazer exercício, eles queriam trazer a história dessa mulher que começou 2015 com uma decisão em prol do planeta: deixar de usar copos descartáveis e criar uma plataforma para incentivar mais pessoas a repensarem seus consumos. Ao longo de 2015

---

50 Disponível em: <https://globoplay.globo.com/v/4714129/>.

foram 1.618 copos economizados só pelas minhas mãos, e eles acreditaram no poder que essa história teria de influenciar outras pessoas a repensarem seus hábitos. Se o *Fantástico* estava fazendo uma matéria sobre a minha vida, o meu projeto, era porque aquilo deveria ser mesmo importante, no mínimo inspirador. Foi como se o Universo me mandasse mais uma confirmação de que eu estava no caminho certo, no caminho a que minha alma estava me levando.

Menos 1 Lixo, um negócio de impacto

De lá para cá, o Menos 1 Lixo cresceu e mostrou que é possível, sim, ser um negócio de impacto (denominação de negócios que são criados não com o objetivo de gerar lucro, mas de resolver um problema da humanidade e também gerar lucro, porém vindo em segundo lugar na lista das prioridades e com diversas considerações éticas) e lançar tendências, mas essas de um novo comportamento construtivo, de regeneração.

No final de 2020 já éramos mais de 2 milhões nas redes sociais, já fizemos quatro séries no YouTube com temáticas como o plástico nos mares, armário cápsula, o que fazer para gerar menos lixo no dia a dia, entre outras. Somos uma Empresa B Certificada, que visa como modelo de negócio o desenvolvimento social e ambiental, inclusive para isso alterando seu contrato social. Estamos mitigando nosso impacto e pegada ambientais, já apoiamos grandes empresas e até governos em planejamento e implementação de práticas responsáveis. São quatorze pessoas que trabalham diretamente no negócio, e já impactamos 50 milhões.

O copinho do Menos 1 Lixo caiu na graça de indivíduos e empresas, e já foram mais de 500 mil unidades vendidas, produzidas no Brasil, com design brasileiro, assinado pela agência de design sustentável Bolei, e que estimamos que já tenham evitado cerca de 1,8 bilhão de descartáveis de acabarem nos mares ou na barriga de tartarugas e baleias.

O Menos 1 Lixo inspirou um número de pessoas que nem sei quantificar a criar seus próprios negócios com um viés sustentável, e todos os dias recebemos dezenas de mensagens nos nossos canais falando sobre o poder desse copinho de transformar a vida das pessoas. Elas começam deixando de usar copos descartáveis, mas na verdade mudam sua consciência através da repetição desse gesto e estendem o olhar de um consumo mais consciente para todas, ou quase todas, as áreas de suas vidas, e daí para um ativismo para transformar o sistema. O copinho Menos 1 Lixo é um par de óculos em forma de copo, porque o que ele faz é mudar a lente e, assim, transformar e gerar impacto positivo.

Em cinco anos de movimento, somos hoje uma das maiores plataformas de transformação de comportamento para a sustentabilidade do Brasil. Ganhamos por dois anos consecutivos o prêmio de influenciadores digitais do Cecom (Centro de Estudos de Comunicação) na categoria Meio Ambiente e Sustentabilidade, tanto no voto técnico quanto no popular. Fui eleita em 2018 a Mulher do Ano da Sustentabilidade pela revista *Glamour*, categoria que estreei. Fui convidada pela ONU Meio Ambiente para ser Defensora da Campanha Mares Limpos. Ocupei por dois anos uma cadeira no Conselho do Greenpeace, uma das ONGs ambientais mais importantes do planeta. Sou colunista de revistas e jornais, palestrante, apresentei um programa de tevê no Discovery Home & Health sobre consumo consciente, o *Menos É Demais*, fiz mais de cinquenta palestras pelo Brasil e pelo mundo falando sobre plástico nos oceanos, novas formas de consumo, empoderamento. O copinho chegou até nas mãos do papa Francisco! E foi distribuído a quase todos os bispos do mundo no Sínodo da Amazônia, evento inédito sobre a região, organizado pelo Vaticano em 2019. E exatamente no momento em que escrevo estas linhas um tucano está pousado na árvore em frente à minha mesa. Não tem como não se maravilhar com a potência dessa vida!

Um negócio espiritual

Tudo isso para dizer que acredito e sou prova viva do poder das escolhas e das histórias para construirmos o mundo onde queremos viver. Tudo isso para contar que o Menos 1 Lixo é um negócio que nasce de um chamado da alma, o que pode ser entendido como um chamado espiritual. Ao contrário da maioria dos negócios, ele não foi criado por uma necessidade de ganhar dinheiro e ponto, ou de uma oportunidade de mercado e a partir daí de um estudo com a viabilidade econômica e o famoso ROI, retorno sobre investimento. Só vim a fazer isso no final do ano de 2019, quatro anos depois da sua fundação. Ele pode ser classificado ainda como negócio espiritual porque nasce dessa percepção de que estamos todos conectados. Entre nós, com Gaia, com todos os seres que habitam este planeta conosco e com o Grande Mistério. E, quando estamos conectados e alinhados, é como se todas as portas que precisamos atravessar se abrissem à nossa frente. Isso não significa que não vai haver desafios, mas que nas horas mais difíceis do movimento sempre houve um presente do Universo. Foi assim, por exemplo, quando eu não tinha grana para terminar o molde do copinho (que, se eu tivesse usado a mente racional, soubesse que seria tão complicado de fazer e tão caro e tivesse feito algum *business plan* do negócio, não teria nem começado). Quando não sabia mais o que fazer para conseguir esse dinheiro, eis que encontro o Marcello Bastos, um dos sócios da Farm, que virou um grande amigo, num casamento. Ele me perguntou: *Como está seu negócio?* Fui bem clara: *Marcello, tô sem grana pra fazer o molde do copo.* Na hora ele respondeu: *Me manda um e-mail segunda que eu te dou esse dinheiro. A gente faz depois um projeto de parceria, mas acredito muito no projeto e pra você essa grana que é muito alta é uma parte pequena do nosso orçamento de marketing.* E assim, naquele mistério que não podemos explicar, ele colocou a grana na minha conta bancária e o copinho nasceu.

Foi assim ainda quando eu não estava mais dando conta de produzir todo o conteúdo e a minha coordenadora estava se mudando para fora do Brasil e então o Universo me mandou uma estagiária com mestrado em história. Quando abri a vaga para coordenadora ela me pediu uma chance. A estagiária em questão é a Nina Marcucci, que ficou comigo por mais de três anos e além de uma superlíder e coordenadora de conteúdo se mostrou uma grande comunicadora e foi host de vários vídeos do nosso canal e também a pessoa por trás do nosso curso Menos 1 Lixo em Casa, para ajudar a dar aquele empurrãozinho em quem quer começar a mudar seu comportamento pelo que está ao alcance das mãos. Eu poderia citar ainda o encontro com meu boy magia, apelido carinhoso para meu marido, que se tornou um grande parceiro de trabalho, assumiu a gestão do Menos 1 Lixo e me permitiu alçar outros voos, como escrever este livro e agora começar a colocar em prática projetos regenerativos. Só Gaia mesmo para me mandar o Wagner Andrade. Poderia continuar, mas já deu para ver que quando estamos alinhados o Universo nos entrega aquilo de que precisamos, quando precisamos. Mesmo que na hora a gente não saiba ainda no que vai dar.

O Menos 1 Lixo é a prova viva do poder que temos de mudar nosso entorno a partir de uma mudança interna. Do poder que é colocar a sua vida a serviço de Gaia. A prova de que existe muito mais entre o céu e a terra do que crê nossa vã filosofia.

SOMOS SERES ESPIRITUAIS

Era junho de 2019, a manhã estava raiando e eu saía de uma sala onde havia passado a noite toda em práticas meditativas de autoconhecimento, num dos retiros espirituais de que participo de tempos em tempos. Quando entrei no meu quarto, que ficava na beira de um lago lindo, vi um pássaro enorme pousado na cama. Enorme, devia ter uns trinta, quarenta centímetros de altura. Olhei para aquela criatura, para aquela cena inusitada, ele me olhou profundamente nos olhos como que intencionalmente estabelecendo uma conexão, ainda esperou uns vinte segundos, bateu asas e voou pela porta da varanda que dava para o lago. Fiquei extasiada com aquela visita inesperada e agradeci.

Subi para tomar café da manhã e contei para o facilitador daquele retiro sobre a visita surpresa que acabara de receber. Ele olhou para cima, pensou uns instantes e me disse: *Fe, ele veio te devolver o maravilhamento, a sua capacidade de se encantar com as pequenas coisas da vida*. E, em seguida, deu uma gargalhada gostosa como se aprovando o recado que eu tinha recebido.

Espiritualidade para mim tem a ver com esse maravilhamento, sobre ver a magia de cenas como essas que estão presentes o tempo todo ao nosso redor. Também diz respeito a reconhecer como sagrados o Universo, o Cosmos e todos os seres que nele habitam. Espiritualidade é sobre entender que estamos todos conectados, que de fato somos todos um com todos os seres que habitam este Universo. Portanto, assim como todos os seres que dedicam a sua existência à vida, diz respeito à nossa reconexão com nossa função aqui em Gaia.

Quando voltamos a nos enxergar como parte da teia da vida, vemos valor em tudo, fazemos parte do todo, então não precisamos de leis que nos obriguem a preservar essa ou aquela floresta, a não destruir um rio ou jogar esgoto ou dejetos industriais nele. Quando somos parte do todo, isso acontece naturalmente, estamos preservando e sendo preservados. Quando honramos, comungamos e reconhecemos essa qualidade espiritual da vida, percebemos o milagre inerente a essa perfeição do Interser, do ser com o outro, dessa teia.

Sinto que a Nova História da humanidade vem com essa atualização da nossa lente. Com essa capacidade de ver além dos nossos cinco sentidos e perceber as entrelinhas. Quando voltamos a sentir esse maravilhamento com os pequenos presentes que recebemos de Gaia todos os dias, a vida em si passa a ter outro sentido, que de uma certa forma nos devolve aquele pertencimento que é a base da psique humana. Quando esse sentido é resgatado, conseguimos nos distanciar das programações mentais limitantes desse sistema e voltamos a nos encantar. Com a beleza da natureza e com o espetáculo que é a vida aqui neste planeta.

O lixo é resultado de um desequilíbrio do sapiens

Quando comecei a estudar sobre sustentabilidade, preservação ambiental e mudanças climáticas em 2012, após assistir ao *Trashed*, o que mais me chamou atenção foram as centenas, sem exagerar, de estudos feitos por instituições e cientistas sérios e renomados, que haviam levantado não só o problema da nossa forma de existir no mundo, o modelo capitalista, bem como as possíveis linhas de soluções. Havia diversos estudos sobre o impacto do plástico no oceano, por exemplo, mesmo a questão tendo sido identificada poucos anos antes pelo capitão Charles Moore numa volta de barco pelo oceano Pacífico. Mil novecentos e setenta e dois foi o ano que marcou a primeira conferência internacional para falar sobre ecologia, organizada pela ONU, em Estocolmo. Depois tivemos a Eco-92 e diversas outras Conferências da Organização das Nações Unidas sobre Mudanças Climáticas, mais conhecidas como COPs, e acordos assinados por quase todos os países do mundo para cortar emissões de carbono, respeitar ecossistemas, redesenhar nossa forma de habitar o planeta.

Então por que mesmo depois de tantos avisos, pesquisas sérias e informações consistentes de "para tudo que a casa tá pegando fogo" é tão difícil mudar nosso modelo?

Existem inúmeras teorias e estudos também acerca disso. E aqui vou seguir algumas linhas que acredito serem pertinentes. Mas antes, claro, vou citar, e apenas citar, que, sim, existe um sistema por trás desse modelo. Muito bem amarrado para manter as coisas como estão, ou seja, o poder nas mãos de quem o tem. E ele tem como objetivo concentrar poder e capital. As estruturas de poder de Estados e empresas e a relação entre eles ainda fomentam essa forma de produzir e se organizar em sociedade para que o poder se mantenha onde está. É como se todo o esforço de bilhões de pessoas diariamente fosse apenas para que alguns, que podemos exemplificar como aquelas 26 pessoas, detenham o equivalente à renda dos quase 4 bilhões de pessoas mais pobres do mundo. E podemos seguir pensando que o mundo é assim, que não adianta fazer nada para mudar, que o lobby do petróleo é o mais poderoso do mundo e fabrica inclusive guerras, que matam milhares de pessoas etc. etc. etc. Sim, temos o grande desafio de mudar as estruturas políticas e do capital. Mas de verdade, do fundo do meu coração, eu não estaria escrevendo este livro se não acreditasse que coletivamente temos, sim, o poder de mudar tudo. E que esta é A década para isso. E, assim como eu, milhares de pessoas também acreditam nisso.

Hoje, com a tecnologia de que dispomos, ao contrário de alguns anos atrás, a informação está amplamente disponível. Ela pode não estar na sua cara, dependendo do tipo de buscas que você faz, que vai te apresentar mais do mesmo, mas ela está possibilitando, por exemplo, que o *Fridays for Future* (Greve pelo Clima, como ficou conhecido por aqui o movimento liderado pela jovem e evolucionária Greta Thunberg) conecte milhões de estudantes mundo afora em paralisações, greves estudantis, para reivindicar o direito a uma casa que não esteja em chamas, numa analogia ao seu maravilhoso discurso na Conferência de Davos de 2018.

Só que esta pergunta sempre esteve martelando ali na minha cabeça: por que, mesmo sabendo do risco de autodestruição da nossa própria espécie, o *Homo consumptor* continua vivendo para consumir? Nesse modelo destruidor?

Meus estudos começaram com o lixo, que me levaram à forma de produzir, consumir e descartar da nossa sociedade. Mas depois de um tempo entendi que o lixo não é causa por si só. O *Homo consumptor* e sua sociedade do descarte não descartam só coisas, descartam pessoas

303 HOMO INTEGRALIS

e momentos, porque acreditam que é nessa acelerada substituição e num eterno buscar fora que vamos preencher os vazios de dentro.

Claro que o lixo é causa de poluição, de mortes humanas e de outros milhões de seres todos os dias, de desastres como alagamentos, deslizamento de encostas, poluição, entre outros, mas ele é um reflexo de uma coisa muito maior: a lente pela qual enxergamos o mundo. E essa lente deriva dos valores que nós viemos cultivando há tanto tempo, mais fortemente nos últimos quinhentos anos. Valores opostos à nossa real natureza. Mas esses valores estão ligados à nossa cultura, e a cultura muda, ela evolui, assim como a nossa consciência também evolui. E isso pode ser muito bom!

Eu me sinto muito à vontade para falar sobre isso porque na minha vida pessoal vi essa transição acontecer. Já dei muito valor a ter, a possuir itens de marcas caras, de luxo, consideradas exclusivas. Já valorizei andar em certos círculos de pessoas. Hoje esse ter e o que eu valorizo mudaram. Aliás, desde que vi o *Trashed* me pergunto o que não mudou na minha vida. Inclusive, se algum leitor conhecer alguém que conhece o Jeremy Irons, me manda uma DM pelo Instagram porque preciso muito agradecer pessoalmente a esse senhor pelo seu impacto na minha vida.

Porém, se o lixo é consequência de uma desconexão profunda entre os humanos e a teia da vida, e os dados não fazem as pessoas se movimentarem na velocidade e na urgência com que deveriam, como vamos fazer para mudar tudo?

Sendo de fato a mudança que queremos ver no mundo. Essa frase de Mahatma Gandhi é tão citada porque representa o processo pelo qual precisamos passar para a transformação acontecer. Quando trago a dimensão da espiritualidade para a conversa é porque vejo que nela está ancorada a chave da mudança. Aqui não estou me referindo, em hipótese alguma, a qualquer religião, visto que infelizmente as religiões se transformaram, em muitos casos, em instrumentos de domínio e poder, aprisionam em vez de *religar* (significado matriz de religião) com o todo, com o Cosmos e com nossa real natureza. No mínimo são sistemas de crenças baseados em dogmas, e a espiritualidade está para além de conceitos como o Deus cristão, por exemplo. Mas, mais do que isso, eu vejo e sinto a espiritualidade na natureza, em mim, em tudo que é vivo e que se interconecta. É difícil colocar em palavras essa sensação de interconexão, e por isso espiritualidade é vivida por cada um de uma maneira distinta. No entanto, na raiz do que quero trazer sobre essa visão de mundo está a nossa transformação individual a partir da reconexão com a fonte criadora. Quando Gandhi fala sobre sermos a mudança que queremos ver, eu entendo que ele está deixando bem claro que primeiro precisamos mudar a nós mesmos para só então, a partir dessa mudança, o mundo se transformar. E isso traz também uma sensação de empoderamento, pois mudar a si mesmo é possível, está ao alcance das nossas realizações. Mudar o mundo todo pode parecer uma tarefa tão grandiosa que antes mesmo de começar as pessoas já ficam com preguiça, ou se sentem impotentes e não dão nem o primeiro passo.

Também trago aqui a espiritualidade como uma dimensão fundamental a ser repensada e incluída no diálogo, porque o próprio movimento de preservação ambiental está muitas vezes calcado apenas na visão científica e utilitária da coisa. Preservar e restaurar ecossistemas acaba se tornando mais uma ação prática ligada a uma razão, a uma lógica de por que preservar, de quanto aquela preservação trará benefícios X ou Y. E aqui não estou desqualificando qualquer ação prática nesse sentido, não – pelo contrário, só estou dizendo que essa escolha ainda se dá de maneira enviesada, porque ainda estamos num estágio de consciência humana que enxerga dessa forma. Só que essa maneira de pensar nos coloca justamente no mesmo ponto em que estávamos, da desconexão. Pois assim o sistema só preserva aquilo que a ciência determina que é importante, mas se conhecemos apenas 5% do oceano significa que vamos escolher qual espécie preservar? E que não importam as outras porque elas ainda não tiveram um benefício sistêmico comprovado? Deveríamos preservar espécies e ecossistemas por entender que estamos todos interconectados à teia da vida, e não porque isso é útil para reverter as mudanças climáticas, por exemplo.

Quando falo trazer para o diálogo, quero dizer trazer para a nossa lente e para a condução das tomadas de decisão em todos os aspectos, inclusive o político e o empresarial. Em seu livro, Daniel Wahl cita o fato de que até a Royal Society, através de seu Centro de Ação e Pesquisa, divulgou, num relatório de 2014, a necessidade de trazermos a espiritualidade para a esfera pública das nossas vidas. Isso porque, segundo ele, "a injunção espiritual é principalmente vivencial, isto é, conhecer-se o mais plenamente possível. Para muitos isso significa começar a enxergar além do ego e reconhecer ser parte de uma totalidade, ou pelo menos algo maior que você mesmo". E que, para curar a causa da nossa extrema solidão mesmo vivendo em grandes cidades cheias de gente, seria necessário que "a parte espiritual desempenhe um papel maior na esfera pública, porque destaca a importância da transformação pessoal, social e política".[51]

Na Nova História possível para a humanidade, devemos caminhar rumo a uma integralidade e a uma visão ecológica de todas as relações. A ecologia é a ciência que estuda as relações da natureza, como funcionam seus ecossistemas e os fluxos contínuos de informações que vão alimentando o sistema de feedback de Gaia. Moldar nossa sociedade a exemplo da natureza é um caminho fundamental para sairmos dessa relação de destruição que temos com o que nos mantém vivos. A mudança da lente se faz tão urgente porque as tecnologias, os sistemas políticos e sociais, os modelos empresariais e econômicos refletem a forma como as sociedades pensam, e estas refletem as formas como os indivíduos pensam e veem o mundo. Logo, a tecnologia, os sistemas e os modelos são resultantes, assim como o lixo, de modelos mentais. Então, se trouxermos a dimensão espiritual da existência para nossas lentes, o modelo da sociedade será um reflexo disso.

Satish Kumar, um grande ativista da preservação ambiental e fundador do Schumacher College, define numa tríade as dimensões da ecologia: Solo, Alma e Sociedade. Num artigo para o livro *Spiritual Ecology*, sem tradução para o português, ele aprofunda essa necessidade de trazermos a espiritualidade para o movimento da ecologia profunda, um processo que se dá cuidando daquilo que entendemos e chamamos de alma. Esse é um trabalho de autoconhecimento profundo para que nos libertemos dos paradigmas que não são nossa na-

---

51 Wahl, Daniel. *Design de culturas regenerativas*. Rio de Janeiro: Bambual Editora, 2019, p. 49.

tureza. Ele diz mais ou menos assim, em tradução livre: "O caminho para esse estado de iluminação é através do autoconhecimento, do serviço altruísta e da rendição do ego em favor da compreensão de que 'eu sou a parte do todo': eu sou um órgão do corpo terrestre, sou um membro da comunidade terrestre".

E cita Gandhi, que para ele é um exemplo de serviço desinteressado, já que o que ele fez não foi por ele, não pela dimensão do indivíduo, mas pela sua comunidade e pela Terra. Gandhi acreditava que deve haver integridade entre a teoria e a prática, entre a palavra e a ação. Kumar cita a prática diária de Gandhi com a alma, com o autoconhecimento, que incluía abrir espaço e reservar tempo para rezar, meditar, estar sozinho, estudar, cuidar do jardim, cozinhar e fiar a roca. Menciona, ainda, que Gandhi considerava essas atitudes tão importantes quanto negociar com os britânicos ou organizar campanhas de independência da Índia. Para citar mais uma de suas frases que ressoam muito comigo, ele afirma que: "A paisagem interior da espiritualidade e a paisagem exterior da sustentabilidade estão intrinsecamente ligadas. Precisamos cultivar a compaixão, buscar a verdade, apreciar o belo e trabalhar pela autorrealização. Assim podemos conectar a ecologia externa com a ecologia interna".

O Grande Mistério e a inteligência cósmica

Esse trabalho de autoconhecimento, conectado com a humildade de reconhecer que existe uma força maior que liga essa teia da vida, que existe uma energia de criatividade e criação e uma inteligência cósmica para além de nós, é um dos caminhos de nos reconhecermos humanos novamente, de regenerar nossa espécie, de caminhar para o que estou chamando aqui de *Homo integralis*. Integralis porque ele está integrado e conectado com a experiência maior da vida, para além da dimensão da matéria, do que podemos ver com os olhos. Ele está profundamente integrado a essa teia interdependente que alimenta a vida, com consciência disso, e entendendo que tudo isso é parte de uma inteligência maior, um Grande Mistério, uma pulsação do Cosmos que reverbera em nossos corações e nos dá a certeza de que fazemos parte de um grande coletivo chamado Universo, habitando um planeta que é um sistema vivo, Gaia. Alguns chamam isso de amor incondicional.

Para quem tem um pouco mais de dificuldade de separar crenças religiosas de espiritualidade, gostaria de me aprofundar um pouco mais no que chamei de Grande Mistério ou Inteligência Cósmica. Aqui eu me refiro a essa inteligência inerente aos seres que dividem esta casa conosco, de viverem e agirem de uma forma que sempre colabora para haver mais vida. Não é um maravilhamento pensar que uma semente daquele tamanho diminuto possui em seu interior os comandos para se transformar numa árvore enorme que vai viver por centenas de anos? Não é de se espantar como cada ser sabe sua função na teia da vida? Como cada célula entende sua função? Que inteligência é essa inerente a todas as espécies que não possuem nosso raciocínio lógico, que as faz apenas serem? E, em sendo, contribuírem para haver mais vida?

Se pegarmos o exemplo das abelhas, esses pequenos seres fundamentais para a teia da vida, há muito dessa visão da inteligência cósmica. As abelhas se movimentam, se organizam e se entendem como um só organismo. O que cada parte daquele organismo faz é para a sobrevivência e a prosperidade do todo. A rainha, por exemplo, coloca ovos diariamente durante toda a sua vida, que pode se estender até cinco, seis anos. Ela só sai da colmeia para o voo nupcial e interrompe o movimento quando a colmeia se divide em duas. É quando migra para outro lugar, e assim aumenta a presença de abelhas no planeta. Nesse voo, a rainha cruza com a maior quantidade possível de machos para que aqueles "espermas" tragam para seus filhotes uma maior resiliência causada pelo cruzamento de genes de variações da espécie, por exemplo, mais resilientes ao frio ou ao calor. Durante o voo, ela armazena a quantidade suficiente de material para colocar todos os ovos da sua vida. E, como a rainha se ocupa durante toda a vida de colocar ovos e garantir a reprodução da colmeia, e essa atividade gasta muita energia, ela tem um alimento especial, que dizem ser um dos fatores responsáveis por uma vida tão longa se comparada à média de poucos meses das outras abelhas. Assim, uma parte das chamadas por nós de operárias produz esse alimento que é destinado exclusivamente à rainha, a chamada geleia real. E desse modo fica cada uma no seu quadrado, apenas *sendo* a parte do todo fundamental para o bom funcionamento da colmeia. Imagina quão desinteressado é esse servir. Ela não está pensando: *Ah mas hoje tô cansada*, ou *Quero dar uma voltinha*. Ela sabe, num saber oriundo de um Grande Mistério que não sabemos decifrar, seu papel. E as outras também. E tem tanta inteligência nas abelhas que eu fico chocada. Elas se comunicam por uma vibração sonora, que é diferente em cada colmeia, bem como o cheiro. Assim cada abelha sabe onde é sua casa. Ao mesmo tempo que voam e entram nas flores para pegar seu pólen e levar para produção do mel, elas polinizam os jardins, as florestas, as plantas, num servir fundamental para a sobrevivência da teia da vida. É tão perfeito, mas tão perfeito que não dá para negar uma inteligência por trás disso. E ela é cósmica, vai para além deste planeta; afinal, se a Lua influencia as águas do mundo e o Sol permite que haja vida na Terra, essa inteligência por trás da vida está para além do planeta azul. E isso é de um maravilhamento que me emociona só de escrever.

Um importante *momentum* na nossa trajetória evolutiva e nessa consciência foi a redescoberta da Terra por nós mesmos, quando o homem vai para a Lua e pode ver nossa casa de fora. Essa é a primeira vez que de fato trazemos para toda a humanidade uma imagem que muda grande parte da consciência acerca de nossa história, de nós mesmos e da nossa casa comum, quando fica comprovado por uma imagem que somos *parte* de um planeta, de uma unidade. Antes disso não havia essa consciência tão clara de uma grande civilização planetária. As pessoas viviam em suas casas, seus bairros, suas realidades mais isoladas, e pensavam pouco no comum a todos na humanidade. Mas de uma hora para outra, literalmente, essa visão traz uma nova consciência do que é habitar a Terra. E aí começamos como raça a despertar para essa lente que os povos originários nunca perderam.

Como diz Charles Eisenstein ao apresentar o livro *Sacred Economics* (Economia sagrada), estamos nos apaixonando pela Terra. A jornada de volta para casa é parte de um grande processo. Tudo começou em 1960 com o movimento ambientalista. Esse foi o primeiro despertar de uma consciência de massa.

Nova Era, novos valores

Segundo estudos milenares de diversas civilizações antigas, estamos entrando numa nova era astrológica: depois de um ciclo de 26 mil anos sob a regência de Peixes, agora adentramos a regência de Aquário, e com ela vem a tal da consciência coletiva, da visão de uma civilização planetária. Cada era é marcada por uma influência vibracional que dita o tom daquele período na vida na Terra. A de Peixes foi uma era do indivíduo, e aquela em que estamos entrando agora será a do coletivo. Portanto é hora de repensarmos nossos valores. Aquilo que nos trouxe até aqui serviu para um outro momento da humanidade. O que vai fazer com que juntos consigamos reverter o panorama apocalíptico em que nos colocamos é um novo conjunto de diretrizes que guiem a conduta e a ética de todos nós. Afinal, se vimos através de imagens a nossa casa comum e começamos a nos perceber como uma grande civilização planetária com suas humanidades, precisamos resgatar os valores que vão fazer com que essa vida em comunidade floresça. Nossa Nova História precisa de uma atualização de software, para uma que esteja de acordo com o potencial e as necessidades do *Homo integralis*.

A pandemia já trouxe, para muita gente, um pequeno grande despertar de alguns desses valores há muito adormecidos na humanidade. E é a partir deles que vamos (re)construir nossas relações. Que vamos tecer esse sonho conjunto que vai alimentar a egrégora de energia e motivar muita gente a fazer diferente.

Leonardo Boff, teólogo, escritor, filósofo e professor universitário brasileiro reconhecido internacionalmente por sua luta pelos direitos humanos e dos pobres, escreveu durante a pandemia um texto sobre o coronavírus intitulado "O coronavírus: o perfeito desastre para o capitalismo do desastre",[52] em que cita as virtudes que ele considera as bases para o novo paradigma da nossa vida como humanos: o cuidado, a solidariedade social, a corresponsabilidade e a compaixão. Todas são virtudes presentes em todos nós, e citadas em diversos textos sobre a Grande Virada, a história do Interser, a Nova Era, ou a Nova História

---

52 Disponível em: <https://bit.ly/3DiLmM9>.

para a humanidade. E presenciamos todas elas aflorarem neste momento em que a humanidade pela primeira vez se uniu em atitudes antes impensáveis e que só funcionam quando todos colaboram. Isso aconteceu com o isolamento social e também na sua consequência, antes considerada impossível no capitalismo, o parar das máquinas. E todos, ou quase, se uniram para tentar combater – o.k., ainda numa visão de combate – o vírus como o inimigo a ser derrotado.

Fato é: o mundo se uniu em interesses comuns para além de fronteiras. E demos espaço para esses valores aflorarem. Movimentos de solidariedade para com os mais vulneráveis afloraram em todas as partes do mundo. Vi no Rio de Janeiro o Movimento União Rio angariar, até janeiro de 2021, mais de R$80 milhões de pessoas físicas e com voluntários e ajudar a equipar, por exemplo, o Hospital da UFRJ, bem como distribuir cestas de alimentos e produtos de higiene para mais de 250 mil famílias. Começamos a entender o que significa corresponsabilidade. Afinal, se somos todos interdependentes, temos que ir além da autorresponsabilidade para cuidar da nossa casa comum. E olhar para o outro e para nós mesmos com compaixão. Como é que nos deixamos levar por essa história de que homem não chora? E de que demonstrar afeto é fraqueza? Não somos máquinas, somos seres que se conectam pelo coração. Existe uma rede neural no coração, medida e provada pela ciência, e é essa rede que nos conecta com o outro. Nos tornamos humanos quando relembramos nossa natureza, e ela passa pelo afeto, pelo carinho, pela conexão. Nos tornamos *integralis* quando, além de relembrar nossa natureza, agimos de acordo com essa lente da interdependência e da interconexão. Temos no registro do nosso DNA a vida em comunidade. Temos no registro do DNA o cuidado, afinal um bebê humano, diferentemente de outras espécies, só sobrevive com o cuidado de uma mãe, de uma família, de uma rede de relações. E todas as espécies têm fortemente em seus DNAs os códigos de como sobreviver, se multiplicar e florescer.

Cuidar está na nossa essência. Viver em comunidade também. Cuidar da nossa comunidade é cuidar de nós mesmos. E cuidar de Gaia é se colocar no lugar de humildade em relação a um sistema complexo capaz de prover o mundo mais abundante que nossos corações possam sonhar possível.

Sobre voltar a se maravilhar

O que você vê? O que você vê quando olha para os céus, para as estrelas brilhantes contra o céu de meia-noite? Assim Thomas Berry, historiador cultural e cosmólogo, uma das figuras mais influentes no conceito de espiritualidade conectada com a Terra (*Earth-based spirituality*), começa seu texto "O mundo do maravilhamento" no livro *Spiritual Ecology* [Ecologia espiritual]. Ele afirma que as civilizações antigas, os povos originários, viam nesse outro mundo, aquele dos oceanos, das folhas que se tornam marrons e caem num voo de outono, um professor, um guardião, um curandeiro – a fonte da qual os humanos nasciam, se nutriam, eram protegidos, guiados, e o destino para o qual eles retornavam. Acima de tudo esse mundo fornecia o poder psicológico de que nós humanos precisávamos em tempos de crises. Junto com o mundo visível e o mundo cósmico, o mundo humano formava uma comunidade baseada nesse tripé de existência.

O que Berry cita em seu texto é uma mudança de paradigma, de lente pela qual a sociedade ocidental, e hoje grande parte da oriental também, enxerga o mundo, e essa forma é completamente diferente daquela dos povos originários que até hoje chamam as pedras, os rios e as árvores de irmãos. Quando deixamos para trás a visão de que a natureza é algo a ser dominado e possuído e entendemos que ela é a grande mãe, aquela que nutre a vida, passamos a enxergar um sentido maior na existência, além de criar práticas que contribuem para a vida prosperar. Berry segue dizendo que, consequentemente, a gente (ele) se encontra hoje num país continental (Estados Unidos) devastado onde nada é venerável, nada é sagrado. E a perda da sacralização da vida cobra um preço alto. O preço de uma desconexão com o maravilhamento que é a vida, com seu propósito mais profundo. Quando trocamos a sensação de preenchimento e de realização pela posse de itens, não só perdemos a capacidade de ver o belo e o sagrado nas coisas, como perdemos a capacidade de nos sentirmos conectados e parte de um Grande Mistério que é a vida. Por isso a Royal Academy sugere que a espiritualidade deve ser trazida para o diálogo político e público, pois só quando entendermos que somos seres espirituais é que vamos conseguir curar essa sensação de vazio e a eterna necessidade de consumir para preencher.

Uma das propostas de Thomas Berry para nos recuperarmos da lente reducionista e mecanicista de perceber o Universo é que recuperemos nossa visão, nossa capacidade de enxergar. Para ele, o sagrado é aquele que evoca as profundezas do encanto, do maravilhamento.

Não à toa diversas tradições espirituais começam ou terminam textos com a frase: *Para aqueles que tiverem olhos para ver. Para aqueles que tiverem ouvidos para escutar.*

Por isso a lente é tão importante. É ela que cria nossa interpretação do que é a realidade, e é ela que molda nossa ação e reação sobre essa realidade. Até a ciência não é a interpretação real dos fatos, é a interpretação com base em nossa lente, com aquilo que nossos olhos e nossa tecnologia nos permitem enxergar. Para quem tem olhos para ver, a montanha fala, o rio avisa, os pássaros são mensageiros. E como não acreditar nisso depois que um pássaro pousa na minha cama para me relembrar da minha capacidade de me encantar com essa magnífica teia da vida?

Espiritualidade para mim é isso. É se ver parte de uma teia de vida ativa, potente, mágica. É enxergar o belo no simples. É reverenciar o Universo como um Grande Mistério de interconexões que talvez um dia conseguiremos compreender totalmente. Mas, mais do que isso, é saber que somos criadores e criaturas. Que, a cada pensamento, sentimento, palavra, ação, somos os cocriadores dessa realidade. Que temos, sim, corresponsabilidade com o presente para a partir dele se desenhar um futuro. Junto com esse Cosmos misterioso e seus seres mágicos, que, cada um com seu papel bem definido nessa teia, vão tecendo os fios e os enlaces dessa trama. Espiritualidade é reverenciar essa teia. Reverenciar a oportunidade de estar aqui vivo, encarnado num corpo humano que é muito mais do que apenas um corpo e muito mais do que apenas consumptor, é um *Homo integralis*. Uma espécie de ser humano que se vê um com o todo, com a teia. Que cocria com ela a realidade com o objetivo de gerar mais vida, e que está aqui nesse momento planetário para ser uma peça de regeneração desse sistema vivo, misterioso e cheio de inteligência e magia a que denominamos Gaia.

O despertar é espiritual

Por isso nosso despertar começa em cada indivíduo e nessa lente que usamos para nos vermos no mundo e para interpretar a realidade. O despertar é individual, o trabalho começa em cada um de nós. E não se engane, dá trabalho. Ele parte do autoconhecimento, que é uma das ferramentas mais libertadoras que pode haver. Se autoconhecer faz com que possamos respirar e pensar antes de seguir um estímulo, seja ele comprar, dar um like ou apagar um cigarro na árvore. Faz com que tenhamos um pensamento mais crítico em relação ao todo. Faz com que entendamos nossa potência e nossos limites. Sim, porque quanto mais nos conhecemos, mais nos entendemos parte do todo e mais conectados com nosso aspecto selvagem estamos. O nosso lado selvagem é nosso lado instintivo. E nosso instinto não é o de destruir a vida. Isso não é instinto, isso é burrice! Assim como todas as espécies que habitam Gaia conosco, temos no nosso DNA e nesse campo morfogenético que nos une instruções de sobrevivência. E o ser humano é o mais social de todos os seres. Nós só sobrevivemos em comunidade. E esse despertar espiritual vai nos trazer de novo o senso do que é nossa função aqui. Curioso é que recentemente descobri que o altruísmo é uma das formas mais potentes de fortalecer nosso sistema imunológico e aumentar a longevidade. Ao contrário, a raiva, a ira e o ódio vão eliminando em nossas células toxinas destruidoras que causam inúmeras doenças, nos deixam menos resistentes. Não seria esse um mecanismo intencional? Porque para sobrevivermos como espécie precisamos cuidar do bem comum, cuidar do outro. Assim, quando praticamos isso nosso sistema se fortalece. Se fosse o contrário, faria bem ter ódio de tudo e de todos e sair destruindo o mundo. Não que a raiva não tenha seu lugar importante no sistema, tudo tem. Mas até ela precisa ser canalizada de outra forma. E ser direcionada para o cuidado do bem comum. A raiva nos tira da inércia, é um alerta de que algo não está certo. Então ela serve para tentarmos fazer o certo, é uma poderosa descarga de energia no sistema para nos motivar a agir. A sermos ativistas da vida!

O despertar espiritual é como uma nova consciência que muda a forma como nos vemos aqui. E faz com que nossas (rel)ações mudem.

E que elas sejam direcionadas para o bem maior, o transpessoal, o do coletivo e de Gaia. Não existe regeneração planetária se não houver regeneração de relações, de pessoas e comunidades, se não houver ainda justiça social. Tecer essa nova teia significa colocar nela todos os seus habitantes, sem distinção de grau de importância para o sistema. Enquanto houver esse nível de desigualdade, o sistema estará desequilibrado e não poderá florescer, porque qualquer sistema trabalha para sua autorregulação. Até que todos estejam incluídos no sistema, ele gastará uma grande quantidade de recursos e energia em busca desse equilíbrio. E é aprendendo com essa inteligência de bilhões de anos que vamos sair dessa. Ainda temos dez anos e – lembra? – somos os únicos seres que conseguem intencionalmente interferir e criar novas tecnologias nos ecossistemas. Que possamos usar essa característica como bênção e não como maldição.

Precisamos ser, segundo Satish Kumar, guerreiros espirituais, guerreiros da paz e ecoguerreiros, e para isso nos engajar simultaneamente em três ações: viver um estilo de vida espiritual, nos engajar ativamente na proteção da terra e buscar a iluminação do nosso ser e a restauração da justiça social. Essas são bases do livro *Bhagavad gita*, e elas continuam tão relevantes hoje como sempre foram.

Ah, e só faz sentido se além disso tudo for divertido. Afinal, não tem maravilhamento se não tiver diversão.

HOMO INTEGRALIS: UMA NOVA HISTÓRIA PARA A HUMANIDADE

Era uma vez um planeta lindo. Com bilhões de habitantes de espécies diferentes. Todos eles conviviam de forma harmônica com um único objetivo: ver a vida florescer e prosperar. Cada um tinha sua função. Uns eram responsáveis por manter a temperatura agradável, outros por ajudar as sementes a florescerem, outros por transformar os restos de vida em fertilizante para uma nova vida, outros por manter a vibração elevada. Alguns cantavam, outros doavam energia. Alguns construíam moradas, outros faziam arte. Uns mantinham a memória da história do planeta, outros curavam com sua vibração, sua medicina. Uns faziam pesquisas aprendendo com Gaia, outros colocavam esses aprendizados em prática. Eles existiam em muitas formas diferentes. Alguns eram animais, outros eram plantas, outros ainda eram seres microscópicos que moravam dentro de outros seres. Uns eram mais densos, outros menos. Mas todos eram energia. E, assim, eram movidos por esse fluxo que vinha de uma estrela brilhante, distante desse planeta, mas poderosa e abundante o suficiente para que mesmo assim enviasse o combustível necessário para alimentar a todos. Alguns transformavam essa energia em alimento, outros em calor, outros ainda em informação. Todos tinham sua parte no todo, sua arte, sua medicina particular, com a qual contribuíam para a harmonia e a evolução da teia da vida. Todos vinham da mesma fonte, tinham os mesmos elementos base em seus corpos. Todos eram irmãos. E todos eram também um. Um com o todo. Todos vinham de uma mesma consciência que se manifestava de formas diferentes, usando linguagens distintas e inteligências complementares. Quando nasciam, como mágica, já sabiam o que deveriam fazer. Seus corpos sabiam como crescer, se desenvolver, evoluir e morrer. Para renascer, crescer, se desenvolver, evoluir e tornar a nascer.

Só que um desses seres, uma espécie inteira, apresentou uma pequena falha em seus sistemas, se esquecendo do que veio fazer aqui. Eles se esqueceram que eram partes de um todo. Que estavam aqui também para evoluir e servir em conjunto com tantos outros para ver florescer a vida. Acharam que suas criações artificiais eram mágicas. Só que não perceberam que essas criações passaram a tomar conta deles. Criaram uma forma estranha e mesquinha de trocar e se relacionar, baseada em toma lá, dá cá, em contrapartidas, diferente do que era natural naquele planeta, onde árvores não trocavam sua sombra por gotas de água, onde abelhas não negociavam quantos metros quadrados iam polinizar em troca de alimento. Mas eles não sabiam compreender seus irmãos, se achavam mais inteligentes que eles, só porque sabiam falar, e porque se percebiam como tendo uma compreensão mais ampla do todo. Foram os únicos seres que criaram um nome para si mesmos e para tudo o que havia no entorno. Sem esses nomes não sabiam se comunicar. E inventaram tantas línguas, esqueceram que tinham uma capacidade de falar e entender todos, mas que vinha de outro centro de inteligência.

Porém eles se achavam muito espertos, muito sabidos, e por isso se autodenominaram *Homo sapiens*. Esses sapiens invadiram e destruíram as moradas dos irmãos. Brigaram e, pasmem, acumularam. Acumularam tanta coisa que foram apodrecendo junto com as coisas que criavam e que não faziam parte dessa teia da vida. Foi um longo período de dor, doenças, mortes, desequilíbrios. Até que, aos poucos, eles foram despertando. Era como se estivessem vivendo num sono profundo em que só enxergavam uma parte da realidade. Aos poucos, um a um, foram recuperando suas memórias e lembraram que eram apenas partes de um todo. E que aquilo que chamavam estranhamente de outros ou natureza era justamente a parte deles que contribuía para a harmonia, para a evolução e para a teia da vida.

Quando isso aconteceu, voltaram a olhar para esse planeta como um ser vivo, como eles. Se deram conta de que não habitavam apenas um planeta, mas sim que faziam parte de Gaia, esse sim um grande organismo com uma consciência enorme. Foram então mudando sua forma de se comportar com Gaia e com seus irmãos. Foram mudando a forma como se viam entre si. Foram recuperando sua saúde, sua alegria, sua força e sua coragem, já que passaram a agir com o coração. E isso mudou tudo! Demorou, mas aos poucos se tornaram agentes de regeneração daquilo que haviam destruído. Essa regeneração trouxe de volta cor, som e alegria para suas vidas. Eles se lembraram de que tinham tantas habilidades adormecidas, e com elas suas vidas passaram a ter mais significado. Sabe, eles eram bem apegados a essa coisa de significados. E entenderam que o significado maior da vida é ser alicerce de mais vida. Quando lembraram isso, perceberam que durante muito tempo de suas vidas atacaram a parte desse sistema que gerava vida: Gaia e suas mulheres. Perceberam que tinham deixado de lado, adormecido, o seu feminino. Ah, como eles demoraram para entender que feminino não é só uma característica das mulheres. Demoraram a entender também a inteligência que havia no que chamavam de sentimentos. E a força que se movia através dos seus corações. Eles tinham esse órgão que antes acreditavam ser apenas o responsável pela vida física, por bombear um líquido que distribuía nutrientes pelos seus corpos. Sim, eles tinham muita dificuldade em enxergar com outros olhos que não essas duas bolinhas que tinham em seus rostos e com as quais acreditavam perceber a realidade ao seu redor. E isso fez com que demorassem muito tempo para relembrar que o tal do coração era na verdade um centro de poder, de energia. Era ele que ligava esses seres a tudo o que há. Seus corações estavam presos em armaduras cultivadas há muitos séculos. Aos poucos essas armaduras foram sendo quebradas, e a energia voltou a fluir de forma consciente nesses seres. Quando isso aconteceu, eles perceberam seu verdadeiro potencial e que ele não vinha apenas de suas cabeças. Que a cabeça era mais uma parte do todo, que eles tinham muito mais órgãos, inteligências, habilidades.

Foi como descobrir novos superpoderes. Quanto mais eles serviam a Gaia, mais eram servidos por ela, que relembraram ser sua mãe, afinal eles nasceram dela, tinham os mesmos componentes dela. Quanto mais eles integravam suas inteligências e polaridades, aquilo que chamavam de feminino e masculino, mais eles suportavam a teia da vida e mais leve a existência ficava. Quanto mais significativa a vida, mais elevada a vibração do planeta. Houve um momento muito mágico quando se deram conta de que, quanto mais felizes e em harmonia com Gaia, mais os animais nasciam, as plantas cresciam e a saúde aumentava. Foi nesse momento, quando perceberam o real significado de estar vivos, que se entenderam como seres que eram. A linguagem era uma coisa muito importante, mas que não tinham entendido muito bem para que funcionava. Foi quando eles mudaram a forma como se chamavam, de sapiens, sábios, que sabem, para integralis, integrais, que a mágica aconteceu. E essa espécie floresceu. E com ela, Gaia voltou a sorrir. E a vida, vida mesmo, começou a existir.

O RESGATE DO FEMININO PARA A REGENERAÇÃO

O que você sente quando lê essa historinha que acabei de contar? Eu sinto uma esperança enorme, sinto ainda uma vontade de vê-la ser realidade. Sinto coragem para acreditar que, como parte deste todo, tenho poder de mudar a minha realidade e a de tantos outros seres à minha volta. Ela ressoa tanto no meu coração que é por isso que acredito que uma nova história para a humanidade seja possível, já que o coração sabe das coisas de uma maneira que estamos aprendendo a entender. E ela começa quando decidimos fazer as coisas de forma diferente daquela como fizemos nos últimos milênios. O futuro começa com as ações que fazemos no presente. Para isso, precisamos ser seres humanos diferentes. Mas, se você chegou até aqui, já sabe que não me refiro a mutação genética, nanotecnologia ou inteligência artificial. Quando falo "diferentes", estou falando do nosso entendimento do que é ser humano. É a hora de atualizar o software.

Consumptors, assim como o patriarcado, são construções mentais criadas pela humanidade ao longo dos últimos séculos. São lentes, percepções de realidade que partem de um ser humano ferido, com sua real natureza ferida, fruto de uma opressão sistêmica que nos torna muitas vezes incapazes de transbordar o que somos, nossos instintos, nossas diferenças e diversidades inerentes às humanidades. São criações de um modelo mental que prega o utilitarismo das coisas, dos processos e da vida. Mas, como diz Ailton Krenak, a vida não é útil, a vida é fruição. Nos últimos séculos, nós, a sociedade, tentamos incansavelmente civilizar e encaixotar o potencial humano para servir a um sistema – religioso, social e econômico. Mas esse esforço todo não nos tornou mais felizes, não criou uma realidade de paz, igualdade, florescimento ou plenitude. Pelo contrário. O que conseguimos foi tudo o que eu já disse até aqui, e isso não é bom. Então como fazemos para atualizar o software e criar um futuro de vida? Qual é o ponto de partida para que a chegada seja outra? Começamos de onde?

Para ser integralis, temos que resgatar o equilíbrio

Quando comecei este processo de escrita, que foi absolutamente transformador na minha vida, ouvia uma vozinha na minha mente perguntando: *Onde está o elo perdido? Aquele que vai trazer o tal do salto quântico de mudança de lente e comportamento? Qual a origem de tanta violência e talvez burrice para termos adotado um comportamento antinatural?* E, um dia, essa vozinha que sempre ficou ali atrás da minha mente, falou: *Os sapiens estão vivendo num profundo desequilíbrio interno. Estão desconectados da polaridade que nutre, que dá vida. Aquela que é alicerce do processo evolutivo porque é a força por trás da criação. Eles se desconectaram do seu feminino.*

Uau! Que revelação. Foi tão profundo ouvir isso, receber essa informação do Cosmos, do inconsciente coletivo, que me levou a meditar e meditar sobre o tema e a correlacionar o externo com o interno. E não é que faz muito sentido? Vou explicar.

A Teoria de Gaia – aquela apresentada, e por que não, canalizada, por James Lovelock e Lynn Margulis e já abordada algumas vezes neste livro – fala de um planeta onde é a vida que gera vida, onde o clima é definido pela biosfera, pela vida na Terra. E, por consequência, que prova que a vida é provocada pela vida. Essa teoria fala de um sistema que está o tempo todo trabalhando para se autorregular e o que significa estar em equilíbrio. A busca pelo equilíbrio é uma característica presente em tudo o que é vivo, inclusive no nosso corpo humano, na chamada homeostase. Se aprofundarmos mais essa percepção, chegaremos ao nível dos átomos, que por sua vez estão o tempo todo criando relações em busca de equilíbrio. Lembra que na escola nós aprendemos que as moléculas também se ligam a outras e que existe a estabilidade quando os polos opostos são atraídos um para o outro? Logo, se somos natureza, temos ciclos, movimento e busca pelo equilíbrio, um equilíbrio além da homeostase, ou seja, para além de um equilíbrio bioquímico e físico. O planeta está doente porque a lógica das nossas ações sobre ele vem de sapiens doentes, completamente desequilibrados do que significa estar vivo.

Na nossa cosmovisão dominante até agora, o que reina é a história da separação, que eu já contei. E, junto com ela, a da evolução das

322 FE CORTEZ

espécies em que a mais forte vence as outras. Essas duas formas de ver o mundo, que produzem ações a partir dessas percepções, têm em comum o comportamento egoísta sobre o colaborativo. É o neodarwinismo sobre a hipótese de Gaia. Mas, no fundo, essa lente é resultante de um desequilíbrio, no qual as células tumorais quase já tomaram esse corpo chamado Gaia, e isso é uma consequência de algo que vem antes: a tentativa de apagamento da polaridade feminina no mundo.

Cosmovisão, uma nova lente

Antes de continuar, quero explicar aqui o que é cosmovisão.

Cosmovisão é a maneira subjetiva de ver e entender o mundo, especialmente as relações humanas e o papel de cada indivíduo na sociedade, assim como as respostas a questões filosóficas básicas, como a finalidade da existência humana ou a vida após a morte, entre outras. Também entendida como visão de mundo ou mundividência, cosmovisão tem origem na expressão alemã *Weltanschauung,* que significa percepção do mundo ou a capacidade humana de perceber a realidade sensível como uma totalidade ou intuição – em outras palavras, é um conjunto ordenado de valores, crenças, sentimentos e concepções de natureza intuitiva, anteriores à reflexão, a respeito da época ou do mundo em que se vive.

Pela origem alemã ou não, o fato é que o conceito se desenvolveu bastante no pensamento de filósofos alemães como Kant, Schelling, Hegel e Kierkegaard, mas passou pela teologia, pela antropologia e pela linguística. Dito de outra forma, a cosmovisão é a orientação cognitiva fundamental de um indivíduo, de uma coletividade ou de toda uma sociedade, num dado espaço-tempo e cultura, a respeito de tudo o que existe – sua gênese, sua natureza, suas propriedades. Num tuíte, cosmovisão é a lente através da qual o ser humano se percebe no mundo e percebe a realidade à sua volta, e em consequência se relaciona com ela. E ela parte de uma história.

Mas por que precisamos de uma(s) nova(s) cosmovisão(ões)? Porque a lente e as histórias que contamos nos últimos séculos foram exclusivamente baseadas na polaridade masculina do ser. Temos vivido sob os pilares da ação, da racionalidade, do mais forte sobre o mais fraco, da competitividade, do individualismo, do foco em resultados, de metas objetivas perseguidas a qualquer custo. *Controlar para dominar*, esse tem sido nosso lema. Esses valores criaram modelos de sistemas econômicos, políticos e sociais degenerativos e destrutivos a todos os seres, e para cocriar um futuro possível e desejável são necessários novos paradigmas que sirvam como base para ancorar o processo de regeneração do planeta e dos seres que o habitam. Para enxergar uma nova história, precisamos mudar os óculos e as crenças que nos trouxeram até aqui.

Quando pensamos na forma como nos relacionamos com o mundo, pode parecer por vezes que viver num sistema capitalista – numa sociedade em que as trocas são baseadas em dinheiro e cujo modelo de produção ainda é linear – é a única maneira de viver. Mas isso foi sendo construído ao longo dos anos. Para os povos ameríndios, os indígenas da América do Sul, por exemplo, nada disso que citei faz sentido. Para muitos deles não existe sequer a palavra "natureza" na sua linguagem, porque nas suas visões de mundo natureza e ser humano são uma mesma coisa. Não há separação. Indo além, eles enxergam árvores, montanhas, rios e animais como parentes. E isso muda tudo na conduta de respeito e ética sobre eles. Ferir um parente, para a maior parte das pessoas, é estranho, até inadmissível. Então enxergar um rio como um ancestral, como um professor, como um parente e como alicerce da teia da vida torna a sua destruição também inadmissível. Não à toa, é nas terras indígenas que se concentra a maior biodiversidade preservada do planeta. Por isso a visão de mundo de uma sociedade ou de um povo diz muito sobre a forma como essas pessoas interagem entre si e com o que está ao seu redor. Se todos olhássemos os rios e as águas como fontes de vida – e são –, seria inconcebível poluí-los, jogar esgoto em riachos ou plástico no oceano.

A proposta do *Homo integralis* muda a maneira como nos vemos nessa teia da vida. E, a partir dela, muda a nossa ética em relação a tudo o que existe.

Ainda citando a cosmovisão indígena, ela não para na matéria, no que podemos ver e tocar, mas abrange outras dimensões, que são acessadas em rituais específicos, com a ajuda de plantas de poder, por exemplo. Essas plantas são vistas como medicina, são usadas para curar corpo, mente e espírito, em conjunto. A percepção de cura, para esses povos originários, é de uma cura integral. A percepção de doença é de um desalinhamento que nos chama a atenção para algo que precisamos olhar e mudar. Para os indígenas norte-americanos do caminho vermelho, por exemplo, o Grande Mistério, como são chamados o Cosmos, Deus e o Universo, é uma dimensão tão presente e tão real quanto a terra que pisamos ou o ar que respiramos. Ver o mundo dessa forma molda uma conduta em relação a ele muito diferente da que nós, ocidentais, temos com nossos modelos mentais baseados quase em sua totalidade numa lente racional, segundo a qual aquilo que, por exemplo, não podemos explicar com nossas metodologias científicas não é real ou não existe. Uma lente que premia o comportamento egoísta o tempo todo, como a meritocracia. Mais do que isso, é uma lente que gera um comportamento que transformou o planeta num corpo doente terminal. E, como acreditam muitas tradições originárias, ou até a medicina tradicional chinesa, a doença vem de um desalinhamento. E, na minha visão, um desalinhamento entre as polaridades do feminino e do masculino no mundo.

E foi assim, me aprofundando nas meditações acerca da raiz da desconexão e da necessidade de resgate do feminino no planeta, que percebi que o que precisamos neste momento é de uma cosmovisão que coloque o feminino no papel central para uma regeneração possível. Intuí que precisamos de uma Cosmovisão do Feminino para a Regeneração.

Mas que história é essa? O que é essa cosmovisão? Neste momento também veio a mim que eu não teria todas as respostas. Que este seria o início de um estudo e de uma construção. E que as respostas e definições também não chegariam de forma individual. E não estariam em livros. Mas o Grande Mistério tem todas as respostas e me orientou a dar luz a essa cosmovisão em dupla. Afinal, na Nova História da humanidade não vamos fazer sozinhos, então a base desse estudo também seria uma metacosmovisão, ou seja, ancorada nos valores do feminino. Seria fazendo junto com outra pessoa que receberíamos o conteúdo que precisava vir à luz. E em seguida me veio quem seria a minha parceira nesse processo.

325 HOMO INTEGRALIS

E assim, de forma intuitiva, convidei uma amiga, irmã de jornada e de alma, que há muito vem se aprofundando, como eu, no caminho da espiritualidade, ou do autoconhecimento, olhando para as sombras e buscando evoluir e servir a Gaia. Nesse caminhar, ela se reconectou com a sua missão nessa vida de ser uma curandeira e trabalhar a serviço da cura da terra e das pessoas. E ninguém melhor que a Marcella Mugnaini, agora Maní Inu, para dar à luz essa filha comigo. Ela colocou sua vida a serviço da espiritualidade através de seu trabalho mediúnico e de seus projetos. Maní foi o nome que Marcella recebeu no seu batizado indígena, durante suas vivências e iniciações na aldeia shanekaya do povo Shanenawa no Acre, e que usa a partir de então, marcando essa transição de jornada.

Maní é mulher-medicina, uma estudante das medicinas da floresta, das curas, rezas, das ervas e das geometrias sagradas, guardiã da terra. Depois de anos de trabalho com inovação social e empoderamento feminino através do empreendedorismo, cofundadora da Rede Tear de Iniciativas Femininas, hoje foca seus estudos no resgate de valores femininos e toda a sua sabedoria para uma nova visão de mundo, forma de agir, viver e materializar as coisas. Defensora dos direitos humanos dos povos originários, trabalha ativamente pelo desenvolvimento de comunidades indígenas através da participação ativa das mulheres indígenas com seus projetos no Acre.

E foi assim que, juntas, fomos recebendo do Grande Mistério, da Noosfera, ou do grande inconsciente coletivo, partes dessa (cosmo)visão de mundo. Cada uma à sua maneira, seguimos por quase um ano em processos de expansão de consciência recebendo as partes dessa história. Como num grande quebra-cabeça, vimos pecinhas chegando, de forma bem complementar, que juntas se transformaram num conjunto de princípios para a regeneração. E por isso a batizamos de Cosmovisão do Feminino para a Regeneração.

Você pode notar que alguns dos princípios nos quais ela se ancora foram apresentados por mim em capítulos anteriores, mas é seu conjunto e aprofundamento que formam essa cosmovisão. O que você vai ler a partir de agora é resultado desse trabalho conjunto por quase um ano e assim foi sendo redigido por nós duas. É um texto com uma linguagem própria e que apresenta exatamente o que nos foi canalizado. Mais uma vez destaco que esse é o começo de um estudo e que como toda visão de mundo, ao ser vivenciada, vai ganhando contornos próprios, aprofundamentos, entendimentos.

Antes de mergulhar nela, respire fundo e se conecte com seu coração. Meu convite é que você se conecte com suas outras inteligências e deixe que elas o guiem no entendimento e na absorção do que estamos trazendo.

A Cosmovisão do Feminino para a Regeneração

"Você deve estar pronto para aceitar a possibilidade de que existe um alcance da consciência para o qual nós não temos palavras agora; que a consciência pode se expandir para além do alcance do seu ego, seu Ser, sua identidade familiar, para além de tudo que você aprendeu, para além das suas noções de espaço e tempo, para além das diferenças que geralmente separam as pessoas umas das outras e o mundo ao seu redor."

– *O Livro Tibetano dos Mortos*

Feminino e masculino são princípios, ou seja, servem de base para alguma coisa. A Cosmovisão do Feminino para a Regeneração é uma maneira subjetiva de ver o mundo baseada em princípios femininos neste momento de regeneração e evolução do planeta e de todos os seres.

Se podemos construir uma nova realidade em que os nossos sistemas se renovam e a natureza se recompõe, essa cosmovisão também é um princípio, ou seja, podemos tê-la como ferramenta intelectual, como base para ancorar as consciências necessárias para a regeneração e para os processos de transformação e mudanças que nós seres humanos já começamos a vivenciar. E a primeira mudança estruturante que ela propõe é reposicionar Homo e Gaia. Na Cosmovisão do Feminino para a Regeneração, Gaia está no centro; tudo acontece a partir dela, porque é a partir dela que existe vida.

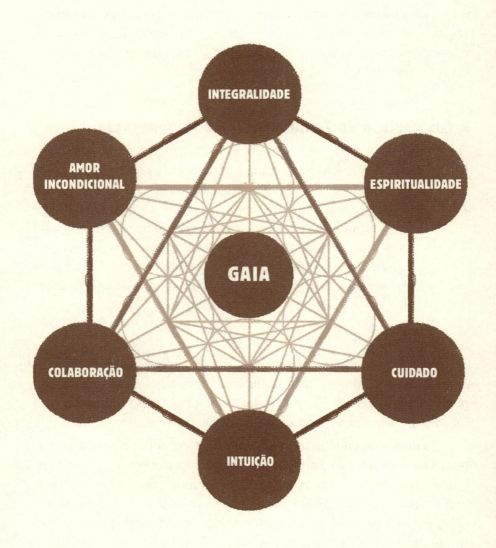

Ela é uma cosmovisão que parte do feminino, mas não despreza o masculino, já que nosso objetivo é encontrar o equilíbrio. É integrar as duas polaridades, pois, já que uma não é melhor do que a outra, uma não deve preponderar sobre a outra. Cada polaridade serve a um propósito e precisa ser utilizada. E é só no equilíbrio que vamos conseguir alcançar um estado de plenitude interno que reflita um estado de abundância externo, e vice-versa.

Depois do convite que fiz a Maní, tanto eu quanto ela entramos numa série de processos de expansão de consciência e meditação na busca das informações e da consciência que ancorassem essa cosmovisão. A primeira coisa que ela recebeu foi um desenho, esse que você vê acima, uma geometria, um código que fundamentou todo o desenrolar da nossa pesquisa. E ele parte de dois triângulos, um para cima e um para baixo, e compõe o que também pode ser chamado de uma geometria sagrada.

Essa é a base do desenho da Cosmovisão do Feminino para a Regeneração e está ancorada em uma forma que talvez muitos de vocês já tenham visto por aí. Como eu disse, é uma geometria sagrada, ou um desenho geométrico que traduz uma consciência. As geometrias sagradas são como chaves que abrem portas. Também são caminhos para recebermos informações, como se fossem as palavras que você lê neste livro, pois elas decodificam uma linguagem num outro nível de percepção. Não a linguagem falada, a que estamos tão acostumados, mas uma linguagem de comunicação por meio de símbolos, padrões de consciência e energia. Pode parecer um pouco confuso, porque vivemos num planeta da terceira dimensão, mas nossos corpos têm sim a capacidade de receber novos conhecimentos de outras maneiras. Justamente por meio de desenhos, criamos uma outra linguagem para que nosso cérebro entenda melhor aquilo que às vezes apenas palavras não conseguem abranger. Geometria sagrada por si só é um tema que valeria alguns livros, e não sou especialista para tanto, mas trago aqui um resumo para que você compreenda mentalmente o que está por trás da potência dessas formas.

As geometrias sagradas nos permitem acessar visualmente novas frequências do planeta, com novas consciências. Como códigos cheios de informações, dão acesso a uma biblioteca infinita de informações.

329 HOMO INTEGRALIS

É como o sinal de internet via wi-fi. A gente não vê essas ondas eletromagnéticas, essas bandas ou frequências de 3G, 4G, agora 5G. Mas elas estão lá. E, quando conectamos um aparelho que tem a tecnologia para receber e transmitir essa conexão de wi-fi, automaticamente nos conectamos à rede. As geometrias sagradas são como o wi-fi, são mensagens e frequências que acessamos quando nos conectamos, que não percebemos com nosso cérebro racional, mas que vão pegando informações do campo mórfico, da teia de informações que nos conecta a todos, permitindo que consigamos de alguma forma processar essas informações nos nossos corpos com suas outras inteligências.

Tudo no Universo é energia. E aqui, no nosso planeta, as coisas como as vemos são energia em densidades distintas. Assim, tudo está constantemente vibrando. As moléculas que compõem os corpos são também energia e vibram o tempo todo. Através dessa vibração é que elas atraem e repelem outras, se movimentam. As geometrias sagradas são os códigos do movimento dessas vibrações, que unem em sua linguagem a maneira como vemos a vida se manifestar e como a energia se move para tal.

Para muitos pode parecer um tanto complexo ou difícil, mas é apenas porque não nos ensinaram essa linguagem. No entanto, atente menos à lógica da geometria e deixe que ela fale com outras partes do seu ser, para além do racional. Essa é uma das inteligências que devemos desenvolver para mudar a nossa lente e o paradigma no qual nos encontramos.

A primeira imagem recebida pela Maní de maneira bem forte nesse processo foi a do triângulo com a ponta para cima, que representa o masculino. O que vem por trás dessa informação é que há milênios estamos com esse triângulo, ou essa polaridade, guiando nosso comportamento e nossos valores. E criando assim um apagamento da polaridade complementar, a do feminino. E esse apagamento está tão enraizado na cultura, no *modus operandi* do planeta, que precisaremos de um grande resgate, o resgate do feminino para a regeneração. Esse é o cerne dessa cosmovisão.

Assim veio logo em seguida o triângulo com a ponta virada para baixo, símbolo milenar do feminino em alusão à forma do útero das mulheres. E, quando um triângulo se sobrepôs sobre o outro, a geometria se completou. Ficou evidente que a cosmovisão do feminino é uma ferramenta capaz de dar conta de criar um campo para que esse feminino floresça e ganhe corpo até que a gente possa atingir o equilíbrio perfeito entre masculino e feminino em todas as áreas da vida.

Importante ressaltar que já temos a polaridade feminina e a masculina dentro de nós. Temos ainda dois hemisférios no cérebro, o esquerdo e o direito, e cada um deles representa habilidades e inteligências distintas que temos em nós. Portanto, a cosmovisão do Feminino – uma visão de mundo ancorada na subjetividade de uma polaridade que todos nós temos, de forma natural – não é uma Cosmovisão apenas para mulheres, embora as mulheres talvez apresentem uma facilidade maior de perceber essa polaridade em si mesmas. Mas ela não pressupõe visões somente de mulheres sobre a regeneração, ou um recorte do movimento feminista. Estamos tratando aqui de um olhar sistêmico em que se propõem um mergulho e integração de princípios femininos, conectados à espiritualidade, como base para chegarmos a níveis superiores de consciência e da compreensão humana sobre a vida aqui na Terra. E, ao trazer princípios, ela está sendo construída lado a lado com a nossa jornada pessoal de evolução do nosso ser/espírito e das experiências vividas aqui na Terra.

A Cosmovisão do Feminino para a Regeneração é uma ferramenta em construção que pode e deve ser aplicada por mulheres, homens e todas as definições de gênero que soarem mais apropriadas para você que me lê. Ela não é sobre gênero, e sim sobre princípios e polaridades, sobre o entendimento do que somos nós, aqui e agora, e sobre como podemos liberar potências há muito atrofiadas, mas fundamentais para a reconstrução do que chamamos de teia da vida.

Sete princípios da Cosmovisão do Feminino para a Regeneração

Por que precisamos olhar para princípios neste momento? Porque estamos à beira de um colapso planetário, que ficou mais evidente com a pandemia, mas é bem anterior a ela. Dado o tamanho dos desafios, muitas pessoas estão se permitindo alargar as visões para buscar soluções. Talvez pela primeira vez na história recente muitas pessoas estejam olhando para os porquês mais profundos, para um aprofundamento do entendimento de que a destruição planetária é consequência de valores que escolhemos premiar como sociedade. O ser humano é o único que pode colaborar intencionalmente para a prosperidade e o florescimento da teia da vida na Terra, e o único com uma mente consciente de que podemos colocar toda essa consciência a serviço da vida. E a cosmovisão traz aqui princípios que podem ser usados como norteadores e ponto de partida para essa mudança na forma como nos relacionamos com o todo. Princípios que fazem sentido se quisermos tirar Gaia do seu estado terminal. E seria uma vergonha se com toda a nossa sapiência não conseguíssemos fazer isso!

Antes disso, quero contar brevemente como chegamos aos sete princípios da Cosmovisão do Feminino para a Regeneração. A base da cosmovisão é essa sobreposição dos triângulos. O equilíbrio perfeito entre as polaridades feminina e masculina. Linhas retas. Mas não só

332 FE CORTEZ

isso, depois da base, o que se apresentou foram círculos nas pontas de cada parte da geometria. Círculos, a forma do feminino. Seis nas pontas e um, maior que os outros, no meio. Cada círculo veio trazer um princípio. E, depois de a Maní receber a geometria, fomos recebendo aos poucos que princípio entraria em cada círculo. Que alicerces seriam esses que juntos formariam essa nova percepção sobre a vida, sobre nós e sobre a necessidade para este momento de mundo. Cada princípio que vem a seguir traz em si uma força e uma base capazes de ancorar a energia necessária para construir e nutrir essa cosmovisão. Cada um deles traz ainda aspectos sutis acerca de como, com base numa nova lente, vamos moldando novas ações, e assim uma nova experiência neste planeta. Fundamentalmente, o conjunto dos princípios recebidos por nós tem como objetivo resgatar aquelas potências atrofiadas pela lente do patriarcado. E que, segundo nos foi apresentado, podem servir como base de uma nova subjetividade em que a evolução da vida passa a ser guia, alicerce e objetivo, em total alinhamento com a inteligência cósmica que rege a evolução para além do que conseguimos ver.

Portanto, apresento a vocês os sete princípios da Cosmovisão do Feminino para a Regeneração.

1. Gaia é o centro

O que chamamos de natureza, Gaia ou Mãe Terra, esse megaorganismo vivo, é o que mantém a teia da vida em funcionamento. Portanto, é Gaia que deve estar no centro dessa cosmovisão. Ela não só fornece a base dessa teia como apresenta os limites que devem ser respeitados para o equilíbrio e autorregulação dos sistemas da vida. A partir daí, Gaia é alicerce e também contorno. Sendo assim, o princípio de Gaia no centro remete a honrar a vida e a delimitar o que pode ou não ser feito pela ação humana em função do equilíbrio dessa teia. Colocar Gaia no centro muda tudo. Já passou da hora de repensarmos o papel e o lugar do ser humano nessa teia e no planeta. Enquanto não mudarmos a visão de quem é o alicerce da vida por aqui, continuaremos a direcionar nossas ações para atender aos desejos e necessidades de uma sociedade do Antropoceno. Para atendermos às necessidades de todos os seres que dividem esta casa conosco, para tirarmos o doente do estado terminal, é a própria teia da vida, natureza, Gaia ou qualquer nome com que você se identifique mais, que deve estar no centro. E isso é revolucionário!

Todos nós somos filhas e filhos de Gaia. Todos nós somos natureza, somos um só com o todo. Viemos todos da mesma fonte criadora: os seres humanos, os animais, as plantas, os mares, os rios, o planeta. Viemos todos da mesma consciência universal, por isso a principal semente do despertar é o entendimento de que somos UM, o entendimento da unicidade. A partir do momento em que acessamos essa consciência, entendemos que cada um de nós tem uma função conectada à teia da vida, uma missão para com o coletivo, que se encontra dentro de nós. Esse acesso se dá quando nos conectamos com a mesma vibração e fonte da energia criadora através do nosso grande portal que é o nosso coração. O plano universal tem uma ordem e essa ordem tem sido uma bússola para o processo de evolução que o planeta vive há 4,5 bilhões de anos. Nós, seres humanos, somos apenas uma pequena parte desse processo de evolução dos últimos 350 mil anos para cá. Então, é claro, mesmo não sendo tão óbvio assim, NÃO SOMOS O CENTRO DE TUDO e também não somos os seres mais importantes da cadeia.

A partir do momento em que cada um de nós retoma a nossa autonomia de conexão com o todo e com Gaia, poderemos acessar a nossa essência, a nossa função na teia da vida, e ser agentes da regeneração através das nossas ações aqui na Terra. Assim, conseguiremos manifestar nossos talentos, dons e experiências com projetos, negócios, trabalho, ideias, profissões, arte, bem como nos relacionamentos e na maneira como vivemos a vida. Já está posto que grandes transformações estão acontecendo e muitas outras ainda estão por vir. E nós já temos a possibilidade de acessar novos níveis de consciências para que possamos construir novas formas de estarmos aqui na Terra, de nos organizarmos e evoluirmos juntos.

Toda e qualquer estrutura de sistema, pensamento ou ação deve estar contida nos limites da natureza e deve respeitar as suas propriedades de gerar vida. Indo além, precisamos de políticas públicas e estímulos econômicos que direcionem as ações para a regeneração de

Gaia. A regeneração neste momento é como o resgate do feminino: se faz urgente e necessária para alcançarmos o equilíbrio no planeta. A partir do entendimento de que nós e natureza somos um só, entendemos também que respeitar os limites da natureza é respeitar os nossos próprios limites, e de todos os nossos corpos. Assim, qualquer manifestação de exploração dos nossos recursos naturais não cabe mais neste momento da consciência humana e o convite desse princípio é o de que nós possamos alinhar todas as ações na nossa vida, no nosso dia a dia, nos nossos projetos, para que estejam dentro das bordas do limite da natureza. Alinhar a vida ao que gera vida, Gaia.

2. Integralidade

Feminino e masculino são duas polaridades, negativo e positivo, e também polos da dualidade da mente humana. E somente através da integração desses dois polos é que alcançaremos a unidade necessária para a construção de um novo mundo. Porém, na história recente da humanidade e do desenvolvimento cultural que nos trouxe até aqui, grandes pensadores e filósofos ocidentais começaram a trazer o sentido de separação em relação a esses dois polos, em que o polo positivo (masculino) foi tido como "bom" e o polo negativo (feminino) como "ruim".

Pitágoras, por exemplo, afirmou: "Existem o princípio do bem, que criou a ordem da luz e o homem, e o princípio do mal, que criou o caos, as trevas e a mulher". E Aristóteles: "No que diz respeito aos animais, o macho é por natureza o superior e dominador, e a fêmea inferior é dominada. E o mesmo deve-se aplicar aos humanos".

Esse movimento também é claramente percebido nos pensamentos religiosos, que nos convidam a olhar sempre para o caminho do bom, da luz, e tendo as sombras, o sofrimento e o caos como lugares contra os quais os seres humanos precisam lutar. Enquanto precisarmos lutar contra o mal dentro de nós, não acolheremos as nossas sombras. Enquanto ainda deixamos qualquer coisa fora do sistema e percebemos que devemos lutar contra ela, mais longe estamos da cura e da integralidade do ser. A cura está relacionada muito mais à forma como lidamos com essas sombras e as integramos na nossa vida do que a lutar contra elas; afinal não existe fora. Qualquer separação é apenas ilusão.

Perceba que nossa mente é dual, enquanto a consciência é não dual. Ou seja, não existe certo ou errado, bom ou mal, tudo faz parte do todo. Com isso, a polaridade feminina, vista como negativa, foi sendo abafada pela corrida e valorização da polaridade masculina, vista como positiva. Negativo e positivo são polaridades, mas por interesse do sistema foram atrelados a bem e mal. E, assim, o feminino, e todo o seu poder de criação, sabedoria e magia, foi sendo desvalorizado, enquanto a lógica, o conhecimento e a positividade da polaridade masculina foram tidos como o caminho "correto" a ser percorrido. Reconhecendo esse desequilíbrio entre as duas polaridades e entendendo que somente através da harmonia e equilíbrio entre elas é que tudo no universo existe, inclusive os átomos, a cosmovisão tem como princípio a polaridade feminina, resgatando os seus valores e sabedorias para que possamos equilibrar as duas polaridades no planeta em cada um de nós.

A visão da integralidade, e da integração, vale para as polaridades e também para uma visão de mundo que sai do OU para adentrar no E. Feminino E masculino. Racional E intuitivo. Bem-estar E preservação ambiental.

Estamos saindo de uma mente dual para uma mente sistêmica, em que integramos as polaridades feminina e masculina, assim como integramos bem e mal, luz e sombra. Entendendo que tudo na vida se apresenta com luz e sombra, masculino e feminino.

Para que possamos estar alinhadas e seguir uma mesma linha de raciocínio, partimos do significado etimológico da palavra integralidade, substantivo feminino que, segundo definição da Oxford Languages significa "qualidade do que é integral; reunião de todas as partes que formam um todo; totalidade, completude". Na visão da integralidade do ser, expandimos a própria visão do que é o ser. Assim, a vida material caminha lado a lado com a espiritual, bem como as nossas polaridades feminina e masculina andam em equilíbrio. E mais, a integralidade nos convida a unir e reunir todas as partes e faces do nosso ser, nossas experiências e talentos, personalidades, sem máscaras, sem precisarmos repetir o padrão normativo de sermos uma pessoa no trabalho e outra na vida pessoal, trazendo à tona a nossa mais pura essência. E, principalmente, nos relembrando de valores essenciais da vida.

Abro um parêntese neste princípio para trazer Ken Wilber, idealizador da Teoria Integral, para quem estamos neste momento entrando no nível de consciência humana do Eu integral. Ele define a integralidade como uma visão de mundo que abre espaço para todas as possibilidades culturais existirem simultaneamente, ou todos os estágios de evolução de cada ser e sua cultura coexistindo de forma pacífica. Isso é radicalmente novo e diferente de todos os estágios evolutivos em que já estivemos, porque, como já expliquei, a visão da separação e da dominação sempre fez com que um grupo de pessoas ou um coletivo num certo estado de evolução, ou de percepção de visão de mundo, apenas aceitasse como real, correta e verdadeira a sua visão de mundo. Quando os religiosos fundamentalistas, por exemplo, banem a visão científica. Ou quando os cientistas banem a sabedoria de povos indígenas porque seus conhecimentos estão para além do que o método científico pode provar. Para Wilber, houve cerca de cinco grandes transformações sistêmicas da humanidade, conhecidas como a etapa da caça e coleta, a evolução para o sistema horticultural, a Revolução Agrícola, a Industrial e a da Informação, sendo a última a mais recente. Cada uma delas foi uma evolução que se desenvolveu sobre a outra, como camadas ou como movimentos de acoplar e expandir a partir das bases da anterior, e a cada vez que emergiram a anterior continuou a existir para certas culturas.

Essas estruturas tecnológicas foram acompanhadas por e correlacionadas a visões de mundo que evoluíram de arcaico até o pós--moderno/pluralista. Elas têm em comum o fato de considerarem sua precedente como infantil, obsoleta, antiga ou não verdadeira. E neste exato momento estamos entrando na mais profunda e extremamente transformadora que já existiu, justamente porque ela para de entrar em guerra contra a outra anterior e aceita e dá espaço a ela. É um momento na história em que vamos deixar para trás a dualidade e a racionalidade estritas e englobar todas as dimensões da existência e do

SER. Para Wilber, nada nem perto disso já aconteceu anteriormente na história da humanidade, e por isso vai remoldar a natureza e as culturas humanas como as conhecemos hoje. Segundo ele, estamos no limiar dessa transformação. Pesquisas apontam que 5% da população mundial já atingiu o Estágio Integral que ele define. Entre esses 5%, com certeza se incluem todos os personagens das histórias de regeneração por mim apresentadas no livro.

Ken Wilber explica as bases da Teoria Integral num vídeo disponível no YouTube.[53] Curioso que só assisti a esse vídeo quando já estava terminando de escrever este capítulo, e é tão fantástico ver a forma como eu e Maní canalizamos esses princípios, acessando intuitivamente tantos conhecimentos, com os quais depois fui me deparando e percebendo que estão no inconsciente coletivo e portanto completamente disponíveis para download. Ficou claro que sua Teoria Integral está totalmente alinhada com a Cosmovisão do Feminino para a Regeneração.

3. Espiritualidade

A integralidade nos convida à unificação da ESPIRITUALIDADE com a MATERIALIDADE na vida. Nos convida a experienciar a espiritualidade no nosso cotidiano de forma tão corriqueira quanto escovar os dentes, que seria um aspecto da expressão da materialidade no nosso dia a dia.

O autoconhecimento e a espiritualidade são vistos como chaves para a reconexão com a nossa alma, o nosso eu superior, nosso Deus interno, a supraconsciência que rege o Cosmos, o nosso coração, esse grande portal de acesso a essa nova dimensão de consciência à qual estamos todos interligados. Mulheres, homens ou outro gênero com o qual você se identifique estão sendo convocados neste momento a serem desbravadores e cocriarem novas formas de vivermos em sociedade neste planeta, pois os sistemas e programas econômicos, sociais e políticos de hoje não dão conta de sustentar essas novas consciências. Para isso, precisaremos nos conhecer intimamente e nos conectar profundamente com o nosso coração, para que possamos ajustar

---

53 Disponível em: <https://bit.ly/HistoryOfIntegral>.

padrões mentais individuais e coletivos e começarmos a criar o novo, a partir de novos princípios, para que o antigo se torne obsoleto. E isso só é possível através da conexão com a espiritualidade.

Com essa conexão teremos a oportunidade de transcender os limites do nosso ego e do nosso orgulho e as distorções da nossa mente racional (masculina), ao mesmo passo que aprendemos e incorporamos na nossa vida o caminho das virtudes: fé, caridade, coragem, humildade, esperança, prudência, paciência, misericórdia, amorosidade. E é ela também que nos permite uma conexão direta com a nossa intuição, aumentando a percepção de sinais que chegam de outras formas, que não a racionalidade, e de conexão com os planos superiores de consciência.

A espiritualidade nos permite entrar em contato direto com aquilo que nomeamos Deus, mas que podemos chamar de fonte criadora, sem a necessidade de um dogma, uma doutrina ou de terceiros e condicionamentos para que essa conexão aconteça. A fonte criadora está em tudo o que há e além daquilo que conseguimos perceber com nossos sentidos. Ela nos conecta com o todo e assim nos coloca como servidores de Gaia, como seres a serviço da evolução da vida, assim como todos os nossos irmãos, os outros seres que dividem esta casa conosco.

Deus não está fora. Da perspectiva da verdade que acessamos neste momento, Ele não é um ser personificado na figura de um homem. Deus é como no Ocidente nos referimos à fonte criadora, ao estado de consciência em que o TODO é UM, onde se encontra o oculto, a fonte de toda a sabedoria do processo evolutivo dos seres aqui na Terra. É um estado de consciência de onde é criado tudo o que existe a partir da intenção, do direcionamento da energia da fonte. Ou, como traz João no primeiro capítulo de seu Evangelho, o Verbo.

Espiritualidade é ter consciência do segredo, da magia, do mistério da teia da vida, honrar e servir de verdade conectado a essa teia. É a dimensão complementar da materialidade. Quando olhamos para dentro, para o oculto, para aquilo que não conseguimos ver, mas está lá, nos conectamos com o nosso verdadeiro eu e com a fonte criadora de tudo o que há. Assim, a espiritualidade nos transforma e muda nossa maneira de ver o mundo e de nos relacionar com ele e entender a realidade. Quando essa mudança acontece, é possível usar a nova lente para cocriar a Nova História para a humanidade, com novos princípios e uma outra ética. Quando vivenciamos a espiritualidade de forma mais profunda, entendemos a conexão da teia da vida e a necessidade de criar uma forma de viver que sustente essa teia, em vez de destruí-la.

Nesse estado de consciência moram as virtudes humanas e toda a sabedoria para auxiliar os seres humanos a desenvolverem seu espírito, essa parte nossa que não vemos, mas que nos conecta com a teia invisível, a fazer o bem e a criar aqui na realidade física da matéria, do plano 3D em que vivemos, os alicerces para a evolução do planeta Terra. Por isso estamos aqui. E Gaia é a grande guardiã a serviço da evolução do planeta. O grande útero. Nossa mãe.

Quando as religiões cultuam "Deus, pai e mãe", muitas pessoas acabam interpretando esse culto como figuras personificadas de um homem e uma mulher, mas eu convido a olharmos pela perspectiva de que esse culto é pelo TODO, fonte criadora, união do masculino e feminino dentro de nós e em tudo o que há.

O convite aqui é de uma busca pelo autoconhecimento de quem realmente somos. Somos muito mais do que um corpo na Terra. Somos seres divinos, seres espirituais vivendo uma experiência terrena. O convite é ainda uma retomada da autonomia espiritual, de uma conexão direta com Deus, com a fonte e com o coração, para que eles sejam nossos guias em todos os momentos da nossa vida.

4. Cuidado, a consciência da nutrição

A evolução humana se deu a partir do cuidado. Diferentemente de outras espécies de animais, um bebê não sobrevive sem o cuidado e a nutrição da mãe. Isso está no nosso DNA e no propósito evolutivo da humanidade. Ou seja, a humanidade não existiria sem o cuidado e a nutrição da mãe. Da mesma maneira, Gaia, a Mãe Terra, cuida de nós e de seus outros filhos, através da nutrição de seus alimentos, das medicinas de suas plantas, da limpeza de suas águas, e de tantas outras formas de gerar vida.

Em entrevista ao projeto Fronteiras do Pensamento, Vandana Shiva, importante ativista ambiental indiana, filósofa, ecofeminista e física, nos traz a perspectiva do cuidado ao falar das mulheres e da construção de um novo mundo:

> Ao longo do tempo, passamos por processos que separam os homens da vida. Por privilégio, interessantemente, os homens ganharam poder, mas esse poder se deu através de separação. Separação deles mesmos, da natureza, da família e da comunidade. Porque as mulheres foram deixadas para cuidar do sustento, da vida, das crianças, de buscar água, combustível, cozinhar, as mulheres continuam a ser relacionadas com a vida. E isso não era chamado de trabalho, "as mulheres não trabalham" foi dito. Mas esse era o verdadeiro trabalho, o de manter e reproduzir a vida. E com a tarefa de realizar essas centenas de trabalhos, as mulheres se tornaram experts multifuncionais. Elas se tornaram experts em água, sementes, solo, dar à luz, bebês, diarreia. As mulheres, através da vida, desenvolveram expertise. E é por isso que eu digo, no que se refere à vida, as mulheres são experts. Não porque nossos genes e biologia nos fazem assim, mas porque nos deixaram para cuidar do sustento da vida, nos fizeram experts de uma ponte para o futuro, onde teremos que voltar à vida, às condições de como manter a vida neste planeta.[54]

Entendam aqui que as mulheres têm maior facilidade de acesso a esses aspectos da energia feminina, como o cuidado, porque nos separamos menos deles que os homens. Mas essas características se encontram tanto nas mulheres quanto nos homens. Em todos os outros seres, quando, por exemplo, as árvores se comunicam por suas teias de fungos avisando da chegada de uma praga, elas estão cuidando uma das outras, e da vida. Quando uma passarinha choca seu ninho e traz minhocas para alimentar seus bebês, ela está cuidando da manutenção da vida.

---

54 A entrevista "Vandana Shiva – As mulheres e a construção do novo mundo" pode ser acessada no canal do Fronteiras do Pensamento no YouTube, disponível em: <https://bit.ly/M1LVandanaShiva>.

Dessa forma, o cuidado é alicerce e chave para manter a vida e para a regeneração daquilo que destruímos. Assim, além de resgatarmos valores femininos importantes para o processo de regeneração e criação de uma nova realidade de mundo, esses valores, assim como essa nova realidade, precisam de cuidado e nutrição para florescerem e serem mantidos. É somente através do cuidado que a vida prospera, e é nesse alicerce que vamos construir a Nova História para a humanidade.

5. Intuição

A intuição é uma das sabedorias femininas mais importantes nesse processo de resgate de valores femininos para termos de alicerce na construção de uma nova realidade de mundo. Ela pode ser entendida como a percepção, o discernimento ou o pré-sentimento das coisas, independentemente de raciocínio ou de análise. Ela é a voz do nosso coração que nos sopra ao ouvido orientações que, às vezes, nossa mente racional nem compreende.

Somos uma sociedade culturalmente desenvolvida a partir de um olhar muito forte dos aspectos masculinos do nosso ser, em que as nossas decisões e ações estão pautadas em análises racionais, lógicas e estratégicas, com pouquíssimo espaço para o que diz a voz do nosso coração. Por muito tempo temos usado a razão para decidir tudo. Ela é muito importante, mas sem intuição pode nos levar a decisões e ações desconectadas de um propósito e um entendimento maior dessa teia da vida, exatamente como essa realidade que hoje se apresenta. A razão deve servir à intuição, já que é esta que está conectada à supraconsciência. E, se a fonte criadora nós encontramos dentro do nosso coração, a intuição é uma das formas mais poderosas de termos um diálogo direto com a fonte, com Deus.

E, trazendo um novo olhar sobre o poder de manifestação, de realização, a partir dessa força feminina, a intuição é o que nos guia. Silenciando a mente e atentos para ouvir o que nosso coração nos diz, ele nos fala através do nosso corpo, dos sinais que a vida nos manda em forma de sincronicidades, das visualizações, pressentimentos e das emoções.

Trago um exemplo da minha vida, que sempre foi guiada pela intuição, para ilustrar este princípio. Em 2016 eu queria mudar de apartamento e ir para um bairro com mais natureza, árvores, e menos gente. Queria morar num apartamento que fosse meio casa, que tivesse quintal, mas que também tivesse vista para a floresta. (Exigente? Imagina!...) Mas estava a caminho da aula no Gaia Education, a formação que contei, e do nada me deu vontade de fazer um desvio e entrar numa ruazinha do bairro do Jardim Botânico, que é colada na Floresta da Tijuca, a maior floresta urbana do mundo. E lá vi uma placa de "aluga-se" num apartamento de segundo andar. Tirei foto e fui para a aula. Quando cheguei em casa mais tarde, entrei num site de aluguel de imóveis para ver se o apartamento em questão estava anunciado lá. Estava. Mas não só ele como um segundo que – adivinha? – tinha quintal e vista para a floresta. Dois dias depois eu estava visitando esse apartamento onde vim a morar durante um ano e meio. Foi por pura intuição que esse desvio se deu, e assim achei minha casinha. Estarmos guiados pela intuição, pelo feminino, nos convida a estarmos mais abertos a receber toda a abundância e mistérios que a vida nos reserva.

O convite é que a intuição seja trazida como ponto de partida para todas as nossas ações, decisões e caminhos a serem seguidos. A racionalidade nos ajuda a calcular os riscos das nossas ações, a desenhar o caminho, mas a intuição é o que nos guia. A integração dessas duas forças, intuição (feminino) como guia e a razão (masculino) para nos ajudar a agir com foco e energia direcionada, nos permitirá criar uma nova realidade de mundo em que nossas ações estão alinhadas com o coração. Colocar as mãos em prece na altura do coração e abaixar a cabeça em direção às mãos, tão comum em diversas religiões, é o gesto que materializa esse servir da razão ao que diz o coração. Para várias tradições espirituais, quando fazemos isso estamos dizendo ao nosso intelecto: *Você deve estar alinhado ao coração, já que este é de fato o grande portal*. E quando as nossas realizações estão alinhadas com a vontade divina, com a nossa missão, ela acontece de forma fluida, leve, e a vida mesma se encarrega de abrir os caminhos necessários.

Assim é a coragem, agir tendo o nosso coração como guia.

6. Colaboração

É urgente que façamos um resgate da habilidade do conhecimento ancestral da colaboração, pois vivemos uma trajetória coletiva. E, quanto mais estivermos organizados em pequenos grupos de apoio, como uma grande teia, interconectados, mais rápido ascenderemos como humanidade no processo evolutivo.

Essa grande teia é a teia da vida, e sim, estamos todos conectados. Daí a importância de vivermos na prática o conceito da interdependência, ou seja, a consciência de que o todo depende de um único indivíduo e cada indivíduo depende do todo para existir. Dessa forma, através do auxílio mútuo e reciprocidade.

Abro mais um parêntese para trazer um dado de estudos arqueológicos recentes, apresentados pela socióloga Riane Eisler em seu livro *O cálice e a espada*, segundo os quais já vivemos sob outras formas de organização humana, no modelo denominado "sociedade da parceria, na qual nenhuma metade da humanidade é colocada acima da outra, e nenhuma diferença é igualada a inferioridade ou superioridade".[55] Isso prova que já existimos como sociedade num formato em que a colaboração era o pilar central, e não havia domínio de homens sobre mulheres ou vice-versa.

Vamos imaginar uma colmeia de abelhas, que são um tipo de sociedade de parceria que existe há milênios no planeta. Para que o mel seja produzido por elas, cada uma das abelhas dentro da sua comunidade tem uma função. Umas protegerão a colmeia, outras vão polinizar, outras vão construir e outras ficarão disponíveis para entregar a sua vida para proteger as outras em caso de ataque de algum predador. Mais do que isso, as abelhas não se percebem como seres individuais, mas como partes de um ser maior, sua colmeia, sua comunidade.

Podemos usar o exemplo das abelhas para entender o conceito de teia da vida, em que cada um de nós tem uma função dentro e o todo só acontece se estivermos a serviço das nossas funções, em harmonia com o todo e com as outras partes. E nós, assim como as

---

55 Eisler, Riane. *O Cálice e a Espada: nosso passado, nosso futuro*. São Paulo: Palas Athena, 2007.

abelhas, vivemos uma jornada coletiva que foi esquecida, ao passo que o individualismo foi ganhando mais espaço na evolução da mente humana. Por isso, precisaremos resgatar a habilidade ancestral da colaboração e cooperação para que possamos construir uma nova realidade de mundo, com novos alicerces de sistemas sociais, políticos e econômicos saudáveis e alinhados com as virtudes humanas, ações regenerativas e criação do novo. Isso é um princípio tão forte em todos os organismos vivos que é quase uma aberração termos desenvolvido uma forma de viver em que o egoísmo é premiado e o individualismo, incentivado.

Quanto mais estivermos organizados socialmente, em pequenos grupos ou pequenas comunidades, criando uma nova realidade de vida em comunhão com a natureza e com base em colaboração, como uma grande teia interconectados, mais rápido ascenderemos como humanidade no processo evolutivo e auxiliaremos na regeneração da Terra e na evolução do planeta.

7. Amor incondicional

O coração é o grande portal e o amor incondicional, a chave.

O amor representa o atributo-síntese de todos os passos que precisamos dar nesta caminhada. Pode parecer piegas, mas o amor é a única força capaz de tirar a humanidade do lugar onde ela mesma se colocou. E não podemos mais ter medo de falar de amor. Aqui, não nos referimos àquele amor romântico hollywoodiano, e sim a um amor que transcende e se manifesta nas mais diversas maneiras; aquele amor que sentimos por todas as formas de existência. Tanto é que os filósofos gregos do tempo de Platão utilizavam muitas palavras para descrever o amor em sua totalidade. Havia, por exemplo, o amor fraternal, por membros da família; o Philos, que é o amor derivado de um conjunto de afinidades (amigos); o Eros, que é o amor romântico; e o Ágape seria aquele amor divino e incondicional, aqui considerado o amor por todos os elementos da natureza. Sendo assim, é a este último, o Ágape, que a cosmovisão se refere.

O amor incondicional é um estado de consciência, com determinada frequência e vibração, que vem reforçando e estimulando a conexão com o outro ser e com o todo sem uma condição prévia ou barganha.

Se Deus não se encontra fora, onde Ele se encontra? Se Deus é um estado de consciência, esse estado possui uma frequência e vibração. Essa mesma frequência se encontra no nosso coração, assim como o acesso a essa consciência divina. É através do nosso coração que acessamos esse estado de consciência que é Deus. Logo, Deus está dentro de cada um de nós. "Deus está dentro de você" significa que dentro de mim mora essa mesma fonte criadora e que o portal de acesso a ela é o meu coração.

A humanidade foi seguindo por caminhos distorcidos da sabedoria universal e são muitos os véus que nos separam da conexão direta com Deus, com a fonte criadora, que nos impedem de nos conectar com o nosso coração e poder ouvir a sua voz, a intuição. São eles os traumas, as dores, as mágoas, o medo, o orgulho, a vaidade, o egoísmo, a soberba, a arrogância, entre outras experiências, sentimentos e valores que, de um lado, separam e, de outro, desviam a humanidade dessa trilha de evolução. Tudo isso nos distrai e faz com que dediquemos boa parte da nossa energia vital a esses desvios, nos afastando e desconectando do nosso coração.

Somente através do amor incondicional – ou seja, a mais pura expressão do amor, aquele que não está suscetível às condições ou circunstâncias externas, que não espera nada em troca, sem quaisquer limitações – é que conseguiremos nos reconectar com esse grande portal que é o nosso coração, limpando todas as distorções e distrações. E, assim, podemos estabelecer uma conexão direta com toda a sabedoria contida na fonte criadora, em Deus, para ser o guia das nossas ações aqui no mundo físico, para que possamos cumprir a missão de cada um de nós aqui nesta existência.

Como coloquei no capítulo Vamos sonhar juntos novamente?, o amor incondicional é a energia que movimenta a vida. É o pulsar que guia a evolução. É o elo entre todos os seres que habitam o Cosmos. É uma força cósmica de vida.

O amor é mesmo essa força de resgate de que precisamos. Do resgate do que é ser humano. Do resgate da nossa integralidade. Do resgate da consciência de que estamos aqui para servir à evolução da vida. Afinal, nós somos um só com o todo.

BEM-VINDES À ERA DO *HOMO INTEGRALIS*

Quando convidei a Maní para canalizar comigo uma cosmovisão do feminino para a regeneração foi porque sentia que precisava dar luz ao elo perdido. Ao longo do processo, percebemos que ela é muito mais, é uma ferramenta em construção, e princípios que podem, sim, alicerçar a Nova História da humanidade. E essa Nova História nasce da polaridade do feminino. Apesar de a Cosmovisão do Feminino para a Regeneração ter sido canalizada no processo de escrita deste livro, ela não é a história do *Homo integralis*, e sim uma narrativa e uma ferramenta que queremos ofertar a todas as pessoas. Inclusive porque sentimos que nesse processo servimos apenas de canalizadoras, de intérpretes que colocaram em palavras informações presentes na teia cósmica de informação.

Para mim, no entanto, ela se apresentou como um mapa, um guia de que caminho podemos trilhar coletivamente para evoluir como espécie, e assim evoluir nossos sistemas de vida em sociedade. O *Homo integralis* é filho da Cosmovisão do Feminino para a Regeneração. E pai de uma transição que já está acontecendo.

A transição já começou

A transição já começou. Ken Wilber cita alguns estudos segundo os quais quando 10% da população mundial atingir o estágio evolutivo de perceber o mundo como essa teia da vida, quando esses 10% ancorarem essa nova cosmovisão e visão regenerativa da vida, surgirá o que se define por *ponto de mutação*, título do livro de Fritjof Capra que explica como esse fenômeno se dá. Isso significa que, quanto antes esses 10% ancorarem os novos valores, acontecerá como num passe de mágica que o restante das culturas passará a adotar também esse conjunto de valores como guia de suas visões de mundo.

Só para dar um exemplo, ele cita em seu vídeo explicativo sobre a Teoria Integral (que já mencionei aqui):

Quando 10% da população alcançou o estágio da evolução moderna, nós vimos a Revolução Francesa e a Americana, o fim da escravidão e o surgimento da democracia. Todos os estágios anteriores tinham algum tipo de escravidão. Mas parte dos estágios modernos herdou crenças de que humanos devem ser tratados com justiça, independentemente da raça, cor, sexo ou crenças. E em meros cem anos – de 1770 até 1870 – a escravidão foi proibida em todas as sociedades racionais modernas no mundo. Agora, só 10% da população estava no estágio moderno que acreditava em liberdade. E ainda assim aquele era o ponto de virada que espalhou a ideia da liberdade através da cultura inteira acabando com a escravidão.

Ainda segundo Wilber, isso pode acontecer nesta década, a década da virada, aquela que será crucial para a mudança de rumo da humanidade no planeta. E a partir daí, pela primeira vez na história, culturas não opressoras podem começar a existir.

Eu vou além. Quando 10% da população estiver no estágio de *Homo integralis*, não só culturas não opressoras passarão a existir como culturas de fato regenerativas vão emergir. E, em se tratando dos últimos acontecimentos, eu diria que estamos bem próximos desse ponto de virada. O final de 2020 e o começo de 2021 já sinalizaram que esta será uma década divisora de águas na nossa forma de viver e se perceber como parte da teia da vida. O CEO do Walmart declarou, em agosto de 2020, que vai transformar essa gigante do varejo numa empresa regenerativa. Os fundos de investimento mais importantes do mundo estão adotando práticas mensuráveis de ESG (Environmental, Social and Governance), algo como práticas Ambientais, Sociais e de Governança, como premissa para direcionar investimentos. Se e como isso vai de fato se dar vai depender das ações que vamos tomar coletivamente nos próximos anos.

E com este livro eu desejo e intenciono que você seja não só testemunha como parte da cocriação dessa transformação. Desse movimento de regeneração sem precedentes da história da humanidade. Que você possa ajudar a segurar a Queda do Céu, de que fala Davi Kopenawa e o povo Yanomami, que você possa receber seus downloads de como ancorar no seu dia a dia a Cosmovisão do Feminino para a Regeneração e assim possibilitar que o *Homo integralis* venha a nascer. Afinal, é de um ventre feminino que nascerá a tão esperada cultura de paz e abundância. É de um ventre feminino cósmico, mórfico, e do inconsciente coletivo que emergirá a nova consciência capaz de materializar em ações, sistemas, culturas e práticas essa Nova História para a humanidade. É do feminino que nascerão o equilíbrio e o acolhimento de todas as partes integrantes desse megaorganismo chamado Gaia.

É do feminino que nascerá a vida de uma maneira nunca antes vivenciada neste planeta.

Que o feminino nos guie, nos dê ferramentas, força e intuição para ancorar o mundo mais bonito que nossos corações sabem ser possível. Afinal, a Nova História da humanidade começa hoje, com o que nós fazemos. E a Cosmovisão do Feminino para a Regeneração é apenas um ponto de partida, uma referência intelectual de novas narrativas que precisamos ver ganharem força. Já sabemos que não é a partir da mentalidade que criou o problema que ele será solucionado, portanto que as respostas para tratar uma crise que se origina no masculino distorcido possam ser elaboradas a partir de um feminino regenerador. Que possamos ter a coragem de mergulhar no oculto de nossos corações e lá buscar a verdade do que é SER humano. Que possamos mudar as lentes e deixar emergir um novo código de ética em relação à vida pautado na integralidade do ser, esse ser que por tanto tempo valorizou apenas a potência da racionalidade.

Precisamos de novas histórias para novas possibilidades. Inspiradoras o suficiente para que consigamos quebrar a roda do rato e colocar todo esse potencial incrível a serviço de um mundo mais bonito, de vidas mais significativas, em todos os aspectos que isso pode significar. Precisamos voltar a sonhar um novo sonho, um desses com finais felizes. Ou novos recomeços felizes, afinal tudo é cíclico. De forma que a cada dia nos tornemos mais próximos da nossa verdadeira identidade, da nossa verdadeira natureza. Quanto mais alinhados com nossa verdade, com a verdade do coração, mais potentes nos tornamos para mexer naquilo que precisa ser transformado. Precisamos de sonhos poderosos o suficiente para direcionar nossas ações e energia e construir um futuro intencional em que haja abundância, paz, justiça, vida com qualidade e propósito para todos, não só humanos, mas todos os seres que dividem esta casa conosco e que têm o direito a uma vida próspera também.

Todas as histórias narradas neste livro, não à toa, têm como protagonistas pessoas movidas por sonhos. Mas não só isso. São pontos de luz, são como as agulhas de acupuntura que liberam o fluxo para que a energia possa voltar a fluir, são humanos que deixaram para trás a sua versão consumptor para viverem como *Homo integralis*. E é dessas novas lentes que precisamos agora. Que deem conta de provocar um novo olhar. Sobre nós e sobre o todo. Sobre a vida e como podemos contribuir para ela. E não posso dizer que vai ser fácil, mas não temos plano B, porque não existe planeta B. O que posso afirmar é que, seguindo passos de uma jornada regenerativa, teremos um caminhar regenerativo. E, ancorando uma visão de mundo integralis, teremos no mundo sistemas integralis. E as ferramentas e tecnologias para começar a fazer isso nós já temos. Só precisamos dar uma forcinha para trocarmos de óculos e podermos enxergar potência onde hoje vemos destruição.

O feminino regenerativo que habita em mim saúda o feminino regenerativo que habita em você.

Bem-vindes à era do *Homo integralis*!

AGRADECIMENTOS

Escrever esta obra foi para mim um grande processo iniciático. Desde o dia em que a LeYa Brasil me convidou para escrever, muita coisa mudou na minha forma de pensar e ver o mundo. Escrever *Homo integralis* foi como um ritual onde me despi de uma velha forma de ser, estar e, principalmente, de ver o mundo e comecei a encontrar essa nova lente que transformou e segue transformando tanto por aqui, e sobre a qual este ensaio foi escrito. Sou eternamente grata pela oportunidade que me foi dada e por todas as pessoas que fizeram parte dessa jornada, de forma direta ou indireta. Portanto, meus agradecimentos vão para muito além dos nomes citados aqui, então se você se sente parte dessa jornada receba meu agradecimento por isso.

Meu primeiro agradecimento é à LeYa Brasil, pelo convite de escrever um livro, livro este que eu não fazia ideia do que seria até que esse desafio foi lançado. Meu agradecimento especial a Leila Name, Izabel Aleixo, Claudio Marques, Deborah Neri e Rodrigo de Almeida, pelo suporte no processo, tão desafiador, de parir uma obra.

Este livro é ainda um tecer de várias ideias que fui absorvendo ao longo dos últimos anos, de inúmeras leituras e diversas conversas com pessoas dispostas a trocar e partilhar experiências e visões de mundo. Aqui vai meu profundo agradecimento a todos que cruzaram meu caminho e, mesmo sem saber, contribuíram para esta obra. Aos mestres e professores, por se apresentarem de diversas formas, e a todos que dedicaram seu tempo para entrevistas que conduzi ao longo do processo. São eles, em ordem alfabética: Alex Girão, Alice Worcman, Aline Matulja, Amanda Santana, Angelina Ataíde, Chyslia Fernanda de Santana, Claudia Baumgratz, Claudinho Miranda, Edgard Gouveia Jr., Elaine Favero, Fabio Scarano, Felipe Tavares, Fernanda Haskel, Hermes de Sousa, Lucas Matarazzo, Luiz Hadad, Marcos Nisti, Milena Nepomuceno, Monica Noda, Morena Cardoso, Natalie Unterstell, Patricia Cota Gomes, Paulo Roberto Pereira, Ricardo Abramovay, Rodrigo Medeiros, Rodrigo Rubido e Val Rocha.

Ao Guilherme Lito e à Maní-Inu, Marcella Mugnaini, por terem sido peças-chave na construção da obra em si. Lito, que me guiou no

conteúdo do capítulo sobre economia, releu meus textos, comparti-
lhou referências e me escutou com minhas várias dúvidas sobre este
tema. Maní, que canalizou junto comigo a peça-chave desta obra, a
visão mais disruptiva deste ensaio, a Cosmovisão do Feminino para
a Regeneração. E, além disso, me ouviram e foram minha rede de
apoio para o desafio da escrita e o que isso moveu dentro de mim.
Ao André Trigueiro, pela sua eterna generosidade em compartilhar
comigo conhecimento, alegrias e dores relativas à agenda ambiental
no Brasil, e em especial por ter aceitado meu convite para escrever o
prefácio deste livro.

Ainda sobre minha rede de apoio, meu agradecimento mais profundo ao meu marido, Wagner Andrade, por sua generosidade e parceria na vida e nesse processo. Ele, que desde o dia em que me propus
a escrever este livro se colocou como suporte para me blindar de todos
os assuntos em que eu não precisasse me envolver, para que eu tivesse
tempo e espaço de qualidade para a escrita. Que assumiu como CEO
do Menos 1 Lixo e, desde então, tem guiado o negócio e feito ele crescer, além de ser a pessoa que mais me apoia na vida a realizar meus
sonhos, minhas vontades e meus devaneios. Um supercompanheiro
sem o qual eu não conseguiria fazer essa transição. Agradeço também
à Lili, minha enteada, que da sua maneira respeitou profundamente
meu processo de escrita e sempre me deu amor e suporte. Ao time do
Menos 1 Lixo, por todo o suporte durante o processo. Aos meus amigos, que foram fundamentais para manter minha sanidade mental e
que me deram força nos momentos mais desafiadores.

Agradeço aos meus pais, por terem me dado a vida e terem me
criado para que hoje eu pudesse chegar até aqui. À Gaia, por ser a
grande mãe nutridora e sem a qual não haveria papel, humanidade,
nada. Aos povos originários, por serem guardiões de saberes dos quais
bebi na fonte para trazer muito do que está nestas páginas, mesmo sabendo que isso é apenas uma ínfima parte do que eu consigo alcançar
de uma sabedoria imensurável.

Agradeço ainda a cada pessoa que lê estas palavras e a cada pessoa que se dedica à materialização de um mundo mais bonito que
nossos corações sabem ser possível. E a todos que acompanham meu
trabalho nas redes sociais, que têm o copinho do Menos 1 Lixo, e que,

de uma forma ou de outra, apoiam e participam desse movimento. Sem vocês eu não teria chegado até aqui.

E por fim, mas não menos importante, agradeço aos meus guias por estarem ao meu lado me ajudando a voltar sempre para o caminho do meu coração.

Em www.leyabrasil.com.br você tem acesso a novidades e conteúdo exclusivo. Visite o site e faça seu cadastro!

A LeYa Brasil também está presente em:

 facebook.com/leyabrasil

 @leyabrasil

 instagram.com/editoraleyabrasil

 LeYa Brasil

ESTE LIVRO FOI COMPOSTO EM TIEMPOS TEXT,
CORPO 10 PT, PARA A EDITORA LEYA BRASIL.